D0292466

10
18

12, AVENUE D'ITALIE. PARIS XIIIe

Sur l'auteur

Anne Birkefeldt Ragde est née en Norvège en 1957. Auréolée dans son pays d'origine des très prestigieux prix Riksmål (équivalent du Goncourt français), prix des Libraires et prix des Lecteurs pour sa « Trilogie des Neshov » (*La Terre des mensonges*, *La Ferme des Neshov* et *L'Héritage impossible*, trilogie vendue à plus de 80 000 exemplaires en France), Anne B. Ragde est une romancière à succès, déjà traduite en vingt langues, qui a vendu à ce jour des millions d'exemplaires. Après *Un jour glacé en enfer* et *Zona frigida* son dernier roman, *La tour d'arsenic* paraîtra aux éditions Balland en octobre 2011.

ANNE B. RAGDE

LA FERME DES NESHOV

Traduit du norvégien
par Jean RENAUD

BALLAND

Du même auteur
aux Éditions 10/18

LA TERRE DES MENSONGES, n° 4426

Ouvrage traduit avec le concours de NORLA

Titre original :
Eremittkrepsene

ISBN : 978-2-264-05319-0

Elle n'avait pas l'habitude de se réveiller si tôt. Elle resta allongée dans l'obscurité de la chambre, les yeux grands ouverts, et écouta. D'abord la sonnerie opiniâtre du réveil, interrompue aussitôt, il avait dû attendre qu'elle se déclenche. Elle savait qu'il était six heures et demie. Puis le silence fut complet pendant une petite minute, jusqu'à ce qu'elle entende la porte s'ouvrir doucement et se refermer, tout aussi doucement, et, peu après, celle de la salle de bains. Il savait qu'il avait du monde à la maison et ne voulait pas faire de bruit. Car ce devait être ainsi qu'il les considérait, non ? Des étrangers qui, au fond, n'étaient pas chez eux ici, qui le dérangeaient et se mêlaient de ses affaires. Perturbaient une année de banale routine et de sécurité.

Elle ne connaissait pas son père. En fait, elle ne savait pas qui il était. À quoi il ressemblait quand il était enfant, adolescent ou à son âge à elle. Il n'y avait pas un seul album de photos à la ferme. C'était une histoire dont elle n'avait jamais fait partie et au beau milieu de laquelle elle se trouvait soudain plongée. Mais, aujourd'hui, elle allait repartir et se reconnecter à sa propre histoire. C'était à cela qu'elle pensait, au fait qu'elle repartirait sans avoir appris à le connaître. De lui elle n'avait que l'image de l'éleveur de porcs, celui qui prenait plaisir à s'enfermer dans la porcherie, celui dont la voix vibrait et chantait lorsqu'il évoquait les diverses particularités des truies, les bêtises que les porcelets pouvaient faire, les généreuses portées et les courbes de croissance. Elle l'avait vu dans la porcherie, là où il était lui-même, vêtu de sa combinaison dégoûtante, penché au-dessus des loges pour gratter une cochette de deux cent cinquante kilos derrière les oreilles, souriant largement à la bête, le regard léger et clair.

Elle l'entendit pisser droit dans la cuvette des waters, il était incapable de faire autrement malgré la présence inhabituelle d'autant d'invités endormis. Elle écouta tomber les dernières gouttes, l'entendit tirer la chasse. Elle n'entendit pas ensuite l'eau couler dans le lavabo, mais seulement la porte s'ouvrir à nouveau et se refermer avant qu'il ne descende lentement l'escalier et entre dans la cuisine. Là, elle l'entendit verser de l'eau dans la bouilloire à café, sans doute sur le vieux marc de la veille, puis tout redevint silencieux.

Et dans ce silence elle fit l'intense effort de se représenter son appartement à Oslo, les posters sur les murs, les livres sur les rayonnages, la petite coupelle en verre pleine de sels de bain bleus posée sur le lavabo, l'aspirateur dans le placard bien trop étroit du couloir, le répondeur qui clignotait quand elle rentrait du boulot, le panier de linge sale, la pile de vieux journaux juste derrière la porte d'entrée, la vieille boîte en fer-blanc qu'elle veillait toujours à remplir de pain craquant, le tableau d'affichage en liège où étaient épinglés des tickets de cinéma déchirés et des photos de chiens et de leurs maîtres. Elle s'efforça de tout se représenter. Elle y parvint et s'en réjouit. Mais elle ignorait qui il était.

Elle ignorait qui elle quittait. Elle connaissait ses porcs mieux que lui.

Il y eut le bruit de la porte d'entrée et de ses pas sous l'appentis, elle chercha à tâtons son portable sur la table de chevet et appuya sur une touche, il était sept heures dix. Mais elle attendit que la porte de la porcherie claque derrière lui avant de bondir hors de la couette dans la chambre glaciale, d'attraper ses vêtements et de se rendre dans la salle de bains pour s'habiller. Tout comme lui, elle marcha à pas feutrés, mais rapides comme l'éclair, et non de son allure d'homme âgé. Dans la salle de bains, elle sentit de vagues relents de son odeur. La pièce était froide, la seule chaleur provenait d'un petit radiateur rayonnant tout rouillé, fixé au mur au-dessus du miroir. Elle examina son visage tout en se lavant les mains, elle n'avait pas le courage de prendre une douche, elle attendrait d'être de retour chez elle, où elle n'aurait pas à se tenir debout dans une baignoire glissante, les yeux fixés sur les carreaux de formica aux joints gonflés d'humidité, pour ensuite se sécher avec une serviette que l'usure avait rendue transparente. Ce soir, elle serait dans sa bonne vieille salle d'eau, avec cabine de douche et sol chauffé.

Elle ressortit dans le couloir et prêta l'oreille, avant de tourner la poignée de la porte de la chambre de son père.

La pièce était plus grande que celle qu'elle occupait et qui, en réalité, était l'ancienne chambre d'Erlend.

Elle alluma le plafonnier, il ne s'en apercevrait pas, la fenêtre ne donnait pas sur la cour, mais sur le fjord, comme la sienne.

Des murs peints en vert clair des décennies plus tôt. Le plancher avait jadis été gris, mais la peinture avait complètement disparu devant la porte et à côté du lit, là où ses pieds, à force de se poser au lever et au coucher, avaient fait apparaître une demi-lune de bois brut. Les vitres étaient couvertes de fleurs de givre, d'un blanc éclatant sur fond de matin hivernal, formant des cercles et des motifs bien découpés.

Seules les fleurs de givre étaient belles dans cette chambre.

Aucun cadre. Un lit, une table de chevet, un tapis en lirette, un buffet adossé à l'un des murs. Elle s'en approcha et ouvrit les portes. Vide. Ce n'était qu'un simple meuble contre un mur. Mais le tiroir du haut contenait quelques napperons au crochet, empilés les uns sur les autres, au motif absolument identique mais de couleurs différentes, en coton brillant. Elle commença à avoir froid, sans doute n'avait-il refermé la fenêtre qu'en se levant.

Sous la couette relevée, le drap était sale, surtout au niveau des pieds, avec de petites peluches de laine çà et là, peut-être gardait-il ses chaussettes pour dormir. Que faisait-elle ici, au fond ? Ce n'était pas là qu'elle apprendrait à le connaître. C'était sa pièce de repos, dans laquelle il n'était personne. On n'est personne quand on se repose ou que l'on dort. Mais combien de soirs avait-il dû s'allonger là, à scruter l'obscurité et à réfléchir ? Avait-il pensé à elle ? Lui avait-elle manqué ? Avait-il regretté de ne pas savoir qui elle était, elle ?

La chambre était imprégnée d'une odeur forte et entêtante de corps humain, de porcherie et de murs froids.

Il y avait une penderie. Elle était encastrée dans le mur et difficile à voir au premier coup d'œil, les boutons pour l'ouvrir étaient minuscules. Quelques chemises de flanelle, aux cols et manchettes effilochés, un pantalon tout au fond, une étagère de chaussettes et de caleçons, pas plus de trois ou quatre de chaque, une cravate enveloppée sous plastique. Elle la souleva et remarqua une carte de Noël jaunie, reçue des abattoirs Eidsmo. Elle la reposa soigneusement à la même place.

Elle s'arrêta pour écouter. Mais il ne revenait évidemment pas. Pourquoi serait-il revenu ? Il était bien trop occupé à la porcherie, tandis qu'elle parcourait sa chambre sans savoir ce qu'elle cherchait. À chacun de ses regards, elle sentait la tristesse l'envahir. La désolation. Chez elle, elle avait un lit d'un mètre vingt, surmonté d'un épais matelas. Son père en avait un dont la largeur ne dépassait guère quatre-vingts centimètres et il couchait sur de la mousse. Il y avait un grand creux au milieu, là où le drap était tout plissé. La tête et le pied du lit étaient en teck brillant, une zone plus claire à la tête du lit indiquait qu'il avait l'habitude de s'y appuyer depuis des années avant d'éteindre la lampe de chevet. Et aujourd'hui elle allait partir, à cinq cents kilomètres de tout cela, alors que dès le soir venu il se recoucherait dans ce même lit. Il s'y recoucherait encore quantité de fois, mettrait le réveil à sonner et essaierait de trouver le sommeil, derrière ses fleurs de givre.

Elle ouvrit le tiroir de la table de chevet. La photo d'un petit cochon lui apparut, c'était une brochure de l'Association des éleveurs de porcs norvégiens. Elle la souleva. Dessous il y avait vingt billets de mille couronnes. C'était donc là qu'il les cachait ! Sous les billets il y avait un livre. Elle s'en saisit avec précaution.

Le Rapport Kinsey. Le comportement sexuel de la femme. Elle s'immobilisa, l'ouvrage entre les mains. *Le Rapport Kinsey*. Elle se souvenait vaguement avoir entendu parler, dans une émission de radio, de ce Kinsey qui, il y avait une éternité de cela, interrogeait les Américains et les Américaines sur leurs habitudes sexuelles. Apparemment cela avait fait du bruit aux États-Unis. Le livre était usé à force d'avoir été lu, les pages en étaient cornées.

Elle voulut passer le pouce pour le feuilleter à l'envers, mais son doigt s'arrêta aussitôt sous la jaquette. Elle ouvrit le livre, et vit le tampon « Bibliothèque populaire de Trondheim ». Une ancienne fiche de prêt jaunie était glissée dans l'étroite pochette prévue à cet effet, le genre de fiche qu'utilisait, elle se rappelait très bien, la bibliothèque de son quartier quand elle était enfant. Elle la retira. Le livre aurait dû être rendu au plus tard le 10 novembre 1969.

Elle s'empressa de replacer le livre sous les billets de mille. *Le Rapport Kinsey* et un matelas en mousse de quatre-vingts tout au plus. Elle sortit de la chambre et ferma la porte derrière elle.

– Je vais mettre un semblant d'ordre. Avant que tu t'en ailles.

Torunn n'avait pas entendu son père traverser la cour derrière elle, la neige fraîchement tombée assourdissait les bruits.

– C'est agréable de s'asseoir à la fenêtre de la cuisine et de les regarder, non ? dit-elle. Et ils ne viennent pas si la mangeoire est vide.

– D'habitude on se contente d'enrouler un bout de ficelle autour d'un vieux morceau de lard et de le suspendre. Mais ils n'ont pas eu grand-chose ces derniers temps. C'était plutôt… maman qui s'occupait de ça.

Elle était tout juste revenue de la boutique faire les dernières courses, avant qu'Erlend, Krumme et elle ne repartent. Erlend et Krumme chez eux à Copenhague, elle à Oslo.

Elle voulait qu'il y ait de quoi manger correctement à la maison, le genre de choses qu'il ne se donnerait pas les moyens de s'acheter lui-même. Erlend avait promis de régler la note. Carte blanche, lui avait-il murmuré à l'oreille quand elle avait pris la voiture pour aller à la coop de Spongdal, elle était bien contente car il restait à peine assez sur son compte pour payer ses propres factures de janvier, toute copropriétaire d'une clinique pour petits animaux qu'elle était. Oncle Erlend, pensa-t-elle, c'était bizarre d'avoir soudain un oncle de trois ans de plus qu'elle. Le petit frère de son père, qui avait quitté la ferme vingt ans plus tôt, avec l'indomptable envie de s'affirmer, et qui n'aurait jamais imaginé y revenir si longtemps après pour y fêter Noël, qui plus est avec son compagnon. Or c'était précisément Erlend, le fils qui s'était enfui, qui avait peut-être le mieux réussi des trois frères. Erlend était heureux, il aimait, était aimé en retour, et il était financièrement très à l'aise. Erlend lui avait confié que Krumme roulait sur l'or au Danemark, une expression qu'il adorait, avait-il ajouté.

Elle ne parvenait pas à appeler Margido « mon oncle », bien que ce fût le cas. C'était peut-être sa profession qui le rendait si distant, le fait qu'il devait maîtriser toute forme de sentiments. Adapter son comportement vis-à-vis des personnes endeuillées et organiser dans le même temps des obsèques parfaites, voilà sans doute pourquoi il avait pris l'habitude de vivre seul, dans son propre monde. Ne savait-il pas depuis plusieurs années quelle était la situation à Neshov, que tant de choses reposaient sur le mensonge, que celui qu'ils appelaient leur père ne l'était pas ? Margido était au courant et n'avait rien dit, ni à Tor ni à Erlend. Au lieu de cela, il s'était tenu à l'écart, avait évité de faire face à cet aspect de la réalité. Jusqu'au soir de Noël, où il y avait bien été obligé.

Elle avait pensé à eux tout en poussant son caddie dans les allées de la coopérative et en essayant de se rappeler ce qui restait dans le frigo. Elle pensa au silence ensuite. Le jour de Noël et ce qu'elle avait ressenti comme une tentative crispée de normalisation. Ils avaient parlé du temps et de la température extérieure. C'est alors qu'elle avait réalisé qu'ils avaient réussi à survivre de cette façon, en tournant toujours autour du pot, ils créaient leur propre réalité. Ce qu'on n'évoquait pas n'existait pas. Son père continuait d'appeler le vieux « papa », et elle-même ne faisait pas mieux en pensant à lui comme à son « grand-père ». Et le grand-père ne les avait pas repris, il avait sûrement l'impression d'avoir exprimé ce qu'il avait sur le cœur, pour la première fois de sa vie.

Elle fit le plein de provisions et eut aussi l'idée de remplir la mangeoire à ras bord, en imaginant son père dans quelques heures, seul à la table de la cuisine, en train de regarder dans la cour par-dessus le rideau en nylon blanc.

Elle avait acheté quatre boules de graisse pour mésanges sous un filet en plastique vert, et quelques sachets de noix pour oiseaux dans le même type d'emballage. Elle était occupée à fixer les boules à l'arbre de la cour, avec de la ficelle et des punaises, elle avait les doigts déjà tout engourdis. Sur la planche proprement dite, elle avait fait un petit tas de miettes de pain rassis.

– N'oublie pas de remettre du pain quand ça sera vide ! dit-elle. Les moineaux mangent debout, il n'y a que les mésanges qui aiment être la tête en bas pour déguster leur nourriture !

Il rit un peu, se rendit compte que son rire sonnait faux. Elle allait rentrer chez elle, retrouver Oslo et son travail, quitter cette ferme près de Trondheim où, encore quinze jours plus tôt, elle n'aurait jamais cru avoir quoi que ce soit à y faire. Une autre vie, un autre temps presque. Dans deux jours ce serait la Saint-Sylvestre, une nouvelle année prendrait son élan.

– Tu téléphoneras, au moins ? demanda-t-il d'une voix soudain pâteuse.

Elle comprit que l'histoire des oiseaux ne l'intéressait plus. Sans avoir à se retourner, elle savait qu'il donnait des coups de pied dans la neige avec un de ses sabots, probablement le droit, et que la neige fraîche collait à ses chaussettes en grosse laine grise, celles qu'il portait toujours dans ses sabots ou dans ses bottes à la porcherie.

Elle enfonça la dernière punaise, il lui vint à l'esprit qu'on pouvait tuer les arbres en enfonçant des clous en cuivre dans leur tronc, ils périssaient empoisonnés. Il y avait peut-être aussi un peu de cuivre dans les punaises, alors c'était l'arbre de la cour de Neshov qu'elle était en train de tuer, et le lutin de la ferme également, car il habitait sous l'arbre et ne survivrait pas si celui-ci venait à disparaître.

– Bien sûr que je vais téléphoner. J'appellerai aussitôt rentrée, dit-elle.

Mais elle savait bien que ce n'était pas ce qu'il voulait dire.

– Ils ont prévu un temps de chien. Et tu dois prendre l'avion.

– Ça ira. Ne t'en fais pas !

Les boules pour les mésanges pendaient contre le tronc, immobiles et vertes, elle n'avait plus rien à faire de ses mains, elle était obligée de se retourner. Et il se tenait exactement comme elle l'avait imaginé, il avait dégagé un demi-cercle de neige fraîche tout autour de son sabot droit, enfoncé ses mains dans les poches d'une espèce de pantalon écossais, sa veste en laine pendouillait sur son corps maigre, un corps qui aurait soixante ans dans quatre ans, son propre père, c'était incroyable.

– Tu as déjà pris l'avion ?

– Oui, oui, rétorqua-t-il.

Il s'en fut émietter un peu plus le pain dans la mangeoire, en fit tomber dans la neige, les miettes disparurent en laissant de minuscules trous bleutés. Ses coudes pointaient sous sa veste, qui était large devant et étriquée derrière, les mailles étaient usées aux coudes et laissaient voir les carreaux de sa chemise en flanelle dessous. Un pull, elle devrait peut-être lui tricoter un bon pull et insister pour qu'il le porte pendant la semaine. Mais à quoi servirait-il d'insister au bout du fil depuis Oslo ? À la ferme, de toute façon, tout ce qui était beau était mis de côté pour des jours qui ne viendraient jamais.

Il serait terriblement seul, avec le vieux dans le salon pour unique compagnie. Mais il avait ses porcs. Heureusement, se dit-elle. Elle devait le forcer à prendre conscience qu'ils étaient là et l'attendaient.

– Je suis allé dans le nord de la Norvège faire mon service militaire.

Il arrêta de fourrager dans le pain, se frotta les mains, les remit dans ses poches et leva les yeux au ciel.

– J'avais oublié. Bien sûr que tu as pris l'avion, dit-elle.

– Un Hercules. Un bruit d'enfer dans un appareil comme ça. Et on mourait de froid aussi. On volait si lentement que j'avais l'impression qu'on allait s'écraser.

À cet instant elle aurait pu lancer la conversation, rappeler qu'il l'avait conçue, elle, là-haut, en permission à Tromsø, avec une jeune fille qui s'appelait Cissi et qui avait ensuite fait tout le trajet jusqu'à Neshov, enceinte, uniquement pour s'entendre dire par la femme qui aurait dû être sa belle-mère de s'en retourner chez elle.

– Je vous ai acheté plein de bonnes choses à manger, se contenta-t-elle de dire, à vous deux aussi, pas seulement pour les oiseaux.

Il se tut un moment. Ils étaient plantés là, chacun regardant dans sa direction, elle inspira l'air au plus profond de ses poumons, la lueur matinale éclairait la montagne et le fjord au sud, le soleil était caché derrière un voile mauve. Elle aurait aimé être dans la voiture maintenant, avec ses affaires dans le coffre, en route pour Værnes, Gardemoen et Stovner.

– Dommage que tu t'en ailles ! Janvier est toujours mauvais et long. Sera particulièrement long cette année.

– C'est vrai pour tout le monde. Personne n'aime le mois de janvier, dit-elle.

– Les comptes, le bilan de l'année et tout le bazar. Même si Erlend et le Danois m'ont… Dire que c'est nécessaire.

Erlend et Krumme lui avaient donné de l'argent, l'avaient convaincu d'accepter, bien qu'il s'y fût d'abord opposé comme un forcené et presque mis en colère. C'était un soir, le surlendemain de Noël, après l'enterrement, qu'Erlend avait bu trop de bière et déclaré qu'il voulait lui laisser vingt mille couronnes. Il aurait pu attendre le jour suivant, mais Erlend ne savait pas se retenir et il avait le cœur sur la main. C'était Krumme qui avait su employer les mots justes : l'argent n'était pas destiné aux gens de la ferme, mais à la ferme elle-même. Tor devrait le gérer comme il convenait.

– Pense qu'il s'agit de la ferme, déclara-t-elle. Exactement comme l'a expliqué Krumme. C'est très bien comme ça. Tu pourras repeindre la grange au printemps, changer les carreaux cassés.

– Bon. Mais l'argent ira plutôt à Trønderkorn et à Røstad.

– Røstad ?

– Le vétérinaire. C'est à lui que je fais appel d'habitude. Il faudra inséminer les truies et castrer les porcelets. Et j'aurai bientôt besoin de granulés aussi.

– Mais tu auras sûrement aussi de quoi acheter un peu de peinture. Et je te téléphonerai. Je suis impatiente de savoir comment seront les nouvelles portées, et le nombre de petits. Tes porcs vont me manquer.

– Vraiment ?

– Devine !

– Tu es suffisamment entourée d'animaux à ton travail.

– Ce n'est pas tout à fait la même chose, dit-elle, les chats malades, ou les chiens, les perruches, les tortues. Rien ne vaut de pouvoir gratter Siri derrière l'oreille. J'ai beaucoup de respect pour les porcs. C'est autre chose que les cochons d'Inde et les chiots un peu fous.

Elle ne disait pas cela pour lui faire plaisir, elle le pensait réellement, elle était tombée amoureuse de ses truies gestantes qui pesaient un quart de tonne, de la chaleur et de l'ambiance dans la porcherie, du contact avec des bêtes qui donnaient tant et plus et n'exigeaient rien que nourriture, chaleur et soins en retour. Et elles étaient si intelligentes, avec leurs particularités individuelles, leur entêtement et leur humour. Et les porcelets nouveau-nés, si mignons qu'on n'imaginerait pas qu'ils deviendraient des mastodontes de cent kilos en un clin d'œil.

Il hocha la tête, ricana la bouche fermée et inspira par le nez.

– Les cochons d'Inde, oui. Je n'en ai jamais vu en vrai. Pour moi, c'est curieux ce que tu racontes à propos de ton travail. Dire que les gens dépensent de l'argent pour faire opérer un cochon d'Inde !

– Ils les aiment. Les jeunes surtout. Ils pleurent toutes les larmes de leur corps quand ils doivent faire piquer leur cochon d'Inde ou leur rat domestique.

– Des rats ? Tu comprends, toi, que les gens, d'eux-mêmes, veuillent… ? Bon, c'est vrai que les gamins… Moi, j'ai réussi à apprivoiser un écureuil quand j'avais neuf ou dix ans. Il s'est noyé dans la fosse à purin. Je ne faisais pas le fier. Mais on opère les chiens aussi. Tu te rappelles que tu m'as parlé de ceux qui avaient dépensé presque trente mille couronnes pour une chienne. Ils avaient fait le voyage jusqu'en Suède pour l'opérer… De nouvelles hanches, c'était ça ?

– De nouvelles hanches, oui. Elle souffrait de dysplasie des hanches. Il aurait fallu la piquer sinon, et elle n'avait que trois ans.

– Mais trente mille couronnes ! Pour une chienne qui ne produit pas cent sous elle-même !

– Les animaux de compagnie, c'est différent. Tu pourrais d'ailleurs avoir un chien, toi aussi. Un chien est un compagnon formidable. Tu l'aurais toujours avec toi, et…

– Pas question ! s'écria-t-il. Non. J'ai bien assez des porcs. Qui me tiennent suffisamment compagnie.

– Mais tu comprends ce que je veux dire ? Que le temps va te paraître long, à toi et à ton père.

– Ah, lui.

Il renifla et essuya du dos de la main une goutte qui lui pendait au nez.

– Vous en avez reparlé ensemble ? demanda-t-elle. Depuis… la veillée de Noël ? Toi et lui ?

– Non.

– Mais la ferme sera enfin à ton nom ? Il ne s'y oppose pas ?

– Non, non.
– Peut-être que lorsque vous serez seuls, vous allez réussir à…
– On n'est pas à Oslo, ici. On ne discute pas de ça. L'affaire est classée, conclut-il rudement.
– Mais je voulais simplement dire que…
– Brrr, il ne fait pas chaud dehors, déclara-t-il de son ton habituel. On aura bien le temps d'avaler un petit café avant que vous ne preniez la route.

Une heure plus tard, la petite voiture de location était pleine à craquer. C'était une Golf, Krumme l'avait louée à l'aéroport de Værnes et ils allaient la rendre au même endroit. Torunn entra en trombe dans le petit salon voir le grand-père, après avoir enfilé manteau et bottines. Elle voulait donner l'impression qu'ils étaient pressés maintenant. Elle avait longtemps retardé le moment de dire au revoir, fait comme si c'était une simple tasse de café qu'ils avaient bue, en dépit des allées et venues fébriles d'Erlend entre le premier étage et la voiture dans la cour, pour descendre toutes sortes de choses qu'il voulait emporter à la dernière minute.

Le grand-père était assis devant une tasse sans soucoupe, des miettes sur la table et sur les genoux – elle lui avait donné une part de gâteau fourré aux amandes. Il portait son dentier, en haut comme en bas, la télé était éteinte, elle jeta un rapide coup d'œil aux plantes vertes sur le rebord de la fenêtre, celles qu'Erlend avait achetées, et fut intimement persuadée qu'elles seraient crevées d'ici quinze jours. Ou bien complètement desséchées, ou bien trop arrosées. Elle était également persuadée qu'il ne se raserait pas avant longtemps. Ni ne changerait de caleçon. Comment vont-ils se débrouiller ? se demanda-t-elle. Et moi qui m'en vais.

Mais elle pensa aussitôt qu'Erlend aussi s'en allait, et il était quand même plus proche d'eux, pour autant qu'on puisse établir une telle hiérarchie. Erlend était le frère cadet, elle était la fille : qui des deux devait avoir davantage mauvaise conscience ? Mais Margido habitait de l'autre côté de la colline, à lui maintenant de venir en aide à sa famille à Neshov ! Il y serait obligé, en tant que frère. La question était de savoir comment il pourrait s'y prendre et si Tor le laisserait faire, alors qu'il s'était tenu à l'écart de la ferme pendant sept ans.

– C'est le départ ? demanda le grand-père.

– Oui.

Elle se pencha et appuya sa joue contre la sienne. Ça piquait. Il sentait le vieillard, les vieux habits, le renfermé, le gâteau aux amandes et le café. Elle l'embrassait pour la première fois, il parvint à lever le bras assez haut pour lui toucher la joue.

– Au revoir, murmura-t-elle.

Qu'aurait-elle pu lui dire d'autre ? Rien qu'elle ne puisse promettre.

– Porte-toi bien !

– Je veux aller en maison de retraite, déclara-t-il tout bas.

– Quoi ?

Elle se redressa.

– Je veux aller en maison de retraite. Il faut que quelqu'un s'en charge. Je ne sais pas ce que Tor va en penser, mais je veux y aller.

– Parles-en à Margido alors, dit-elle.

– Tu peux téléphoner à Margido, toi ! Et lui expliquer.

Elle regarda son visage ridé, ses yeux derrière ses lunettes, vit toute son existence et en aurait pleuré. Pleuré pour chasser la tristesse que lui inspirait sa vie gâchée. Elle hocha la tête, ne détourna pas le regard et réussit à retenir ses larmes.

– Je vais en parler à Margido, murmura-t-elle. Je l'appellerai demain.

Elle posa la main sur sa joue, la maintint contre les poils de barbe naissants, eut le temps de voir ses yeux briller avant de s'éclipser, traverser la cuisine vide où la cuisinière ronflait et chantait, remplie de bois et de flammes, et sortir dans la cour, où Erlend avait plongé la tête au-dessus de la banquette arrière de la voiture tandis que Krumme tendait la main à son père pour prendre congé.

– Merci, Tor. C'était… très bien, dit Krumme.

Le petit Danois rondouillard devait lever la tête pour voir l'éleveur de porcs de Neshov. Le Danois qui n'avait absolument pas été le bienvenu quand, quelques jours avant Noël, il avait pénétré dans la cour au volant de sa voiture de location. Tor était remonté se coucher avec un profond sentiment d'indignation et de dégoût, après avoir vu la main d'Erlend caresser la cuisse de Krumme sous la table de la cuisine.

– Vous pouvez revenir quand vous voulez, déclara le père en détournant les yeux. Cet été, peut-être. C'est agréable à cette saison-là.

– Pourquoi pas ? répondit Krumme en hochant plusieurs fois la tête.

Il savait que ces paroles venaient du plus profond de Tor.

– Si seulement j'avais un de ces tubes cartonnés ! lança Erlend depuis la voiture. Il va être tout froissé.

– Quoi donc ? demanda-t-elle.

– Ce poster ! Je l'emporte. J'ai décidé à l'instant de le prendre.

– Ce poster d'*Aladdin Sane* qui était accroché dans ta chambre d'ado ? Il est tout jauni ! s'exclama-t-elle.

– C'est ce que j'ai dit aussi, renchérit Krumme.

– Mais j'y tiens absolument. J'y ai songé tout d'un coup. Seulement il va être tout…

– Allez, en route ! dit Krumme. Tu veux monter devant, Torunn ?

– C'est elle qui va conduire ! s'écria Erlend.

– Moi ? dit-elle.

– Oui, oui ! Mon Dieu, si Krumme est arrivé entier jusqu'à Bynes, c'est tout bonnement un miracle. Un miracle de Noël ! Il est incapable de conduire une voiture, et encore moins en plein hiver.

– J'ai mon permis, malgré tout ! protesta Krumme. Je crois que tu exagères un peu, non ?

– Il te sert à quoi, alors ? reprit Erlend. À monter dans les taxis de Copenhague et à en descendre ? Torunn va conduire.

– D'accord, dit-elle. Mais tu vas t'asseoir derrière, Erlend, parce que toi, tu n'as pas de permis du tout.

Elle n'hésita pas une seconde à embrasser son père. Elle s'en écarta aussi vite et monta dans la voiture, saisit la clé qui était sur le contact et la tourna. Erlend se serra sur le siège arrière, où l'amas de bagages lui laissait bien peu de place, et se battit fébrilement avec le poster roulé et maintenu par un simple élastique. Il finit par le tenir en hauteur devant lui.

Elle baissa la vitre et agita la main tout en manœuvrant dans la cour.

– Tu vas devoir déblayer, papa ! La cour est déjà bien enneigée. Au revoir !

Il répondit quelque chose qu'elle n'entendit pas, mais elle savait qu'aussitôt après leur départ il prendrait place sur son tracteur et commencerait à dégager la neige. Il aimait tellement le faire, ça lui évitait de rentrer aussitôt.

– Seigneur ! En route ! dit Erlend. On s'en va maintenant.

Ils agitèrent énergiquement les mains tous les trois, des gestes comprimés par le manque d'espace. Torunn klaxonna, ils descendirent l'allée d'érables et elle éclata en sanglots. Erlend se pencha en avant et la serra dans ses bras, Krumme posa sa main sur la sienne, qui tenait le volant. Elle se gara sur le bord du chemin dès qu'elle pensa qu'on ne les voyait plus de la maison.

Elle pleura comme une fontaine tandis que les vitres s'embuaient et que le chauffage était au maximum. Personne ne dit mot pendant un long moment, les deux hommes se contentèrent de lui caresser les cheveux et de la tenir par les épaules. Elle trouva un vieux mouchoir en papier froissé dans la poche de son manteau et se moucha, mais elle se remit à pleurer de plus belle.

– Je vais peut-être conduire finalement, proposa Krumme.

Elle secoua la tête et se moucha une seconde fois.

– Il faut que je me ressaisisse maintenant, dit-elle. Seulement... je n'arrive pas à imaginer comment ils vont faire tous les dcux pour...

Erlend l'interrompit :

– Personne n'aurait pu faire mieux que toi. Tu as même réussi à me faire venir, moi... Mon Dieu, Torunn, tu as tout simplement été formidable ! Tout ce que tu as fait alors que tu n'avais jamais mis les pieds à la ferme avant. Mais là on y va. Je veux rentrer et fêter le Nouvel An. Maintenant c'est fini.

Non, pensa Torunn, tu te trompes. Maintenant ça commence.

Tor n'oublierait jamais que Margido avait choisi le plus beau cercueil. Certes, il l'avait eu à prix coûtant directement de l'usine, mais quand même. Qu'il ait fait ça. Montré à tous ceux qui étaient venus à l'église qu'une personne importante et aimée y reposait.

Après le départ de Torunn, il était resté à côté du tracteur à y repenser. Désormais il pouvait bien songer à tout, sauf au fait que Torunn serait dans quelques heures à cinq cents kilomètres de là. Le cercueil en acajou foncé, aux poignées en fer forgé, voilà ce à quoi il préférait penser. Si seulement la mère avait su en quelle estime on la tiendrait à sa mort ! Elle aurait refusé tout net, se dit Tor, sans pouvoir s'empêcher de sourire à l'idée de la stupéfaction dont elle aurait fait preuve. Un cercueil onéreux uniquement destiné à pourrir sous terre, non, il y avait assurément une meilleure manière de dépenser l'argent, aurait-elle déclaré.

Ç'aurait été bien si Margido avait eu l'idée de venir prendre une tasse de café ce soir-là, il savait que Torunn, Erlend et le Danois seraient repartis. Mais Margido était bizarre. Il leur avait dit au revoir la veille, par téléphone. Néanmoins, Tor lui serait à jamais reconnaissant pour ces funérailles qu'il avait si bien organisées. Les inhumations avaient beau représenter son activité quotidienne, ce n'était pas la même chose d'enterrer sa propre mère. Le beau livret qui les attendait à l'église, avec des photos de la ferme en couverture. C'était inhabituel, mais vrai. Il n'existait pas d'autre portrait de leur mère qu'une vieille photo d'identité prise dans sa jeunesse. Margido avait beaucoup de motifs tout prêts entre lesquels choisir, avait-il dit, des petits dessins montrant la nature, des fleurs et ce genre de choses, mais quand il avait appris que la Société historique de Bynes avait réalisé de belles photos de toutes les fermes à Spongdal et à Rye en prévision d'un prochain livre, il s'était procuré un tirage de celle de Neshov.

Tor avait trouvé beaucoup de réconfort à être assis au tout premier rang à l'église et voir les bâtiments de la ferme. La ferme, c'était sa mère à bien des égards. Et la photo avait été prise par une belle journée d'été : les murs brillaient au soleil et les digitales pourpres resplendissaient sous les érables de l'allée. C'était imposant. Vraiment imposant. Personne ne songerait que ces murs avaient besoin de peinture, la lumière les peignait d'elle-même.

Ensuite Tor s'était procuré quelques exemplaires en trop du livret, il en restait étonnamment peu. Ce serait plaisant, plus tard, de les sortir, de lire avec un pincement au cœur les strophes des psaumes qu'ils avaient chantés, « Belle est la terre, magnifique le ciel de Dieu », de voir son nom au-dessus des dates. Ça lui faisait drôle de lire ce nom, pour lui elle n'était que « maman » et pas « Anna ». « Le premier chant que j'ai entendu, c'était celui de ma mère à mon berceau… » Margido avait bien fait de choisir ce chant-là, dire qu'il l'avait fait malgré tout ! Et ce n'était pas si courant. Tor ne se rappelait plus à quel moment ils l'avaient entonné, lui-même n'avait pas participé au chant, mais il n'oublierait jamais comment celui-ci avait résonné sous les voûtes, tandis que les fleurs s'amoncelaient sur le superbe cercueil et tout autour. Dire que tant de gens étaient venus ! Des gens qu'il n'avait pas vus depuis des années. Et qui présentèrent leurs condoléances en une longue file. Chaque main qu'il serrait lui faisait sentir que, même si tout le monde se laissait accaparer par ses propres occupations dans les fermes, lorsqu'il arrivait quelque chose, on se retrouvait et on formait une communauté. Pour sûr, dorénavant il ferait de même, quand les vieux mourraient, il enfilerait son beau costume et paraderait dans l'église. On appelait ça « rendre un dernier hommage », et il n'en coûtait pas plus de venir, de s'asseoir, de chanter et, pour finir, de présenter ses condoléances. Il y parviendrait, lui comme les autres.

Il se hissa sur le siège du tracteur, mit le moteur en marche et commença à dégager la neige. D'abord la cour, puis l'allée jusqu'à la grand-route. Il déblaya consciencieusement et longtemps, il fallait que ce soit impeccable. Il s'indignait de voir des allées de ferme presque moitié plus étroites qu'elles ne l'étaient à la belle saison. Fainéantise ! Et tout en déblayant, il songea aux jours à venir. Avant que sa mère ne tombe malade, Noël et la dernière semaine de l'année ne soulevaient aucun problème : il s'agissait comme d'habitude de s'occuper des porcs. Désormais il avait quantité d'autres choses en tête. Mais il devait se concentrer et faire ce qu'il avait prévu. Enlever les petits de Mari et Mira, gérer le rut, l'insémination, ne pas prendre de retard, la date du comptage des porcs était le 1er janvier, puis il faudrait envoyer Sara à l'abattoir. C'était à son élevage qu'il devait songer, pas au reste, il n'en avait pas le courage. Le vieux dans le salon, avec les miettes de gâteau aux amandes sur ses genoux, était son frère aîné. Ça ne valait pas la peine qu'il y pense, qu'il réalise complètement. Car il avait entrevu des images odieuses de sa mère et du grand-père Tallak, et il ne voulait pas qu'elles s'imposent à lui. C'était les premiers jours après Noël, sous forme de petits flashs juste avant de s'endormir, des images de sa mère quand elle était jeune en compagnie d'un grand-père Tallak souriant. Pendant leurs ébats. Pour que la ferme reste dans la famille, puisque l'héritier était incapable de procréer. Tor avait chassé ces images, fermé les yeux et contraint le sommeil à venir sur-le-champ. Il ne voulait avoir affaire qu'au quotidien, il n'avait pas la force de considérer le vieux dans le salon autrement qu'il l'avait toujours fait. C'était son père et aucune autre image au monde ne convenait. Il en avait décidé ainsi. Et Torunn qui croyait qu'ils allaient en discuter ensemble ! Que pouvait-elle comprendre à ces choses-là ?

Elle lui avait recommandé de se doucher un peu plus souvent et de mettre des vêtements propres. C'était facile à dire. Mais, à son corps défendant, il n'avait jamais utilisé la machine à laver auparavant, il ignorait à quoi correspondaient les différents boutons et où on mettait la lessive. C'était la mère qui s'occupait de ça. Erlend avait fini par lui montrer comment elle marchait, l'avait quasiment entraîné jusqu'à la buanderie et avait même écrit, au dos d'une carte de Noël de la Ligue nationale contre les maladies du cœur et des poumons, comment il fallait tourner les boutons pour laver les serviettes, les draps et les caleçons d'une part, les pantalons, les pulls, les chemises et les chaussettes d'autre part. Erlend avait aussi précisé qu'il fallait laver séparément ce qu'il portait à la porcherie, parce que l'odeur ne disparaissait jamais et se transmettait au reste du linge. Erlend revenait toujours sur cette odeur de porcs, la considérait comme une abomination, bien que ce fût celle des animaux qui le faisaient vivre. D'ailleurs Tor ne se rappelait pas quand ses habits de travail étaient passés à la machine pour la dernière fois. À quoi bon ? Il les salissait dès qu'il les remettait. Les combinaisons devaient être hermétiques et sèches, et elles duraient longtemps. Sa mère n'avait jamais fait beaucoup de remarques à ce propos, elle ne les voyait jamais, elles restaient au clou dans la porcherie. Du moment qu'il n'entrait pas avec dans la maison, cela lui suffisait. Les seuls qui les voyaient, c'étaient les porcs, et qu'est-ce que ça leur faisait qu'une combinaison soit crasseuse ? Peut-être pourrait-il s'adresser à Trønderkorn afin d'en obtenir une neuve.

Il s'était bien organisé quand sa mère était tombée malade, il avait rangé la cuisine et préparé de quoi manger, qu'il lui avait porté à l'étage. Jusqu'au jour où elle avait été hospitalisée et où il avait dû avertir ses frères et Torunn. Bon sang, dire que la mère les avait quittés alors qu'elle était en si bonne forme par ailleurs. Quatre-vingts ans, mais solide comme un roc, et puis elle avait commencé à saigner du cerveau. Un tout petit filet de sang peut suffire, avait dit le médecin. Ensuite c'était le cœur qui avait donné des signes de faiblesse, et elle avait de l'eau dans les poumons. Il sentit les larmes lui monter aux yeux, renifla un bon coup. Le vrombissement du moteur couvrait tout, il aurait pu sangloter, hurler, se lamenter, il le savait bien mais s'y refusait. C'était assez. Il devait se lancer à bras-le-corps dans sa routine quotidienne, faire ce qu'il fallait. Et les vingt mille couronnes supplémentaires lui seraient très utiles, il avait encore peine à y croire. Vingt billets de mille, tout droit sortis de la Fokus Bank à Heimdal. Ils étaient généreux, Erlend et le Danois. C'était sans doute le Danois qui gagnait le plus, d'ailleurs, il avait bien fait de leur dire qu'il espérait qu'ils allaient revenir. Erlend n'en ferait qu'à sa tête, bien sûr, comme toujours, mais Tor l'avait dit lui-même au Danois. Tout en lui serrant la main. Et il ne penserait pas non plus à ce qu'ils étaient probablement en train de faire ensemble, il avait réussi à ne pas y penser depuis plusieurs jours.

Margido avait sûrement parlé avec eux, car il ne les avait jamais revus se caresser les cuisses. Mais quand ils se mettaient au lit… Chaque soir il y avait songé un peu et imaginé les scènes les plus folles, mais finalement il s'était dit qu'ils dormaient aussi, les hommes de ce genre-là ayant sans doute besoin de sommeil, comme les autres. Et le Danois faisait bien la cuisine. Et l'appréciait lui-même aussi, gros et gras comme il était. Il avait dit qu'au Danemark on ne mangeait pas pour vivre, mais qu'on vivait pour manger. Si tel était le cas, il en était un bon exemple.

Depuis douze ans Erlend et lui vivaient ensemble. Il avait du mal à imaginer ça, deux hommes qui partageaient leur table et leur lit, comme homme et femme. Bizarre et incompréhensible, mais Torunn avait sûrement raison lorsqu'elle lui avait dit la veille, dans la porcherie, qu'Erlend avait absolument besoin de quelqu'un pour le guider un peu.

Le Korsfjord était d'un noir hivernal et les vagues écumantes roulaient vers la terre lorsqu'il descendit de son tracteur, une fois sa tâche accomplie. Il ne neigeait plus, mais le vent soufflait fort. Ils auraient un vol difficile, se dit-il. Il écouterait la météo pour savoir le temps qu'il faisait à Oslo. Mais ils ne mentionneraient pas spécialement Stovner, seulement Gardemoen. Il avait vu un reportage sur Stovner à la télé, des bandes de jeunes Pakistanais qui se tiraient dessus depuis des voitures lancées à toute allure. Et les tours d'habitation, des immeubles monstrueux, avec de vrais sapins qui poussaient dans des jardinières ayant l'air de tuyaux en béton sciés en deux.

Torunn. Sa fille en combinaison parmi les porcs, portant des seaux de granulés qu'elle vidait, appliquée et heureuse, devant des groins affamés. Il posa les mains sur le capot du tracteur et laissa ce qui restait de la chaleur du moteur lui réchauffer les paumes. Torunn *Breiseth*. Pas Neshov. Parce que la mère de Torunn n'avait pas eu le droit de venir ici et de devenir sa femme, à l'époque. Il avait comme une envie de vomir chaque fois qu'il y pensait, toutes ces années de possibilités gâchées. Il leva les yeux vers le mur de la grange. Sa place était ici. Torunn était partie. Là où elle habitait, de jeunes Pakistanais se tiraient dessus. Il se rappela soudain aussi qu'elle avait raconté l'histoire de ce chiot qu'ils avaient enfermé dans un sac dont ils se servaient entre eux comme d'un ballon de foot. C'était un pitbull, mais quand même ! Un animal. On était loin des trente mille couronnes pour le remplacement des deux hanches d'une chienne. Mais elle se plaisait bien, là-bas. Un peu trop loin du centre, avait-elle dit, mais tout près de son travail et de la campagne, où elle faisait de longues promenades avec les chiens dont elle s'occupait.

La thérapie comportementale. On aurait pu croire que ça s'adressait à des personnes. Mais pas une seule fois au cours de toutes ces années pendant lesquelles ils avaient été en contact par téléphone il n'avait fait de remarque désagréable au sujet du gagne-pain de sa fille, il s'était seulement moqué des maîtres hypersensibles, et des vétérinaires qui ne conseillaient pas plus souvent de faire piquer des animaux qu'il était absurde de maintenir en vie. Elle n'était pas vétérinaire, mais elle avait acheté une part de la clinique parce que son métier consistait à discipliner les chiens indociles.

Pas une seule fois il n'avait critiqué. Pourtant, lui-même aurait été bien plus expéditif. Un vaurien de cabot qui ne faisait pas ce qu'on lui demandait, il n'y avait qu'à l'emmener derrière la grange et lui faire tâter du plat de la hache sur le crâne.

Elle allait bientôt retrouver ces sales clébards, alors qu'elle s'était avérée incroyablement douée pour s'occuper des porcs. Elle aurait pu travailler comme éleveur remplaçant, à coup sûr. Les bons remplaçants n'étaient pas légion. Elle savait s'y prendre avec les bêtes, les voyait exactement comme lui. Voyait leur dignité, reconnaissait leurs différences. Elle comprenait leurs besoins et se rendait compte qu'elles étaient à la merci des hommes qui en étaient responsables et qui en vivaient. Enfin, il y avait vivre et vivre. Il qualifierait plutôt ça de survivre.

Il rentra dans la maison, accrocha sa veste au portemanteau, tapa des pieds pour ôter la neige de ses sabots. Il fallait qu'ils dînent un peu avant qu'il n'aille à la porcherie. Le père avait allumé la télé dans le salon et regardait la rediffusion d'un vieux documentaire sur les animaux du plateau de Hardanger. Il ouvrit le frigo et contempla les étagères qui débordaient. Bon sang de la vie, fut sa première pensée, ils ne parviendraient jamais à manger tout ça avant que les dates de péremption ne soient dépassées. Mais en y regardant de plus près, il s'aperçut qu'il y avait beaucoup de boîtes qui en réalité n'avaient pas besoin d'être au réfrigérateur. Il se rappela qu'il avait dit à Torunn qu'il allait droit au frigo, et jamais à la réserve, quand il cherchait lui-même de quoi casser la croûte. Elle n'avait donc pas oublié. Il sortit une boîte de pois cassés au lard, l'ouvrit non sans mal et versa le contenu dans une casserole. Du pain avec ça, du pain tout frais qu'elle avait acheté. Et dans la boîte à pain, il y en avait un autre, fait maison, mis à décongeler. Elle avait aussi pensé à ça avant de partir. Le pain du commerce n'était que du vent, le pain complet de sa mère tenait au corps. Combien pouvait-il en rester dans le congélateur, peut-être cinq ou six ? Il faudrait les employer avec parcimonie. « Celui qui met de côté pour le lendemain fait des réserves pour les souris », avait dit Erlend. Parfois il racontait des âneries.

– Je prépare à manger, lança-t-il par l'entrebâillement de la porte.

Le père le regarda. Ils n'étaient plus que tous les deux. Tor croisa à peine son regard. C'était son frère… Non, il était inutile de songer à cela. Il touilla énergiquement dans la casserole, quelques pois cassés sautèrent sur la paillasse.

– Pour nous deux, ajouta Tor.

Avant que la casserole et les assiettes ne soient sur la table en formica, que Tor ait d'abord enlevé la nappe de Noël rouge qui la recouvrait, l'ait pliée avec soin et rangée définitivement, il faisait trop sombre pour que les oiseaux viennent dans la mangeoire. Néanmoins ils mangèrent tous les deux en regardant par la fenêtre, vers la grange et l'arbre de la cour, entre de rapides coups d'œil à leur nourriture et à leur cuillère.

– Bon, dit le père.

– Tu veux une serviette en papier ?

– Non, répondit-il.

Au lieu de cela, il sortit délicatement un mouchoir de la poche de son pantalon et s'essuya le menton et la bouche, avant de se moucher, profitant de ce qu'il l'avait dans la main.

Des serviettes en papier dans une boîte, avec des motifs de Noël, étaient posées sur le rebord de la fenêtre, il y en avait trois tas de différentes couleurs l'un au-dessus de l'autre, rouge, vert, et blanc au milieu. « Des serviettes de tous les jours », avait déclaré Erlend. Avant que la mère ne tombe malade et que tout le monde n'arrive, ils utilisaient quelques feuilles de papier hygiénique si besoin était, cela faisait tout aussi bien l'affaire quand on n'était pas trop regardant. Désormais il y avait d'épaisses serviettes de Noël qui prenaient la poussière dans le buffet du grand salon fermé à clé, des serviettes de tous les jours sur le rebord de la fenêtre, un rouleau de papier essuie-tout sur le plan de travail et du papier hygiénique dans les toilettes.

– Celles-là, je crois qu'on va les économiser, déclara Tor en désignant les serviettes d'un signe de la tête. On n'en rachètera pas d'autres. Quel fouillis ! Du papier partout. Ah, ces citadins…

– Oui, acquiesça le père.

Tor entendit le soulagement derrière ce seul mot. Ils étaient d'accord. C'était des serviettes en papier qu'il convenait de parler, et de rien d'autre.

Elle téléphona juste avant qu'il n'aille à la porcherie. Il n'eut pas le temps de courir décrocher dans le bureau, il dut répondre dans la cuisine, alors que le père était dans le petit salon et entendait tout.

Elle venait de franchir la porte de chez elle, dit-elle.

Chez elle.

– Ah bon ! Et nous on a bien mangé. Merci, Torunn ! C'était beaucoup trop.

Il n'avait pas à se préoccuper de ça, elle voulait qu'ils se nourrissent bien. Elle ne se rendit sans doute pas compte elle-même de la critique implicite, comme s'ils ne s'étaient pas bien nourris avant qu'Erlend, le Danois et elle n'envahissent la cuisine.

– Et le vol ? demanda-t-il en se raclant fortement la gorge.

Il y avait eu beaucoup de turbulences, effectivement, et une dame avait vomi sur le siège juste derrière elle. Ça puait drôlement, dit-elle en riant.

– L'avion d'Erlend et du Danois est parti en même temps ?

Non, le vol direct pour Copenhague était une demi-heure après le sien, mais aucun retard n'avait été annoncé.

– Tu vas pouvoir te détendre, maintenant.

Ce serait le cas ce soir-là, mais elle allait travailler aussi bien le lendemain que le dernier jour de l'année, il y aurait beaucoup à faire et à rattraper. En outre ils organisaient un nouveau cours de dressage à la mi-janvier, il n'était pas question de s'allonger sur le sofa et de se la couler douce.

Elle parlait d'un ton enjoué, il entendait aussi des bruits derrière elle, un verre qui tintait, quelqu'un qui remuait.

– Tu as des gens chez toi ?

C'était son amie Margrete, qui logeait en face sur le même palier et qui venait d'entrer avec du café, du gâteau de Noël et du cognac, avant même qu'elle ait eu le temps d'ôter son manteau, répondit-elle en riant.

– Tant mieux que tu ne sois pas toute seule ! Je m'en vais à la porcherie. Je vais enlever leurs petits à Mari et Mira ce soir.

Elle dit qu'elle aurait bien aimé être avec lui, mais qu'en tout cas elle allait raconter à Margrete le tohu-bohu que ça allait faire.

Ils convinrent de se rappeler, sans préciser quand, elle lui souhaita bonne chance pour la sacrée besogne, ils raccrochèrent.

Après avoir enfilé sa combinaison et ses bottes, il prit au clou la cotte dont Torunn s'était servie. Il l'appuya contre son visage et la sentit longuement, puis il la remit à sa place et pénétra dans la porcherie, s'enferma dans la chaleur et le bruit des bêtes. Debout, les bras ballants, il s'adossa à la porte qu'il venait de refermer. Les têtes des porcs étaient tournées vers lui, dans l'expectative, ils grognaient, soufflaient et attendaient. Ici, tout était pareil. Là-bas, tout avait changé. Et tout à coup il réalisa combien il était las. Las d'être lucide, las de réfléchir. Il comprit soudain qu'il n'aurait pas le courage de supporter les truies ce soir-là. Quand on les déplaçait des cases où elles avaient mis bas pour les remettre ensemble, c'était un chahut de tous les diables. Non seulement elles étaient stressées du fait qu'on leur avait ôté leurs petits, mais elles devaient établir une nouvelle hiérarchie entre elles. Elles se bousculaient et se battaient, parfois avec une violence à vous couper le souffle. C'était la raison pour laquelle il avait l'habitude de les regrouper à la fin de la journée, lorsqu'elles étaient déjà fatiguées. Puis il éteignait la lumière et croisait les doigts. Il restait d'abord à écouter derrière la porte, et il ne dormait pas bien de toute la nuit. Elles avaient presque toujours des écorchures, mais en cas de profonde estafilade il devait faire venir Røstad. Non, il attendrait le lendemain, il n'avait pas le choix, les forces lui manquaient. Peut-être allait-il tomber malade ? Ça serait du joli, tout seul avec la porcherie.

Il alla chercher un sac d'aliments vide et pénétra dans la case de Siri. Elle avait tué un de ses petits juste avant Noël, ce qu'elle n'avait jamais fait auparavant, et il avait du mal à lui pardonner entièrement. Cependant il sortit de sa poche la croûte du pain acheté et la lui donna, elle mastiqua bruyamment avec délice, comme s'il s'était agi du meilleur foie gras. Son large crâne tremblait pendant qu'elle mangeait, il se laissa tomber, impuissant, sur le sac devant elle. Les porcelets, bientôt âgés de deux semaines, dormaient en un gros tas rose un peu luisant, sous la lampe chauffante rouge de la couveuse dans le coin. Il vit aux mamelles de Siri qu'ils venaient de téter, elle-même était fatiguée et allongée. Siri cherchait rarement à atteindre ses granulés avant de les avoir sous le nez. Alors elle mangeait goulûment, mais elle ne se précipitait pas en poussant des cris comme les autres truies qui croyaient toutes pouvoir être servies en premier. Il entendit que dans les loges à la ronde elles n'appréciaient pas son rythme aujourd'hui, il y avait une certaine déception dans leurs braillements, parce qu'il s'était assis par terre sans raison.

– Nous revoilà tous les deux, Siri. Nous deux seulement. À nouveau !

Elle s'était mise à fouiller dans sa poche en reniflant de son énorme groin, sur lequel les brins de paille collaient là où c'était humide, et les mouches allaient et venaient comme si elles étaient chez elles.

– C'est vide maintenant.

Il renversa la nuque sur la barre en acier et ferma les yeux, il aurait voulu être un petit cochon rassasié, juste un instant. Être tassé contre ses frères et sœurs et dormir au chaud. Ne pas savoir, ne pas devoir. Avant même de s'en rendre compte, il s'était mis à pleurer. Il n'avait plus de raison de retenir ses larmes, elles pouvaient couler à leur guise, la porte de la porcherie était bien fermée.

À Kastrup les avions ressemblaient à des créatures qui se posaient et s'envolaient aussitôt. À peine un avion avait-il atterri que le suivant décollait, au point de croire qu'il s'agissait du même. *Touch and go*. Erlend était pieds nus sur le toit-terrasse qui dominait la place de Gråbrødretorv et jouissait du panorama urbain de Copenhague en direction d'Amager et de Kastrup. C'était la Saint-Sylvestre, il venait de finir toute la préparation du repas et allait passer aux soins corporels, avant que leurs invités n'arrivent. Il les avait prévenus que ce serait « en toute simplicité », étant donné que Krumme et lui rentraient tout juste de Norvège. Lorsqu'ils s'étaient levés, tôt ce matin-là, Krumme croyait qu'ils allaient acheter des snacks, un peu de fromage et des fruits. Mais il avait dû réviser son jugement.

Erlend s'était en effet réveillé pendant la nuit et il avait décidé de mettre les petits plats dans les grands. Je suis le fils perdu, et l'enfant prodigue à Copenhague, avait-il pensé. Et comme personne d'autre n'avait le temps de tuer le veau gras, il fallait bien qu'il s'en charge lui-même. Il se rendit vaguement compte qu'il y avait une contradiction intrinsèque dans sa réflexion, sans pour autant s'y attarder davantage. Mais du rôti de veau gras, non, c'était trop commun.

Le fromage et les snacks pareillement. Ce serait du finger-food ! Dans toutes ses variantes ! Ils avaient rapporté de Norvège de fines tranches de gigot de mouton fumé, et il se mit à réfléchir, au beau milieu de la nuit, à la meilleure façon de les utiliser. Ficelées autour de bâtonnets de mangue ? Enfilées dans une rondelle d'oignon rouge ? Non… des tomates séchées confites à l'huile d'olive ! Une grosse tranche de tomate associée à une double tranche repliée de gigot !

Il s'était levé sans faire de bruit pour vérifier que le tiroir de la Saint-Sylvestre était bien garni.

Et il l'était. Le tiroir de la Saint-Sylvestre, en bas du buffet d'un des salons, Erlend le remplissait toute l'année, chaque fois qu'il découvrait quelque chose d'attrayant. On y trouvait les traditionnels chapeaux en papier, sauf que ceux-là avaient été achetés au Caire et qu'ils étaient ornés de clochettes tout autour, vingt en tout, de différentes couleurs. Il y avait les crackers qui crachaient des paillettes d'or scintillantes quand on tirait sur les tirettes, elles étaient plus faciles à aspirer que les confettis. Il y avait les cierges magiques, des longs et des courts, ainsi que le diadème. Il appuya sur un bouton pour vérifier la pile. Ça marchait. Des petits points lumineux verts, jaunes et rouges clignotaient furieusement le long de la courbe du diadème. Il avait l'habitude de le poser soudain sur la tête de celui qu'il choisissait pour prononcer le discours de la soirée, les discours improvisés étaient toujours les meilleurs, et le diadème seyait aussi bien aux hommes qu'aux femmes, à son avis, même s'il avait parfois suscité nombre de protestations masculines.

Le reste de l'année, pour ses décors de fête, il prônait le bon goût et l'originalité. Mais pour la Saint-Sylvestre, c'était un adepte inconditionnel du kitsch. Il fallait que ce soit clinquant, contrasté, excessif, en un mot, festif ! Les guirlandes décorées d'hologrammes étaient soigneusement enroulées, on les suspendait aux plafonds, bien à l'écart des bougies, elles scintillaient comme du cristal quand on se déplaçait dans les pièces.

Mais ce dont il voulait surtout s'assurer, c'était qu'il y avait bien des piques dans le tiroir. Des petites piques à cocktail pour se servir. Alors il suffisait de disposer des assiettes, des serviettes et des verres, et les gens pouvaient circuler entre les salons et la terrasse, et s'asseoir ou rester debout à leur convenance.

L'an passé, pour le réveillon, Krumme avait servi de la dinde. Il y en avait eu trois au total : une à la mode asiatique, un peu comme du canard laqué ; une au curry et à l'ail, farcie de fenouil et de fines herbes ; et une traditionnelle, recouverte de fines tranches de lard fumé et farcie à l'anglaise. C'était un repas assis pour dix-huit convives, ce qui naturellement devait se préparer des semaines à l'avance. L'écart était grand entre la triple dinde et le plateau de fromages et les snacks, s'était-il dit. Bien trop grand, il devait veiller à conserver leur réputation. Le finger-food était décoratif et extrêmement convivial avec des piques à cocktail ornées d'une plume colorée. Et elles étaient là, toute une pile de sachets. Seigneur, il y avait aussi celles qu'il avait trouvées l'été dernier dans une toute petite boutique de cadeaux sur la place de Halmtorv ! Il les avait complètement oubliées. Très simples en apparence, certes, en plastique translucide, mais terminées par une petite pierre précieuse également en plastique. Elles ressemblaient à de minuscules sceptres, combien en avait-il ? Il compta. Trois sachets de quarante piques chacun.

En fait, il aurait voulu s'y mettre sur-le-champ, mais il s'obligea à retourner au lit pour être en forme le lendemain. Krumme dormait sur le dos, la bouche entrouverte, ses paupières frémirent sous l'effet soudain de la lumière. Erlend se dépêcha d'éteindre avant de se blottir contre lui et chercha sa main sous la couette. Même au plus profond de son sommeil, Krumme lui serra la sienne en retour, ne se doutant pas du shopping infernal qui l'attendait le lendemain.

Plateau de fromages. Quelle blague !

Il commença à faire la liste des courses au petit déjeuner. Le finger-food tenait plus du décor que de la cuisine, c'était donc lui qui gardait la main. Krumme était celui qui préparait les grands plats, le véritable cuisinier. Mais on n'avait pas besoin d'un cuisinier pour le finger-food, il fallait quelqu'un qui sache composer et organiser.

– Mais ce plateau de fromages, alors ? demanda Krumme en soupirant.

– Beaucoup trop commun, tu comprends ?

– C'est des heures de préparation, le finger-food, petit mulot. On ne peut pas s'en tenir aux fromages… ?

Ils étaient assis à la table de la cuisine, devant deux grandes tasses de café jamaïcain tout frais, chacun portant une robe de chambre en soie et des mules fourrées.

– Réfléchis, Krumme ! Un simple plateau de fromages, ce n'est pas nous !

– Il ne serait pas forcément simple. On est fatigués, tous les deux. Et il faut que je passe au journal.

– Ne t'en fais pas ! Tu n'as pas besoin de t'inquiéter. La boutique d'épicerie fine ouvre à neuf heures. Tu m'accompagnes et tu m'aides pour les achats, puis je rentre en taxi avec toutes les provisions et tu vas travailler quelques heures. Tu achèteras la boisson au retour, aujourd'hui ce ne sera que du champagne du début à la fin, prends-en sept ou huit cartons.

Du Bollinger, évidemment. Tu n'oublieras pas de vérifier qu'elles sortent bien de la chambre froide, on n'aura jamais le temps de les rafraîchir nous-mêmes. Et peut-être du cognac, on en a combien ?

Krumme se leva lourdement et alla dans le salon regarder dans le meuble bar.

– Cinq bouteilles, cria-t-il.

– Alors il en faut quelques autres. Oh, mon Dieu ! Il faut aussi qu'on ait du sucré ! Pour le café et le cognac. Qu'est-ce que tu proposes ? Du chocolat design, par exemple ? Tu pourrais…

– Une pièce montée en pâte d'amandes et des crèmes glacées, dit Krumme en se rasseyant. Je n'ai pas envie de parcourir la moitié de la capitale pour acheter des chocolats que quelqu'un aura triturés pour qu'il n'y en ait pas deux pareils.

– Ils portent des gants stériles, Krumme, ne sois pas ridicule !

– Ils les goûtent sûrement de temps en temps et les lèchent pour enlever les peluches des gants.

Erlend éclata de rire.

– Où vas-tu chercher toutes ces idées ? Tu crois vraiment qu'on peut en porter un à la bouche quand on travaille dans le chocolat toute la journée ? Moi pas !

– Un plateau de fromages aurait été parfait aujourd'hui. Un peu de samsø, un peu de danbo…

– Toi et ton danbo ! Ce fromage a la même odeur que mes chaussettes quand j'étais ado !

– Ç'aurait été bien.

– Mais, Krumme, on aura aussi du fromage. En plus !

Krumme soupira.

– Je suis crevé. Ç'a été un voyage difficile. Des émotions fortes. Mais je suis content d'y être allé. Maintenant je sais qui tu es, d'où tu viens.

Ils se regardèrent. Erlend hocha la tête, Krumme savait désormais qui il était. Croyait-il. Mais ce n'était pas parce qu'on avait soudain baigné dans ses propres racines norvégiennes et joué au fils cadet de la ferme qu'on était pour autant incapable d'étreindre sans plus tarder la vie voluptueuse de la cité. Aussi voulait-il du panache et du clinquant pour ce soir. Pas seulement du fromage puant. Mais il était prêt à accepter un compromis malgré tout.

– D'accord ! On laisse tomber le chocolat design. Pièce montée en pâte d'amandes et crèmes glacées Häagen-Dazs, ce n'est pas une mauvaise idée, Krumme. On pourra y ajouter des toffees et des noix de pécan. J'ajoute ça à la liste. Tu ne trouves pas que c'est amusant ? Fêter Noël un soir et passer directement à la Saint-Sylvestre le soir d'après ?

Ils avaient célébré leur propre soir de Noël la veille. Un menu à cinq plats au restaurant *Le Voleur Le Chef Sa Femme et Son Amant*, puis ils étaient rentrés pour ouvrir leurs cadeaux, boire du cognac et écouter Brahms, tout en admirant le sapin sur la terrasse, toujours aussi beau à leur retour de Norvège, avec la guirlande allumée, les petits paniers remplis de neige artificielle et une étoile Georg Jensen au sommet. De la vraie neige était tombée et avait déjà fondu pendant leur absence, si bien que ni l'arbre, ni les paniers n'étaient aussi beaux en plein jour, mais dès la tombée de la nuit l'illusion était parfaite. Krumme lui avait offert l'échiquier en cristal Swarovski qu'il désirait si ardemment, et Erlend, un manteau Matrix en cuir noir, qu'un tailleur avait retouché à prix d'or, aux mesures du corps tout rond de Krumme. Erlend ne l'avait jamais vu aussi heureux, après quoi le manteau et Krumme avaient été soigneusement dépucelés quand ils firent enfin l'amour, en jubilant bruyamment, dans un cadre privé et isolé phoniquement.

– Tu prends ton manteau aujourd'hui ? Pour aller travailler ?

– Bien sûr ! dit Krumme en souriant. Je t'aime, mon beau et gentil fils de paysan…

Il tendit sa main à Erlend par-dessus la table.

– Bon, les cottes et le brin de paille à la bouche, maintenant c'est fini ! Je peux enfin me remaquiller les yeux sans que personne ne fasse une crise d'hystérie.

– Tu évites le sujet. Mais d'ici quelque temps il faudra qu'on en discute sérieusement. Il faudra le faire pour Torunn. Ce n'est pas à elle seule de s'occuper de tout. Elle endosse la responsabilité.

– Mais elle est à Oslo ! Presque aussi loin que nous ! dit Erlend en retirant sa main.

– Elle se sent responsable. On l'a bien vu. Elle l'a d'ailleurs dit elle-même. Tu ne lui as pas téléphoné hier ? Elle devait expliquer à Margido que le vieux voulait aller en maison de retraite.

– Ah ! On est en train d'organiser une fête ! Tout le reste peut attendre demain. Je suis persuadé qu'en retrouvant son appartement et son travail, Torunn rejettera cette « responsabilité » dont tu me bassines. Moi aussi, j'ai fait preuve de responsabilité, d'ailleurs. Non ?

– Oui, bien sûr, Erlend. Je suis fier de toi, très fier. Ce n'est pas bon de dissimuler autant de choses.

– Dissimuler, oui et non. Je n'ai jamais menti, je n'avais seulement pas le courage d'y penser.

– Et maintenant tu cesses à nouveau d'y penser ?

– Non ! Ce n'est pas comme ça ! Tu pinailles ! Seulement… je suis moi-même aussi. Ici ! Et Torunn viendra en visite, voir l'oncle Erlend et l'oncle Krumme. J'ai une nièce bien vivante, tu sais.

– Je m'inquiète davantage pour les deux autres à la ferme. Et Torunn aussi.

– Oui, oui, oui. On va en discuter. Mais pas aujourd'hui ! Je vais passer des heures à préparer le finger-food et à décorer tout l'appartement, je veux être d'humeur créative...

Il dit ça d'un ton un peu geignard qui agissait toujours sur Krumme. Celui-ci soupira encore une fois et se renversa en arrière sur sa chaise de cuisine.

– Alors on s'habille et on part faire les courses, hein ? reprit Erlend.

– Oui, dit Krumme, en frappant sur ses grosses cuisses.

Il esquissa un sourire, peut-être un peu forcé, mais au moins il avait souri. En outre il allait bientôt revêtir son Matrix tout neuf, et ce n'était pas rien.

– J'espère que ma carte Diners Club ne va pas prendre feu, à force de la faire chauffer...

– J'emporte l'extincteur, dit Erlend.

Lorsque la cuisine fut envahie par leurs provisions et qu'il se retrouva seul à la maison, il mit un CD de Marlene Dietrich et sortit tous les plats et toutes les planches qu'ils possédaient. Dans l'une des chambres d'amis, il souleva les abattants de la table basse et il rangea les couettes et les oreillers dans le placard. Il avait besoin de beaucoup de place pour les plats, une table et un matelas double devraient suffire, il ne supportait pas de devoir les poser par terre, même si la femme de ménage lavait et frottait toujours les parquets jusqu'à ce qu'ils brillent. Il ouvrit la fenêtre, et voilà ! il avait la parfaite chambre froide. Quand les invités arriveraient, la fenêtre serait fermée, tous les plats se trouveraient dans les salons, et ils pourraient laisser leurs vêtements ici. La seconde chambre d'amis servait de bureau, c'était la seule pièce qui soit toujours en désordre et on ne la montrait pas aux invités.

Il posa les plats sur les plans de travail avant d'aller chercher une bouteille de Bollinger dans le frigo réservé à la boisson. Debout devant la porte ouverte, il examina le contenu. Bon, si certains voulaient boire autre chose que du champagne dans le courant de la nuit, les étagères étaient garnies de gin, vodka, tonic water et eau gazeuse.

Il déboucha le champagne avec précaution pour ne pas en perdre une goutte, en versa dans un verre et but goulûment. Puis, avec un luxe de concentration, il parcourut du regard la nourriture dont ils avaient fait l'emplette. Il prit d'abord du papier alu de couleur, rouge et or, et en recouvrit entièrement les plats. Il eut beaucoup de mal et dut le fixer avec du ruban adhésif par en dessous, ce n'était pas très beau, mais après tout c'était le dessus qui comptait. Sept plats dorés et huit rouges. Très simple, mais du meilleur effet. La présentation était la clé du plaisir des yeux, et de celui du ventre. Ah, ce serait avec joie qu'il reprendrait ses activités, qu'il éliminerait Noël de toutes les devantures, qu'il aurait des idées neuves et audacieuses, plus frappantes que ses concurrents décorateurs de vitrines. À Neshov, il lui était en effet venu une idée de vitrine qu'il pourrait mettre en pratique chez Benetton. Il reconstituerait une scène de ferme, avec des bottes de paille, une grossière cloison en planches, un pétrin et des cordes, des poutres. Les couleurs terreuses seraient un cadre parfait pour les vêtements d'enfants colorés, il pourrait même placer des animaux. Les gens de Copenhague ne sourcilleraient pas à la vue d'un mouton ou d'une chèvre empaillés, ou d'une tête de cheval dépassant de sa stalle. Il fallait qu'il contacte un taxidermiste dès qu'il reprendrait le travail, le 2 janvier.

Il commença par les tranches de gigot fumé et les tomates séchées, fixa viande et tomate avec des piques à plumes vertes, en remplit tout un plat doré et l'emporta dans la chambre d'amis. Le plat ressemblait à un hérisson éblouissant. Il fit cuire des œufs, les laissa refroidir, les coupa en deux à l'aide d'un couteau humide pour que le jaune ne colle pas à la lame, et recouvrit chaque moitié de caviar de saumon, d'aïoli et d'un brin d'aneth frais. Il coupa des tranches de mozzarella, les embrocha sur des piques avec des tranches de tomates fraîches et une feuille de basilic sur le dessus, arrosa tout le plat d'un filet d'huile d'olive et donna quelques tours de moulin. Il disposa sur un autre plat de tout petits fonds de tartelettes, les badigeonna d'un peu de beurre fondu et les remplit de caviar béluga, pressa un peu de jus de citron dessus et y déposa un soupçon de crème fraîche. Il coupa des tranches épaisses de chorizo qu'il piqua avec un morceau de poireau et une grosse câpre avec sa queue. Il égoutta des cerises au sirop et des olives noires dans une passoire, coupa de gros cubes de fromage doux et d'un fromage suisse au goût plus corsé, et en fit des mini-brochettes très colorées. Il en remplit deux plats, en alternant le jaune, le noir et le rouge, et s'arrêta pour boire un verre entier de champagne et admirer le résultat avant de les emporter dans la chambre d'amis. Il fit une salade avec du thon, de la moutarde à l'ancienne, des cornichons hachés et de la rémoulade, une salade délicieuse et pourtant simple comme bonjour, pensa-t-il. Il était en pleine ivresse créatrice, rien ne devait le déranger, pas même le téléphone, qui était en mode silence, à la merci du répondeur.

Marlene chantait d'une voix grave et érotique dans les haut-parleurs B&O accrochés au mur de la cuisine, tandis qu'il remplissait de salade de thon des fonds de tartelettes en pâte feuilletée tout juste sortis du four de la boulangerie du coin, et disposait sur le dessus un petit peu de moutarde, le reste des tomates séchées coupées en lamelles et du zeste de citron râpé. Il fourra ce qui restait de salade entre des toasts Melba ronds. Qu'avait-il encore à utiliser ?

Il regarda les ingrédients avec excitation. Les asperges ! Seigneur, il les avait complètement oubliées. Il se dépêcha de les rincer et les mit à cuire debout dans une casserole à asperges, dont il n'aurait ensuite qu'à retirer le panier en fil d'acier. Pendant ce temps-là, il sépara avec soin le jambon de Parme en plusieurs tas, hacha finement de l'ail et du persil, et ajouta un peu d'huile, du sel marin et du jaune d'œuf. Quand les asperges furent cuites et brutalement refroidies dans de l'eau avec des glaçons, il les laissa égoutter puis les enveloppa dans le jambon de Parme garni de la pâte à base d'ail.

Il lui fallait aussi deux plats de finger-food provenant exclusivement de la terre. Il en fit un avec du chou-fleur frais, du fenouil, des olives et une fraise au sommet de chaque pique, et un avec des mangues, des oranges sanguines, de l'oignon rouge et du céleri. Il les aspergea d'un peu de vinaigre balsamique comme Krumme le lui avait montré. Krumme s'était en effet persuadé qu'on ne versait pas un filet de vinaigre balsamique sur un plat, mais qu'on l'en aspergeait. Il avait vu ça dans une émission de cuisine de la RAI.

Il aperçut alors le paquet de fromages de Krumme, il n'y pensait plus, mais il fallait les servir, puisque c'était la seule chose dont il avait envie. Il réalisa un décor autour des fromages avec ce qui restait de finger-food : cerises au sirop, céleri et olives noires. Il passa les feuilles de céleri sous un des fromages et le recouvrit d'un film plastique pour capturer l'odeur avant d'emporter le plat.

Il remplaça Marlene par un *Best of* de Neil Diamond et commença à décorer les salons. Il suspendit les guirlandes, plaça des bougies or et argent dans les chandeliers, couvrit les tables de mousseline de soie dorée, certes avec quelques taches, mais elles seraient cachées par les plats. Au bout d'une des tables, il glissa sous la nappe plusieurs grandes boîtes carrées en métal, des boîtes qu'il avait récupérées en décorant les vitrines de Pamfilius, ce qui permettait à la nappe d'onduler harmonieusement jusqu'à différents niveaux, où il placerait les verres et les seaux à champagne. Il ne fallait pas qu'il oublie de remplir d'eau le réservoir du frigo, pour que la machine à glaçons ne tourne pas à vide. Il mit les assiettes en tas et disposa les serviettes en éventail, des serviettes achetées le matin même, dont les paillettes saupoudreraient probablement le contenu des assiettes, mais on l'accepterait, un soir comme celui-là. Au bout de l'autre table, il déposa la pièce montée. La décoration en était un peu tristounette, il la rehaussa à l'aide d'une bande de papier alu rouge légèrement froissé et d'une pluie de petites étoiles qu'il avait trouvées dans le tiroir du Nouvel An. Il dissémina le reste des étoiles sur les nappes. Les tasses à café, les verres à cognac et les assiettes à dessert devaient se trouver à côté de la pièce montée. De même que la coupe pleine de gâteaux porte-bonheur chinois. Voilà.

– Santé !

Il leva son verre devant lui et le vida, puis se versa le peu qui restait dans la bouteille de la cuisine, et sortit sur la terrasse.

Et les avions qui clignotaient se posaient et décollaient continuellement, tandis qu'il savourait le froid des dalles de marbre sous la plante de ses pieds. Le sapin était derrière lui, quand il regardait vers le nord, la Norvège était là-bas quelque part, dans l'obscurité. S'il téléphonait, Krumme serait sûrement content et n'insisterait plus pour qu'il le fasse. Et s'il téléphonait avant de prendre un bain et de se plonger dans les savons, les crèmes et la préparation mentale de la fête, il pourrait le faire le cœur beaucoup plus léger. Mais dans quel ordre ?

Il décida d'appeler selon le même principe qu'il adoptait pour manger quand il était petit, une chose à la fois dans son assiette, le meilleur pour la fin. Toujours en courant le risque qu'on lui redonne de ce qu'il aimait le moins, par exemple du chou-rave, parce que sa mère croyait qu'il adorait ça, vu qu'il se jetait dessus en premier.

Il eut un horrible battement de cœur en composant le numéro. Mais ce sacrifice, il le faisait pour Krumme et Torunn.

– C'est Erlend ! On va avoir un tas d'invités ce soir, alors j'ai pensé t'appeler dès maintenant !

Tor demanda pourquoi.

– Pourquoi ? Mais c'est la Saint-Sylvestre ! Je téléphone pour dire qu'on est bien rentrés et pour te souhaiter une bonne année !

Il ne le faisait jamais avant. Et il n'y avait sans doute pas grand-chose à fêter.

– Mais…

Et puis il s'en allait à la porcherie, car il était assez occupé. Il attendait le vétérinaire, il fallait recoudre une truie.

– Elle s'est blessée ?

Oui, en se battant.

– Je ne savais pas que les truies se battaient, s'étonna Erlend en frottant ses pieds glacés l'un sur l'autre.

Il ressentait le froid jusque dans ses mollets, il allait prendre un bain ensuite, pas une simple douche.

Oh si, dit Tor, il le saurait s'il avait un peu mieux écouté. Il n'y aurait pas grand réveillon à la ferme, ils se coucheraient à l'heure habituelle.

– J'ai bien fait d'appeler maintenant, alors. Plus tard je vous aurais dérangés. Bonne année à tous les deux !

Merci et meilleurs vœux ! conclut Tor en raccrochant.

Il lui fallait une petite rasade de cognac pour se donner des forces avant la prochaine communication, et il fourra aussitôt ses orteils dans ses mules. Cela lui fit du bien, tout comme de jeter un coup d'œil fébrile à l'intérieur de la chambre d'amis et d'admirer la profusion de plats en attente.

Margido décrocha dès la première sonnerie.

– Bonne année ! Je sais que c'est un peu tôt dans la soirée, mais on va...

C'était lui qui appelait ? Il n'en revenait pas.

– Tu croyais peut-être que c'était un client ? demanda Erlend en riant.

Il pensait pouvoir se permettre de plaisanter un peu avec Margido désormais, après tout ce qui s'était passé. Mais peut-être que le champagne et la rasade de cognac avaient magnifié ses espoirs, car Margido, lui, ne rit pas. Au lieu de ça, il répondit que c'était effectivement ce qu'il croyait chaque fois.

– Pas beaucoup d'autres qui appellent, peut-être ? lança Erlend d'un ton acerbe.

Margido aurait pu rire, lui accorder au moins cette grâce. Mais il ignora sa question et lui annonça, en revanche, qu'il était invité à dîner. D'une manière triomphale, ou bien Erlend se faisait-il des illusions ?

– Ah bon ! Quelqu'un que je connais ?

Non, Margido en doutait. Une ancienne cliente.

– Vivante ?

Là il y allait un peu fort, mais il n'avait pas pu s'en empêcher. Or Margido finit par rire, lui aussi.

Oui, elle était bien vivante.

– Une dame ! Bon Dieu, Margido, tu as un rencard ?

Erlend recroquevillait les orteils dans ses mules, il n'en croyait pas ses oreilles, Margido qui l'avouait lui-même ! Mais il fallait sans doute qu'il évite de jurer inconsidérément, Margido était croyant.

– Je ne voulais pas dire « bon Dieu ! », s'empressa-t-il d'ajouter.

Oui, c'était bien une dame, interrompit Margido, mais rien de plus.

– Une dame mais rien de plus ? dit Erlend.

C'était une connaissance, pas davantage. Elle tenait à l'inviter en remerciement des belles funérailles qu'il avait faites à son mari, et Margido avait simplement eu la bêtise de le mentionner.

– Mais non, mais non ! Je plaisante ! Je te… je vous souhaite une bonne année ! Vous avez le bonjour de Krumme aussi.

Il devait le saluer en retour.

Cela lui coûtait beaucoup plus qu'il ne l'aurait d'abord cru. Il le faisait uniquement pour faire plaisir à

Krumme et à Torunn, et malgré tout il en était presque bouleversé. Il pensa à cette dame et retrouva sa bonne humeur. Et si Margido pouvait trouver chaussure à son pied, peut-être même une jeune femme qui lui donnerait des enfants ? Il était encore très viril. Tout à ces réflexions, il appela Torunn en fourrant la bouteille sous son aisselle, ôta le bouchon avec les dents et but une gorgée au goulot.

– C'est moi ! Tu sais quoi ? Margido a un rencard ce soir !

Il y avait énormément de bruit autour d'elle, elle n'entendait pas ce qu'il disait et cria qu'elle devait sortir et qu'il fallait qu'il attende un peu. Mais il l'eut enfin distinctement.

– C'est oncle Erlend ! Margido a un rencard ce soir ! Une dame !

Elle éclata d'un rire qui lui crépita dans l'oreille, c'était la vérité ? Elle avait parlé avec lui la veille, il n'en avait rien dit, mais ce n'était pas vraiment le genre de choses qu'il lui confierait à elle. Elle lui avait annoncé que le grand-père voulait aller en maison de retraite.

Allons bon, était-ce bien le moment d'en discuter ?

– Qu'est-ce qu'il a dit, Margido ?

Qu'il n'était pas malade, que ce ne serait sûrement pas possible, qu'on se battait pour avoir des places, mais Margido allait quand même essayer d'obtenir qu'une aide ménagère aille à la ferme une fois par semaine.

– Excellent ! Ça s'arrange alors, dit Erlend.

Torunn n'en était pas aussi sûre, elle ne pensait pas que son père accepterait qu'une étrangère vienne se mêler de ses affaires, même si ce n'était que pour une simple lessive.

– Tu le connais bien, toi ! Mieux que moi !

De furieux aboiements éclatèrent avant qu'elle n'ait le temps de répondre. Elle expliqua qu'elle était dans un chalet, que des amis l'avaient invitée, qu'ils étaient toute une bande et cinq chiens, et là les chiens étaient tous en train de se battre.

– Alors ce sera la fête chez toi aussi ! Rien à dire pour les bagarres générales, vous avez sûrement du fil et des aiguilles ! À propos, ton père attendait le vétérinaire quand j'ai parlé avec lui. Les truies se sont battues.

Il avait appelé son père, tant mieux ! Il remarqua le ton enjoué de sa voix, ça valait la peine malgré tout.

– Il a beau être un peu bizarre, c'est quand même mon grand frère. Mais si tu lui téléphones, toi, fais-le avant dix heures ! Après, il sera couché.

Heureusement qu'il le disait, elle avait pensé l'appeler à minuit.

– Il n'y a pas grand feu d'artifice à Bynes. À part les fusées qu'ils tirent eux-mêmes ! Sous les couettes !

Elle ricana. Derrière elle, des voix en colère brisaient manifestement la révolte de la meute.

– Je te souhaite une bonne année ! Et on va se revoir, hein ? Tu viendras nous rendre visite ?

Oui, elle y comptait bien, et elle conclut en disant qu'ils devaient croiser les doigts pour Margido.

– Oh, lui, il croise probablement ce qu'il a déjà. Par exemple, les genoux. Ce n'est pas à nous d'y penser, petite nièce ! Krumme te fait des tas de bisous !

Il s'enfonça dans l'eau du bain, infiniment content de lui. La porte d'entrée s'ouvrit.

– Je suis dans la salle de bains ! cria-t-il.

– Je rentre d'abord les cartons et j'arrive ! répondit Krumme.

– Ils sont bien froids ? Les cartons ?

– Ah oui, alors !

– Mets-les simplement sur la terrasse, les bouteilles éviteront le détour par le frigo !

Et enfin ils se retrouvèrent chacun à une extrémité du jacuzzi, deux corps plongés dans l'eau qui remuait sous l'effet des bulles, il restait une heure et demie avant l'arrivée des invités. Erlend observait les poissons qui nageaient dans le grand aquarium d'eau de mer, sur toute la longueur de la pièce. Il suivait des yeux Tristan et Iseult, ses préférés, d'un bleu turquoise éclatant. Mais il y avait trop d'algues accrochées aux parois. Il fallait qu'il pense à faire venir celui qui les nettoyait et changeait les plantes, et peut-être lui demander aussi de déplacer le château en pierre où les poissons entraient et sortaient.

– Tu étais parti loin, déclara Krumme.

– Je pensais au château et aux algues, à ce genre de banalités. Mais toi, qu'est-ce qu'ils ont dit de ton Matrix au boulot ?

– Pas grand-chose. Mais ils n'en pensent sûrement pas moins, dit Krumme.

– Et que pensent-ils, à ton avis ?

– Que je suis l'homme le plus heureux du monde. Et ils ont bien raison !

Margido passa le peigne sous le robinet, puis dans ses cheveux qu'il lissa ensuite d'une main. Il s'examina d'un air critique dans le miroir au-dessus de l'étagère où étaient sa brosse à dents, son dentifrice et un flacon d'Old Spice. Son nœud de cravate était lisse, régulier et centré à souhait. Faire un double Windsor était curieusement l'une des premières choses qu'il avait apprises en tant qu'apprenti aux pompes funèbres, mais aujourd'hui il comprenait pourquoi. L'allure était une partie extrêmement importante de l'emploi, à bien des égards ce qui donnait aux clients un gage de professionnalisme.

Le nœud était parfait. Son complet l'était moins. Il était trop foncé, autrement dit trop « professionnel ». Il avait fouillé l'armoire comme s'il comptait trouver un costume qu'il savait pertinemment ne pas posséder. Ils étaient tous noirs ou brun foncé, hormis un gris anthracite qu'il portait l'été, l'étoffe en était plus légère, mais usée. Le commun des mortels pouvait toujours se permettre de réveillonner en complet noir, pensa-t-il, mais lui était différent. On l'associait au deuil. Il aurait fallu qu'il ait un costume gris clair, il décida de s'en acheter un dès qu'il aurait le temps, il lui serait également utile en d'autres circonstances, au travail les jours où il ne rencontrerait pas les proches d'un défunt. Mais aujourd'hui le gris anthracite ferait l'affaire.

Il respira à fond. Six heures et demie. Il était invité à sept heures et demie chez la veuve de fraîche date. Selma Vanvik, cinquante-deux ans, le même âge que lui, elle lui courait après depuis des semaines. De son côté il repoussait ses avances, mais poliment. En acceptant son invitation ce soir-là, il s'était dit qu'elle allait peut-être se rendre compte du type ennuyeux qu'il était et arrêter d'insister. Il voulait retrouver son quotidien, la routine et les allées et venues entre le travail et le temps libre, seul dans son appartement. Ces derniers mois, il avait songé à s'acheter un nouveau logement, non pas parce que celui-ci était trop petit ou moche, il lui convenait très bien, mais il rêvait d'un sauna où il pourrait transpirer et se délasser. Il lui était impossible d'installer un sauna donnant dans sa salle de bains actuelle, cela mangerait la petite cuisine de l'autre côté du mur, mais il ne s'était pas encore mis à étudier les annonces immobilières. L'idée d'un déménagement le perturbait énormément, vider les pièces sécurisantes, l'une après l'autre, ce serait dur.

Tout lui échappait, c'était son impression. Lui filait entre les doigts. Il ne voulait pas perdre le contrôle. Le travail et les heures de loisir chez lui, c'était tout ce à quoi il était habitué. Il y avait eu l'histoire de sa mère, la venue d'Erlend et de Krumme, et celle de Torunn au beau milieu. Ils s'en étaient quand même bien sortis à Neshov pendant toutes ces années, et même les sept dernières au cours desquelles, personnellement, il n'y avait pas remis les pieds. Avec le décès de sa mère et la réalité des choses tant soit peu éclaircie, le calme aurait dû enfin revenir. Mais non, coup de fil sur coup de fil... D'abord Torunn hier, qui voulait que le vieux aille en maison de retraite, et maintenant Erlend.

Il n'aimait pas ça.

Les problèmes juridiques liés à la ferme, il avait chargé Maître Berling de s'en occuper. Le notaire était un homme intelligent et pondéré, qu'il recommandait d'habitude aux familles des défunts, qui avaient peine à gérer les questions d'héritage. Berling réglerait tout, il n'y aurait pas matière à disputes de cette façon-là. La ferme serait mise au nom de Tor, le vieux ne s'y opposerait pas, Erlend et lui-même renonceraient à leur part dans un premier temps.

Torunn serait ensuite l'héritière, avec cette clause concernant la succession. En comprenait-elle la portée ? La responsabilité qui lui incomberait le jour où Tor mourrait ou serait de santé trop fragile pour continuer. Il en doutait.

En tout cas il allait s'arranger pour faire venir une aide ménagère, ce serait déjà ça de réglé, et il couperait court à la pression des autres. La situation du père ne serait pas un argument, il n'était pas assez dépendant. Le fait de ne pas changer de caleçon tous les jours ou de perdre son dentier derrière le tas de bois ne suffisait pas pour obtenir une place en maison de retraite. Il voulait sans doute aller à la nouvelle maison de Spongdal, qui avait ouvert quelques années plus tôt. Il s'imaginait probablement, comme beaucoup d'autres vieux, qu'on allait toujours tout près de chez soi. Mais, pour la commune de Trondheim, c'était un véritable puzzle et ils remplissaient les places qui se libéraient en fonction de leurs listes d'attente, quel que soit l'endroit. Peut-être devrait-il prévenir le vieux qu'il risquait d'être envoyé loin de Bynes ? Mais ce serait dommage pour lui. Et si quelqu'un pâtissait de tout, c'était bien lui.

Il éteignit la lumière de la salle de bains. Il ressentait soudain le besoin de se donner du courage. Il s'en étonna. Il ne buvait presque jamais, mais là, ça lui ferait du bien. Et si elle commençait à lui mettre le grappin dessus ? Elle l'avait déjà embrassé à une occasion et serré contre elle.

Il n'aurait jamais dû accepter, il sentit son cœur palpiter désagréablement et ferma les yeux. Il avait promis de prendre un taxi et de ne pas conduire lui-même, il rentrerait à pied, c'était un peu loin, mais faisable, il emporterait ses snow-boots dans un sac en plastique. À moins qu'il ne téléphone pour dire que…

Non. Il devait oser, qu'il le veuille ou non. Si Mme Marstad et Mme Gabrielsen, qui travaillaient pour lui, savaient qu'il avait laissé sur le répondeur de son portable une annonce renvoyant aux entreprises de pompes funèbres plus importantes ! Il ne le faisait d'habitude que lorsque la sienne affichait complet, vu qu'aucune des deux dames n'aimait prendre les premiers contacts. Il était là, avec de l'Old Spice sur la figure, et il n'était pas débordé. Mais s'il allait chez elle ce soir, elle cesserait sûrement de le harceler.

Il trouva une bouteille de vin rouge dans le placard, un ancien cadeau de la famille d'un défunt, couverte de poussière. Il sortit un tire-bouchon du fin fond d'un tiroir et la déboucha. Il y eut un bruit sec qui résonna entre les murs de la cuisine. Il se versa un verre et couvrit le goulot de papier alu, il ne savait même pas combien de temps une bouteille ouverte pouvait se conserver, il la mit au frigo pour plus de sûreté. Il but le verre beaucoup trop vite et en ressentit aussitôt les effets. Un rencard ! Ce qu'il fallait entendre ! À ce moment-là des frissons lui parcoururent tout le corps, il n'avait rien à lui apporter, il devait bien sûr lui offrir quelque chose ! Il avait horreur des fleurs coupées, mais il n'y avait pas que ça comme cadeau. Il se souvint avec un immense soulagement d'une boîte de chocolats Kong Haakon, qu'il avait reçue du fabricant de cercueils et qui trônait encore sur une étagère du living, entourée d'ailleurs d'un beau ruban doré. Maintenant il fallait qu'il appelle un taxi, qu'il appelle avant qu'il ne change d'avis.

La flamme vacillante d'une torche éclairait le perron de sa maison. Elle ouvrit aussitôt.

– Des chocolats ! Comme c'est gentil ! Vous êtes un vrai gentleman, Margido !

Il hocha la tête en esquissant un sourire et se hâta d'ôter son manteau à l'instant où elle allait l'embrasser.

– Ça sent bon, dit-il.

– Moi ou ça ? demanda-t-elle en inclinant la tête, jouant avec le nœud doré de la boîte.

– La cuisine, répondit-il.

Il aurait voulu faire demi-tour et partir. Elle commençait fort. Mais il ne fallait pas qu'il se fasse d'illusions.

– Vous savez, Selma, que si je suis venu ce soir, c'est parce que j'ai pensé que ça vous serait agréable. Je sais que vous êtes seule et…

– Oh non, vous vous trompez ! On m'a invitée tous azimuts, mais j'ai refusé. Comme vous n'êtes pas venu à Noël et que j'ai dû passer la soirée avec mes enfants et mes petits-enfants, très remuants et bruyants alors que j'avais envie de paix et de tranquillité, il n'aurait plus manqué que ça qu'on ne passe pas cette soirée ensemble ! J'ai même acheté des fusées de feu d'artifice !

– Ce n'est pas interdit d'en tirer ici ?

– Non, seulement en centre-ville. Ici c'est permis.

– Je n'ai jamais tiré de fusées de ma vie ! s'écria-t-il. Il était debout, les bras ballants.

– Le mode d'emploi est écrit dessus, ne vous en faites pas !

Il aurait dû se méfier davantage de l'alcool, puisqu'il n'en avait pas l'habitude… La veuve s'imaginait qu'il était intimement croyant, tout le monde se l'imaginait, personne ne se doutait que la foi chrétienne l'avait abandonné depuis longtemps. Et elle continuait de remplir son verre. Le repas était excellent et il avait coutume de manger en buvant de grandes gorgées. On aurait dit qu'il oubliait la teneur en alcool de ce qu'il avalait, ce n'était pas l'habituel verre de jus de fruits ou de lait.

Elle servit une salade de crevettes en entrée, avec du vin blanc, et du gigot d'agneau, un gratin de pommes de terre, des petits pois et des choux de Bruxelles en plat principal, avec du vin rouge. La table était large et vaste, ce qui le mettait à une distance rassurante. Il s'était dit par la suite que c'était sans doute cette distance physique qui lui avait permis de se détendre et d'apprécier la bonne chère. Il aurait fallu, pour continuer ainsi, qu'elle reste à sa place et lui à la sienne.

Quand elle se leva pour débarrasser les assiettes de gigot, il se leva aussi pour l'aider et dut aussitôt se tenir légèrement à la table.

– Non, restez assis ! Un travailleur comme vous, rompu de fatigue, se doit de se relaxer pendant que je range un peu et que je prépare le café. Un peu de musique, peut-être ?

Il la suivit des yeux alors qu'elle volait presque au-dessus des tapis, d'abord jusqu'à la chaîne stéréo où elle trifouilla les boutons, puis, rapide comme le vent, jusque dans la cuisine avec les assiettes à la main. Elle portait une robe noire, et des perles autour du cou et aux oreilles. Elle était vêtue à l'ancienne, pensa-t-il. Les femmes d'un peu plus de cinquante ans à l'heure actuelle s'habillaient comme les jeunes, il y était habitué, et il eut soudain un sentiment chaleureux à son égard, parce qu'elle se sentait peut-être déjà vieille. Tout comme lui.

Il regarda ses mains, posées sur la nappe, il avait presque l'impression que ce n'étaient pas les siennes. Il s'aperçut qu'il avait fait des taches de vin et de sauce brune, il gratta un peu celle de sauce, mais ne réussit qu'à l'imprégner davantage dans la nappe. Sa langue et ses lèvres lui parurent enflées. Il toucha ses lèvres, elles étaient comme d'habitude, mais son corps était brûlant, surtout son front, son cou et ses mollets. Était-il ivre ? Ce serait bien la première fois de sa vie, en tout cas. Quand il était jeune, à Bynes, il faisait partie d'associations chrétiennes et n'avait pas éprouvé le besoin de faire l'expérience de l'alcool, ou de quoi que ce soit d'autre d'ailleurs. Quelle espèce de musique avait-elle mise ? Mais oui, il reconnaissait maintenant : *In the Mood*, de Glenn Miller. Bonté divine ! Il fallait qu'il rentre chez lui.

Il se leva à nouveau, se tint au bord de la table. Elle apportait les tasses, les assiettes à dessert et les verres à cognac.

– Je crois que…

– Mais asseyez-vous donc, Margido ! Je maîtrise la situation, vous n'avez rien à faire ! On va prendre le café ici et puis on ira dans le salon, pour le champagne.

Lorsqu'elle tourna le dos, il jeta un coup d'œil à sa montre, il était presque dix heures. Il n'avait pas vu les heures filer. Il lui avait longuement parlé de son travail et elle avait paru sincèrement intéressée, et il s'était resservi plusieurs fois, mais néanmoins, il n'en revenait pas que le temps ait passé aussi vite. C'était peut-être d'ailleurs ce qui expliquait pourquoi les gens devenaient alcooliques, pour faire en sorte que le temps s'écoule plus vite, pensa-t-il, tandis que son corps tout entier s'engourdissait. Il était prisonnier, il ne s'échapperait pas, il pouvait aussi bien abandonner l'idée, il ne savait plus, tout à coup, s'il avait encore le courage de lutter.

– Ce repas était délicieux, dit-il.

Il s'écouta parler. Est-ce qu'il nasillait ?

Le cognac le réveilla, il eut soudain les idées claires. Surpris, il but une nouvelle gorgée, puis du café, il était redevenu entièrement lui-même. Ça alors, pensa-t-il, je n'y comprends rien du tout, je redeviens sobre en buvant. Maintenant elle voulait parler d'elle, et il la laissa faire avec reconnaissance, suivant attentivement tout ce qu'elle disait. Peu après il avait déjà oublié et devait reposer la question. C'était presque plaisant, il se moqua un peu de lui-même.

– Je dois avoir perdu ma mémoire immédiate, dit-il.

Elle était rayonnante, la lueur des bougies lui faisait comme des yeux de chat. Elle ne paraissait pas si vieille que ça, sa robe était largement décolletée et le creux de ses seins bien visible.

– On passe au salon ? suggéra-t-elle.

Déjà ? Il se leva sans hâte, avec précaution.

– J'ai tellement bien mangé, dit-il. C'est pour ça que je suis un peu lent.

La table basse était couverte de coupelles pleines de friandises, à côté d'une pyramide de mandarines dans une corbeille rouge. Elle alluma les bougies, hautes et blanches, et fit du feu dans la cheminée, où elle avait tout préparé d'avance. Elle s'assit à côté de lui sur le sofa et lui tendit une bouteille de champagne. Les flûtes étaient posées sur la table.

– À vous de l'ouvrir, c'est la tâche de l'homme !

À cinquante-deux ans, il allait pour la première fois de sa vie déboucher une bouteille de champagne. Il la prit et sentit avec plaisir la fraîcheur du verre sur ses paumes brûlantes. Heureusement qu'il regardait assez souvent la télé ! Il dégagea l'anneau de métal et défit le muselet comme il avait vu faire dans les films. Puis il tourna doucement le bouchon. Celui-ci partit en claquant violemment, vola au-dessus de la table et atterrit de l'autre côté.

– Seigneur ! s'écria-t-elle en éclatant de rire. Oh, pardon ! Je ne voulais pas…

Mais elle continua à rire, et il rit également tandis qu'elle tendait les verres sous le flot de mousse blanche qui s'échappait du goulot. Il comprit qu'il devait se ressaisir sur-le-champ. Il salissait la table et le tapis.

– Bah ! Ça ne fait rien, c'est la Saint-Sylvestre ! On peut se permettre quelques taches !

Il rencontra son regard tandis qu'ils se dépêchaient d'avaler la mousse dans les verres. Les yeux de la veuve brillaient, écarquillés, comme si ses prunelles riaient aussi. Il remua ses orteils dans ses chaussures noires, se dit qu'il devait se ressaisir, arrêter de boire, mais cette pensée s'évanouit aussitôt. Au lieu de cela il s'entendit rire bêtement de plus belle, mais ça non plus, ça n'avait pas d'importance.

– Je crois que vous avez aussi un peu taché votre pantalon, dit-elle en approchant la main et en frottant vainement du bout des doigts.

Alors il se reprit. Qu'était-il en train de faire ? Il posa son verre sur la table, mais il n'aurait pas dû, car elle en fit autant et, tout à coup, il ne savait plus quoi faire de ses deux bras, alors qu'elle savait bien quoi faire des siens : elle les passa autour de son cou et le regarda droit dans les yeux.

– Margido, murmura-t-elle.

– Oui.

– Pourquoi avez-vous si peur ?

– Je n'ai pas peur. Seulement je ne sais pas exactement ce que je dois…

– Que vous devez ?

– Faire, dit-il.

– Avec moi ?

Elle entrouvrit les lèvres.

– Vous pouvez m'embrasser, par exemple.

Il posa ses lèvres sur les siennes, sentit qu'elle sortait le bout de sa langue, écouta son pouls qui tonnait comme une cascade à ses oreilles. La musique disparut dans la pièce, il devenait sourd. Elle écarta la tête, se mit tout contre lui, lentement, presque avec le plus grand sérieux, et elle ne souriait plus.

– Margido, murmura-t-elle.

– Oui.

– Ne dites rien ! Je prononce simplement votre nom, j'adore le prononcer.

Elle posa la main sur sa braguette, il ne bougea pas. Il voulut reprendre son verre, mais pensa qu'il ne parviendrait pas à le soulever.

– Vous voilà enfin ! murmura-t-elle.

Il comprit ce qu'elle voulait dire, il palpitait, il était cloué sur place, il n'en sortirait pas vivant. D'un autre côté, qu'importait sa vie entière ? La main de Selma lui faisait l'effet de la soie, malgré plusieurs autres couches, son slip et son pantalon. Il écarta les genoux, il n'avait plus la place de les garder serrés, et il se renversa en arrière sur le sofa, toutes ses forces l'avaient quitté. Allait-il s'évanouir ? Son cœur allait-il s'arrêter de battre ? Il était toujours sourd, la musique avait disparu, son corps se résumait à son bas-ventre. La robe était en velours, il avait l'impression d'avoir sur lui un animal à la fourrure mouillée, il ne savait pas comment c'était, au fond, mais il pensait que c'était comme ça, une loutre mouillée par exemple. Il ferma les yeux et fut lentement empreint d'un profond recueillement, était-ce ainsi que ce devait être ? Il ouvrit les yeux, elle était assise sur ses genoux, son décolleté avait pris beaucoup d'ampleur, au point de disparaître, il n'y avait plus que ses seins. Le téton de l'un d'eux était comme un raisin sec entre ses lèvres, avec un léger goût de sel.

– Il n'y a qu'à lire le mode d'emploi, dit-elle.

Ils étaient en manteau, dehors dans le jardin. Elle était debout, il s'était assis sur un muret sans en avoir d'abord dégagé la neige. Elle éclairait de sa lampe de poche la fusée qu'il tenait à la main, mais il n'arrivait pas à distinguer les lettres. Il tremblait aussi. Elle lui tendit la bouteille de champagne.

– Tenez-moi ça à la place ! J'ai déjà préparé une bouteille vide là-bas, dans la neige, mais je pensais vous laisser faire : les hommes adorent ça.

Elle ricana, lui aussi. Il se sentait paresseux et méconnaissable. Je suis Margido, pensa-t-il, et là je tire un feu d'artifice. Est-ce que j'appelle Tor pour lui annoncer ça ? Non, Erlend. Tor est couché.

Il sortit son portable de sa poche intérieure, dut réfléchir de longues et pénibles minutes pour se rappeler le code à composer en l'allumant, tandis qu'elle s'escrimait avec un briquet.

– Au fait, j'ai aussi acheté des cigares ! cria-t-elle.

Finalement ce fut son pouce qui se souvint du code, pas lui. Ensuite il chercha le numéro d'Erlend et appuya sur la touche verte. Une fusée s'éleva en l'air, crépitant et crachant comme un serpent jaune affolé dans le ciel noir, Selma partit d'un éclat de rire hystérique en battant des mains.

– Allô ? Allô ? C'est Erlend ? dit-il.

Il obtint un « ouais » sonore en guise de réponse.

– C'est Margido ! Bonne année, petit frère !

Erlend répondit quelque chose de complètement indéfinissable.

– Je suis à mon rencard.

Puis il coupa la communication. Resta assis, son portable à la main. Elle le rejoignit d'un bond dans la neige fraîche.

– Venez ! Rangez-moi ce téléphone stupide ! Vous n'allez quand même pas discuter avec qui que ce soit à cette heure-ci ! s'écria-t-elle en le tirant par sa main libre. Mais venez donc, Margido ! J'ai acheté un paquet familial de fusées !

Ce furent les mots qui le firent revenir à lui, se ressaisir : « paquet familial ».

– Bonne année, Selma ! Il faut que je parte maintenant.

Il se leva, réussit à tenir debout. Qu'avait-il fait ? Au nom du ciel, qu'avait-il fait ? Téléphoné à Erlend.

– Vous êtes fou, ou quoi ? Vous n'allez pas…

– J'ai reçu un coup de fil. Situation de crise au travail, déclara-t-il.

Il devait enchaîner les mots avec soin les uns après les autres.

– Mais vous avez bu ! Vous ne pouvez pas…

Elle le tirait par son manteau.

– Je ne peux pas conduire. Mais je peux faire tout le reste, ou presque.

Il s'entendit nasiller. Elle aussi était ivre, elle ne s'en rendait probablement pas compte.

– Il faut que je m'en aille. Je suis désolé. C'était…

– Mais on vient tout juste de… Je croyais que vous vouliez…

– Il y a vouloir et vouloir. Il s'agit de choses plus importantes, un mort gît dans son lit et je dois…

– Mais il y en a d'autres qui peuvent s'en charger, Margido !

– Non. Il n'y a que moi.

Il suivit les talus de neige jusque chez lui sans incident. Il s'enferma à double tour et alla droit au frigo. Puis il vida le reste de la bouteille de vin dans l'évier. Il songea soudain à l'histoire de cet homme en cellule d'isolement qui s'était suicidé en avalant sa propre langue.

Il renvoya la sienne en arrière dans sa gorge. Manifestement il fallait s'aider avec les doigts. Ça pourrait attendre le lendemain, il devait trouver son lit avant de s'évanouir. Il n'eut pas le courage de commencer par se déshabiller.

Elle les fit s'asseoir à distance respectable les uns des autres dans la grande salle de réunion au sous-sol de la clinique vétérinaire. Chacun des chiots brûlait d'envie d'aller trouver les autres, et les gémissements, les aboiements étouffés et le bruit des griffes raclant le lino emplissaient la pièce, l'étourdissant presque. Elle savait que beaucoup d'écoles de dressage organisaient les premiers cours sans la présence des chiens, mais elle trouvait ça absurde.

C'était le cours de dressage des chiots qui commençait là, à la mi-janvier, des chiots entre quatre et six mois. Un jeune border collie s'était déjà couché, la tête entre les pattes, plusieurs autres réalisaient que la bataille était perdue.

– Il est important que le chien apprenne à se trouver en compagnie d'autres chiens, sans qu'il soit question de jouer ou de se battre. C'est un bon entraînement pour lui. De rester tranquille alors qu'il se passe des choses autour de lui sans qu'il en soit le centre d'intérêt. Je parie qu'à tous les coups c'est comme ça à la maison.

– Vous avez raison, dit en ricanant un barbu portant un pull islandais.

C'était le maître du border collie.

Les autres gloussèrent bouche fermée, en hochant la tête à l'unisson.

– Justement, reprit-elle. Ce dont le chien est en train de faire l'expérience en ce moment, c'est de renoncer à la satisfaction immédiate d'un besoin.

Elle dit ça en riant, afin qu'ils comprennent qu'elle avait surtout recours au jargon de la psychologie pour plaisanter, mais en réalité elle signalait aussi qu'elle savait de quoi elle parlait.

– L'objectif de ce cours, c'est en fait d'apprendre au chien à apprendre. Quand il sera plus vieux, on donnera davantage de contenu à l'enseignement. Si vous vous inscrivez aux cours d'après, bien sûr. Mais pour l'instant, en tant que maître d'un chien, vous allez acquérir suffisamment de confiance et de connaissances pour savoir comment progresser. Votre chien vit dans son propre monde et croit dur comme fer qu'il en est le centre. Il a quitté sa mère pour aller avec vous. Celle-ci était stricte avec lui, beaucoup de gens sont choqués en voyant une chienne ramener un chiot désobéissant dans le droit chemin, alors que la plupart des gens choisissent de le dorloter, le caresser, le câliner. Je ne dis pas que vous devez commencer à flanquer des coups à votre animal, mais vous ne devez pas non plus avoir peur de fixer des limites. Un « non » clair et net, et des compliments sans réserves quand il agit comme il faut ou qu'il se retient de braver les interdits. Mais ça ne servira à rien si la fillette de la maison s'écrie en même temps : « Ne sois pas fâché après Fido, il est si petit, si mignon ! Viens me voir, Fido, mon pauvre, papa est méchant avec toi… »

Plusieurs personnes ricanèrent dans la salle, en se reconnaissant sans doute.

– Un chiot qui ne se voit pas poser des limites précises deviendra un chien mal assuré, poursuivit-elle. Mais un chiot qu'on bat se sent indésiré dans le groupe, c'est-à-dire la famille. C'est tout aussi mauvais. Compliment sur compliment quand il adopte la conduite souhaitée, voilà le mot clé. Mais vous devez apprendre à communiquer avec lui, afin qu'il comprenne que c'est de vous que doit venir l'information.

– Mais comment diable va-t-on y parvenir, alors ? demanda une dame qui avait un jeune schnauzer géant.

Torunn savait que c'était un mâle, et aussi que la famille n'avait jamais eu de chien auparavant. Elle se demandait à quoi les éleveurs pensaient vraiment quand ils vendaient un géant mâle à des gens sans expérience, c'était une des races les plus rétives au monde. Il fallait qu'elle surveille ces deux-là de près, sinon on serait obligé d'euthanasier le chien dès que les pires taux de testostérone commenceraient à le travailler.

– Nous allons d'abord apprendre au chien à se concentrer sur votre visage, vos yeux et vos paroles. Le chiot a tendance à focaliser sur les mains. Ça dépend un peu des races. Votre border collie, par exemple, vous avez sans doute remarqué qu'il vous regarde dans les yeux quand il se demande ce que vous voulez ?

L'homme au pull islandais hocha la tête. Il était sympa, mais il portait une alliance.

– Un border collie, c'est comme un disque dur vide, il n'y a qu'à y entrer les données, dit-elle. En fait le chien peut se sentir frustré et avoir des difficultés s'il n'apprend pas assez ! Vous trouverez que c'est facile d'entrer en contact avec lui et de lui enseigner des choses, mais le problème sera inversé. Vous ne pourrez pas l'ignorer ou le négliger mentalement, sinon il sera impossible à maîtriser. Par contre, un schnauzer géant doit apprendre à apprendre, et il faut bien qu'il comprenne qui commande. Je peux vous l'emprunter ? Comment s'appelle-t-il ?

– Néron, répondit la femme.

Torunn fit venir le chiot noir devant les autres. Il tirait sur sa laisse et voulait retourner vers sa maîtresse, puis il y renonça d'emblée et se mit à renifler le sol et une chaise qui se trouvait là.

– Néron ? dit-elle.

Il ne réagit pas, continua à flairer. Elle sortit un biscuit de sa poche et le lui mit sous le nez. Il s'y intéressa aussitôt, mais elle ne le lui donna pas. Au lieu de cela, elle l'approcha doucement de son propre visage, jusqu'à ce qu'elle obtienne un contact oculaire. Puis elle le complimenta vivement.

– Tu en as envie ? demanda-t-elle.

Le chiot s'assit. Non pas parce qu'il avait appris à le faire, elle le savait bien, mais parce que c'était plus confortable pour lever la tête et regarder en l'air. Elle le complimenta à nouveau. Lentement elle amena le bras qui tenait le biscuit derrière son dos. Le chiot suivit sa main des yeux jusqu'à ce que le biscuit disparaisse, puis il tira sur sa laisse pour continuer à le suivre. De l'autre main elle le maintint en place.

– Néron ?

Il croisa son regard, elle le félicita et s'empressa de lui donner le biscuit. Puis elle en sortit un nouveau de sa poche. Il comprit finalement ce qu'elle attendait de lui. En la regardant droit dans les yeux, il obtenait le biscuit, pas en fixant sa main. Elle rendit le chiot à sa maîtresse, et le petit Néron sauta avec joie sur ses genoux, aussi heureux de la retrouver que s'il venait de traverser tout seul le Groenland.

– C'est un exercice qu'il faut faire tous les jours, dit-elle. Si vous retenez le regard du chien, il obéira à ce que vous direz. Des questions ?

– Est-ce que c'est aussi simple que ça ? Est-ce que Cox apprendra toutes sortes de choses rien qu'en me regardant dans les yeux ? demanda une femme rousse dont le jeune airedale terrier dormait tranquillement à ses pieds.

Elle sourit.

– Aussi simple et aussi difficile. Vous vous rendrez compte que ça prend du temps. Il faut tout répéter. Et si vous négligez l'exercice quelque temps, c'est la main qu'il suivra à nouveau du regard. Il y a trois choses que vous avez à retenir et qui doivent être bien ancrées avant que le chien puisse continuer à apprendre : cet exercice que je viens de vous montrer, l'exercice du repas et celui du jeu, j'y arrive tout de suite. Une fois ces trois choses-là en place, je peux pratiquement vous garantir que la suite du dressage sera cent fois plus facile. Et toute la famille doit jouer le jeu. C'est maintenant que vous posez les bases d'un bon rapport, pour le reste de la vie du chien. Vous pouvez aussi dès maintenant commencer à lui demander de se mettre « couché », mais sans en faire une priorité, pour que le chien ne considère pas ça comme un exercice stressant.

– Si c'est si facile que ça, au fait, déclara un jeune homme dont le chiot berger allemand mordillait les lacets de ses chaussures, pourquoi y a-t-il autant de chiens qui ont des problèmes alors ?

– Parce qu'ils n'ont pas suivi de cours, peut-être ? fit l'homme au pull islandais en lançant un clin d'œil à Torunn.

– Exactement ! dit-elle en souriant. Bon, maintenant je vais vous expliquer les exercices concernant le repas et le jeu. Vous vous entraînerez à faire tout ça cette semaine, avant notre prochaine rencontre. Vous aurez ainsi plein d'expériences qui nous serviront de base de travail, on les analysera et on les traitera à fond. Si vous voulez venir avec d'autres membres de votre famille, vous pouvez. L'exercice du repas est extrêmement facile à expliquer, mais usant à pratiquer. Il consiste tout simplement à faire en sorte que vous posiez par terre la gamelle alléchante du chien, et que lui, il garde ses distances. Qu'il soit assis ou couché, il ne doit pas aller manger avant que vous ne disiez : « Vas-y ! » Au début il faudra le retenir physiquement avant de prononcer les mots magiques. Un jour vous attendez dix secondes, le lendemain trente, variez l'attente ! Il comprendra que vous êtes le chef ! Sans que vous ayez besoin de hurler ou quoi que ce soit.

– Bon sang ! s'exclama l'homme au pull islandais. Ça paraît tout à fait logique.

Elle sourit. Il était vraiment attirant. Dommage, cette alliance.

– Oui, c'est tout à fait logique. Quand l'exercice sera bien acquis, faites-le pratiquer par n'importe quel membre de la famille lui donnant à manger. Si le chien s'en fiche complètement quand c'est le petit de cinq ans qui pose la gamelle, à vous d'intervenir en tant qu'adulte et de l'aider. Il doit aussi obéir au petit de cinq ans.

Elle regarda la maîtresse de Néron en disant cela.

– L'exercice du jeu est aussi simple et aussi important. Installez-vous par terre et jouez avec le chiot. Amusez-vous bien ! Laissez-le vous mordiller, mordez-le aussi si ça ne vous dérange pas d'avoir des poils de chien plein la bouche. Soudain, levez-vous et allez vous faire une tasse de café dans la cuisine ! Ignorez le chien complètement ! Pas une caresse, pas un regard ! Au début il va pleurer, geindre, gratter, mordiller vos bas de pantalon, mais ignorez-le ! Ça lui indique aussi, au plus profond de ses instincts, qui est le maître !

Après toute une série de questions et quelques mots échangés avec chacun, elle assista au départ des voitures en agitant la main et gravit l'escalier de la clinique. Le rush de la soirée sans rendez-vous était presque terminé, ils étaient ouverts de six heures à huit heures tous les soirs, mais il y avait encore quatre personnes dans la salle d'attente. Deux avec des chats dans une cage, un gros chien de sang mêlé très attiré par les cages, et une jeune fille avec un bichon frisé qui devait avoir des poux ou la gale, il se grattait les oreilles continuellement.

La petite pièce où ils prenaient leur pause était vide, et les trois salles de consultation en service. Lorsque Sigurd, un des trois vétos, sortit de l'une d'elles avec un chien qui boitait, elle y entra remettre de l'ordre avant le client suivant. En fait elle n'avait pas la charge d'assistante les soirs où elle donnait des cours de dressage mais, en tant que copropriétaire de la clinique, elle assurait sa part de responsabilité en aidant comme elle pouvait. Elle désinfecta rapidement la table de soins, ôta les bandages provisoires, tachés de sang, avec lesquels les chiens étaient arrivés, et emporta les instruments pour les stériliser. Quand Anja sortit de la seconde salle avec un chat sous calmant dans les bras, elle procéda à la même opération de routine. Il y avait sur la table une écharde ensanglantée qu'il avait sans doute fallu retirer au chat, de la bouche, paria-t-elle.

Elle était fatiguée, elle avait cravaché toute la journée et elle avait dû refouler pendant son travail tout un tas de pensées qui, maintenant, resurgissaient. Elle hésita à allumer son portable. Elle entra dans la petite pièce et mit la cafetière en marche, alluma la bougie sur la table et ajouta quelques biscuits au gingembre, soldés à moitié prix, dans la corbeille de Noël qui était encore là, avant de redonner vie à son téléphone et d'attendre.

Il y avait deux messages de sa mère, l'un par SMS, l'autre sur le répondeur. Le texto disait qu'il était hors de question qu'il s'imagine pouvoir revenir plus tard, s'il en avait marre. Elle écouta le répondeur vocal et là, ce n'était que pleurs et gémissements, mais Torunn n'avait pas besoin de venir la consoler, elle saurait s'en sortir. Quand elle embraya dans son dialecte du Nord, Torunn en fut un peu rassurée. Le désespoir cédait la place à la colère.

Sa mère et Gunnar avaient passé Noël et la Saint-Sylvestre à la Barbade, où Gunnar avait rencontré une autre femme. Ils étaient mariés depuis trente-trois ans, depuis que Torunn avait quatre ans, et sa mère se retrouvait seule, abandonnée à l'âge de cinquante-cinq ans. Curieusement, la nouvelle dame n'était pas une jeunette, mais une femme mûre de quarante-deux ans. L'attitude de Gunnar ne cadrait donc pas avec les clichés habituels, s'était dit Torunn en apprenant toute l'histoire le Jour de l'an, à leur retour. Il avait avoué, fait une valise de linge propre, et il était parti. Mais le fait que l'autre ne soit pas une jeunette rendait la situation peut-être plus difficile pour sa mère, car ça voulait dire que c'était un peu plus sérieux que ça en avait l'air.

Voir celui qu'elle avait épousé la plaquer au bout de trente-trois ans était une chose, mais elle était folle à l'idée que, pendant qu'elle se la coulait douce sur une plage de la Barbade, il la trompait derrière son dos. Il en avait eu tout le temps, car il était très allergique au soleil et s'occupait autrement dans la journée. Il n'acceptait ce genre de vacances que pour faire plaisir à Cissi. Il avait certes raconté tout ce qu'il avait fait, les petites excursions et les visites de musées, mais tout cela n'était que mensonges, avait dit sa mère. Gunnar, de son côté, avait affirmé à Torunn qu'il n'avait rencontré l'autre que cinq jours avant leur retour. Torunn avait eu avec lui, dans un café, une conversation pénible, irréelle, elle avait déclaré d'emblée qu'elle ne voulait pas servir de tampon entre eux deux, mais Gunnar désirait simplement s'expliquer, avait-il dit, c'était tout, pour qu'elle n'ait pas une mauvaise opinion de lui. Cela avait été le coup de foudre, jamais il n'avait vécu une chose pareille, pas même avec Cissi, elle devait le croire. Il était trop vieux pour laisser passer cette chance. « Tu as l'âge de Cissi, avait objecté Torunn. Cinquante-cinq ans, ce n'est pas particulièrement vieux. » Il voulait des enfants, dit-il, et Marie en voulait aussi.

Marie. Elle avait deux enfants adultes d'un premier mariage, mais elle avait envie d'un petit dernier. Torunn était impressionnée par tout ce que Gunnar et cette dame avaient pu tirer au clair en si peu de temps, et ne s'en cacha pas. Alors Gunnar répondit qu'il n'était pas certain que ce soit pour de bon, mais qu'il devait tenter le coup, et pas sur un lit de mensonges. Voilà pourquoi il fallait qu'il quitte Cissi. « Après trente-trois ans, avait-elle répondu, tu te retrouveras peut-être sans personne, dans quelques mois, quand l'amour aura cédé le pas. » Il tenait malgré tout à courir le risque, et Cissi ne serait pas lésée financièrement, peut-être au contraire allait-elle s'épanouir et trouver un autre homme, connaître l'amour à nouveau. Torunn n'avait rien ajouté, elle comprenait que c'était inutile, elle vit l'égoïsme en lui, l'égoïsme obsessionnel qui accompagne toujours le fait de tomber amoureux. Elle savait par expérience que l'amour est une sorte de névrose où rien d'autre n'importe. Elle demanda à Gunnar s'il avait dit à Cissi qu'il prévoyait peut-être d'avoir des enfants avec cette femme, il répondit que non. « Alors, ne lui dis pas, s'écria-t-elle, pas encore, ça la briserait ! »

Durant toutes les années où elle avait été féconde, sa mère avait toujours évité d'avoir des enfants. Torunn pensait que la raison en était essentiellement le souvenir qu'elle avait gardé des quatre années passées comme mère célibataire. Ce n'était pas rationnel, c'était un fait.

Torunn n'avait pas eu d'autre discussion avec Gunnar, mais elle avait passé plusieurs fois la nuit chez sa mère et beaucoup parlé avec elle. C'était encore trop frais, tout juste quinze jours, elle n'avait peut-être pas encore complètement réalisé. Heureusement, elle avait de bonnes amies qui toutes plaidaient en sa faveur. Torunn aurait aimé que sa mère s'appuie davantage sur ces amies-là au lieu de lui envoyer ce genre de SMS ou de laisser des messages hystériques sur son répondeur. Elle n'avait pas le courage de la rappeler maintenant, elle allait prendre le café avec ses collègues et se détendre un peu avant de rentrer chez elle.

Le troisième SMS provenait d'un numéro inconnu. Elle le lut. « Tu viens faire un petit tour demain ? Je peux te rejoindre à Skar, au bout de la vallée de Maridal. »

Ce devait être Christer, qu'elle avait rencontré à la Saint-Sylvestre. « Peut-être », répondit-elle. La réponse fut presque immédiate : « Habille-toi chaudement ! Rendez-vous à six heures ! », suivie d'un smiley.

Soudain elle n'était plus aussi fatiguée. Sigurd entra et s'affala sur le sofa.

– Du café frais ? Exactement ce dont j'ai besoin. Mais je ne supporte plus ces biscuits au gingembre ! dit-il.

– Je vais faire une balade en traîneau à chiens demain, s'écria-t-elle.

– Oh ! Tu connais aussi des gens comme ça ? Je croyais que tu te contentais des maîtres un peu étrillés et dressés, qui veulent que leurs cabots marchent correctement en laisse.

– Je l'ai rencontré à la Saint-Sylvestre. J'étais dans un chalet avec des amis... des amis « étrillés »... et il nous a simplement rejoints. Il habitait dans un chalet pas loin et avait entendu qu'on faisait la fête.

– Fais bien attention à toi, Torunn ! dit Sigurd d'un ton grave.

Sigurd était celui dont elle était le plus proche à la clinique, et ils discutaient souvent du choix désastreux de Torunn en matière d'hommes.

– On n'est pas ensemble ou quoi que ce soit, rétorqua-t-elle. Il m'a seulement invitée à faire une balade.

– Les types qui ont des chiens de traîneau sont archi-cinglés et complètement machos.

– Qu'est-ce que tu en sais ? Et s'il est archi-cinglé, je me fais la malle !

– À moins que tu ne tombes amoureuse ! Allez, sers-moi une tasse de café et ne reste pas bêtement avec la verseuse à la main !

Dans la voiture, sur le chemin du retour, elle lui téléphona pour savoir exactement où elle devait se garer.

Le réseau était bon là-bas, dit-il, ce serait facile de s'appeler pour se retrouver. Il viendrait avec sept chiens et elle pourrait s'asseoir dans le traîneau.

Elle aimait bien sa voix. Un gros nounours qui s'était subitement encadré dans la porte du chalet, avec, sur son bras, une chienne husky toute blanche. Oui, sur son bras, comme un chien de salon. La chienne avait les yeux d'un bleu profond.

– J'ai entendu un concert d'aboiements, alors j'ai pensé venir avec la police, avait-il dit.

– La police ? s'étaient écriés Torunn et les autres en chœur.

Ils étaient assis autour de la cheminée, avec des bouteilles de bière, de la viande fumée ou séchée et du pain azyme.

– Avec elle ! avait-il dit en posant la chienne à terre. Mais là je vois que tout se passe bien malgré tout. Et il n'y a même pas un clébard en vue.

– On a mis les chiens dans le chenil derrière, et deux d'entre eux dans des cages, avait répondu Aslak, le frère de Margrete, qui les avait invités.

– C'est quelle sorte de chiens ?

La chienne blanche avait examiné le plancher du chalet sous toutes ses coutures avec son museau.

– Deux boxers, un pointer et deux bâtards, avait répondu Aslak. Vous prendrez bien une bière ?

– Volontiers. Je m'appelle Christer. La chienne s'appelle Luna. Elle ne pèse que vingt-deux kilos, mais c'est mon chien de tête et je vous prie de croire qu'elle sait maintenir l'ordre dans les rangs.

– Elle est comme Torunn, avait déclaré Aslak en riant.

Elle ferma à clé derrière elle, se déshabilla entièrement et passa sous la douche. L'odeur des médicaments et du désinfectant collait à la peau, s'accrochait aux cheveux. Elle ferma les yeux sous l'eau courante et se dit que ça lui ferait du bien de casser la routine, de faire quelque chose de tout à fait différent. Dans l'obscurité de janvier, être assise dans un traîneau tiré par sept chiens, sous l'entière mainmise d'un homme : elle s'en faisait une joie. Elle savait qu'elle devait rappeler son père ce soir, voir comment il réagissait à l'idée d'avoir une aide ménagère qui viendrait le lendemain pour la première fois. Et sa mère aussi, qui attendait son coup de fil.

Un mois plus tôt, ils se débrouillaient tous les deux sans aucune aide de sa part, et soudain elle était devenue responsable jusqu'au cou.

Erlend appelait ça de la responsabilité auto-imposée, mais peu importait puisqu'elle le ressentait ainsi. Il voulait que sa mère et lui viennent à Copenhague, il lui avait annoncé son projet de servir à Cissi tellement de champagne que les écailles lui tomberaient des yeux et qu'elle se rendrait compte que le monde était plein d'hommes. Elle parlait souvent avec Erlend, toujours heureuse d'entendre sa voix, c'était amusant de savoir à quoi il était occupé, il ne faisait jamais la même chose deux fois de suite. Là il devait dénicher des animaux de ferme naturalisés, il fallait que ce soit des vrais, elle ne doutait pas qu'il en trouverait, il avait même besoin d'une tête de cheval avec une partie du cou. Il revenait surtout sur un coup de fil qu'il prétendait avoir reçu de Margido à minuit le soir de la Saint-Sylvestre, mais Torunn ne le croyait pas. Margido était soûl, l'avait appelé « petit frère » et s'était vanté d'avoir un rencard. Torunn estimait que c'était Erlend qui était soûl. Elle-même n'avait rien remarqué de différent chez Margido les fois où elle avait discuté avec lui de l'aide ménagère, question qui désormais était réglée. Margido paierait la participation aux frais qui était demandée, presque rien.

Elle se frotta consciencieusement, s'enduisit le corps d'une lotion et sentit le calme la gagner. Elle prendrait aussi un verre de vin et se préparerait une tartine de fromage. Comme elle seule les aimait, passée au micro-ondes, avec du fromage fondu et du jambon au centre. Et soudain elle décida de ne téléphoner ni à son père ni à sa mère, ce soir-là. Un homme adulte devait quand même bien être capable de recevoir une aide ménagère sans soutien moral, et mieux valait que sa mère se plaigne et se lamente auprès de ses amies. Ce soir, elle s'autoriserait à être aux abonnés absents. Oublier sa responsabilité, enfiler un peignoir et de grosses chaussettes, manger et boire du vin, trouver un navet à la télé, se coucher de bonne heure et avoir hâte d'être au lendemain soir. Penser à Christer et à l'élégante petite chienne de tête aux yeux bleus, et à ses mains à lui.

C'étaient ses mains dont elle se souvenait le mieux, larges et creusées de sillons, puissantes. Ses mains, et son odeur quand il l'avait embrassée avant de repartir, après avoir parlé des chiens pendant des heures, en ne faisant que de vagues allusions à leur vie privée, juste assez pour qu'elle comprenne qu'il vivait seul dans ce chalet, et qu'il comprenne qu'elle était libre. Il avait dû drôlement chercher pour avoir son numéro de téléphone, pensa-t-elle, car elle se souvint tout à coup qu'il lui avait demandé son nom de famille. Sans doute avait-il déjà prévu de l'appeler.

Mais elle ne savait rien de lui, hormis ce que Sigurd avait dit : que ces types-là étaient archi-cinglés.

Cela suffirait pour l'instant.

Il n'en voulait pas. Il enfila une chemise propre et évita de mettre son chandail, le devant était un peu sale. Elle devait venir à une heure. Le père était dans le salon et lisait ses éternels bouquins sur la guerre, tenant la loupe d'une main tremblante au-dessus de chaque photo.

Il tambourina du bout des doigts sur le formica imitant le marbre gris et tendit le cou au-dessus du rideau en nylon de la fenêtre, tout en sachant qu'il entendrait la voiture assez longtemps à l'avance. Le temps était dégagé, la lumière de janvier blafarde, le soleil ridiculement bas, plus gênant que bénéfique. La neige était drue et brillante, après avoir dégelé puis regelé. Non, il n'en voulait vraiment pas. Il aurait pu simplement aller à la porcherie et échapper à tout ce cirque, mais il fallait bien que quelqu'un l'accueille.

Il n'aurait jamais cru que Margido céderait à ce genre de coup fourré. Comment exiger que Tor accepte une aide ménagère pour faire plaisir à Torunn. Il allait donc falloir qu'ils supportent qu'une parfaite inconnue mette son nez partout dans la maison, pour faire plaisir à Torunn. Elle qui était loin de tout ça, à Oslo !

– Nom de Dieu ! s'écria-t-il en tapant sur la table du plat de la main.

Au salon, le père sursauta dans son fauteuil.

– Elle arrive ? demanda-t-il.

– Non.

– Ah bon.

– Tu as l'air déçu. On dirait que tu t'en réjouis !

– Non, non.

– Car ça ne sera pas de la rigolade, tu peux me croire ! s'écria Tor. Alors tais-toi maintenant ! Tu en as assez dit !

Plus un bruit ne parvint du salon. Tor se leva et jeta un coup d'œil par l'entrebâillement de la porte, contempla la silhouette avachie dans le fauteuil, la loupe, les touffes clairsemées de cheveux gris et graisseux couronnant son crâne lisse.

– Tu aurais pu m'en parler d'abord, déclara-t-il. Je n'aurais pas eu à entendre Margido m'annoncer que tu voulais aller en maison de retraite.

– Je l'ai dit à Torunn. C'est elle qui…

– Torunn ne peut pas être à Oslo et régler ton départ en maison, tu devrais le comprendre quand même ! Et puis tu n'es pas malade ! Tu es seulement vieux, ce n'est pas la même chose.

– Je ne prends pas de douches ! murmura le père.

– Pas de douches ? Ce n'est pas une raison suffisante pour aller en maison de retraite ! Mais à cause de toi, on va avoir une aide familiale. C'est entièrement de ta faute ! On pouvait très bien y arriver seuls, sans ce genre d'idiotie.

Il enfonça ses mains dans ses poches et retourna dans la cuisine. Il soupira, regarda la mangeoire vide, regagna la porte entrouverte.

– Ce n'est pas entièrement de ta faute. Mais ça m'agace tellement que des étrangers viennent fourrer leur nez dans nos affaires. Une fois par semaine ! Une fois par mois aurait suffi amplement !

Le père acquiesça, mais Tor savait que chaque hochement de tête était un mensonge, qu'il se réjouissait d'avoir de la visite, il s'était épanoui à Noël parmi les invités, avait bu de l'alcool, parlé de la guerre, repris des couleurs, il avait changé. Il n'était même pas parvenu à tenir sa langue à propos de choses qu'il n'aurait jamais dû révéler, des vérités qu'il aurait mieux fait de leur épargner.

Il entendit une voiture, regarda dehors. Le même genre de voiture que celle que le Danois avait louée à Værnes, mais en blanc. Et avec des lettres imprimées sur la portière.

– Seigneur ! dit-il.

– Qu'est-ce qu'il y a ? demanda le père.

– Un simple bout de fille ! Ils ne peuvent pas nous envoyer ça !

Il avait imaginé une solide femme d'un certain âge. Elle sortit du coffre un seau, un balai et des sacs plastique blancs, bourrés à craquer. Brune, cheveux courts, salopette, veste en cuir rouge. Il la regarda se diriger les bras chargés vers l'appentis. Elle était presque arrivée quand il alla dans l'entrée ouvrir la porte.

– Salut ! Me voilà ! J'ai apporté un peu de tout, vous voyez, parce que c'est la première fois, mais je laisserai ça ici. Puisque vous avez besoin de mes services, ça m'étonnerait que vous utilisiez tout ça entre-temps !

Elle éclata de rire, une de ses oreilles était percée de deux petits anneaux d'argent. Elle se fraya un passage devant lui et alla droit dans la cuisine, comme si elle connaissait la maison depuis toujours. Elle se débarrassa de son fardeau avant de lui tendre la main.

– Je m'appelle Camilla Eriksen.

– Tor Neshov.
– Vous n'êtes pas deux ?
– Il est dans le salon.
Elle y fila aussitôt, tendit la main au père qui entreprenait de se lever.
– Restez assis ! Je m'appelle Camilla Eriksen. Tout ce que vous aurez à faire quand je serai là, ce sera de lever les pieds quand je passerai l'aspirateur sous votre fauteuil.
– Tormod Neshov, dit le père en souriant.
Heureusement, les deux dentiers étaient en place.
– Tor et Tormod. C'est rigolo ! Mais je crois que c'est comme ça à la campagne, on porte les prénoms les uns des autres. Elles sont mortes, ces plantes…
Elle montra le rebord de la fenêtre du doigt.
– Elles peuvent rester comme ça, dit Tor.
– Rester comme ça ? Vous ne voulez pas en racheter d'autres ?
– Inutile.
– Bon ! Mais dites-moi, à propos d'aspirateur, il faut que je voie si le vôtre fonctionne convenablement. Sinon j'en apporterai un aussi.
– Il est dans l'entrée, précisa Tor. Sous l'escalier.
Elle fila en sens inverse dans le couloir.
– Je vais vérifier s'il aspire bien. Elle est où, la prise ?
– Derrière les vêtements accrochés au clou.
– Pouh ! Qu'est-ce qu'ils sentent fort !
– Vous voulez du café ?
Peut-être allait-elle se calmer un peu, pensa-t-il.
– Évidemment, vous avez des bêtes. J'avais oublié. Oui, je veux bien une tasse. Est-ce qu'on a le droit de fumer ici ?
Avant qu'il n'ait eu le temps de répondre, l'aspirateur était en marche. Le bruit augmentait et diminuait

alternativement, comme si elle mettait la main devant l'embout. Et c'était sûrement ce qu'elle faisait.

– Il est super, cria-t-elle.

Il en fut profondément soulagé, comme s'il avait réussi une épreuve. C'était un Electrolux, vieux de dix-huit ans. Il mit de l'eau chaude dans la bouilloire à café pour qu'elle bouille plus vite, et regarda le tas d'ustensiles de ménage par terre. Elle était revenue, elle lui faisait penser à une hermine, un coup ici, un coup là.

– Vous êtes très jeune, dit-il.

– Je complète mes bourses, dit-elle. Ma mère est morte quand j'avais treize ans et j'avais beaucoup de frères et sœurs plus jeunes, alors j'ai dû apprendre à faire le ménage, j'aime bien. Mais il y a différentes choses que je ne fais pas. On a le droit de fumer ici ?

Il prit une soucoupe et la posa devant elle, elle alluma une cigarette comme si ce n'était qu'une question de secondes avant qu'elle ne meure d'un manque de nicotine. Elle inhala énergiquement puis renvoya la fumée, la nuque en arrière et les yeux au plafond.

– Donc il y a des choses que je ne fais pas.

– Ah bon, dit-il.

– Je ne fais pas les courses, je ne veux pas avoir à manier d'argent. Ce n'est pas que j'en aie peur, bien au contraire !

À nouveau ce rire hystérique.

– Mais c'est seulement au cas où, poursuivit-elle. Les vieux… Bon, je ne dis pas que c'est toujours le cas. Mais ils ont souvent beaucoup d'argent liquide chez eux, ils le changent de cachette et ils oublient aussitôt. Et puis l'aide ménagère est accusée de vol. Alors je préfère ne pas toucher à l'argent. C'est un principe, mais ne prenez pas ça pour vous, bien sûr !

Il hocha gravement la tête en pensant aux vingt billets de mille dans le tiroir de sa table de nuit.

D'ailleurs il n'en restait plus que quinze, après l'insémination, la castration, les points de suture et quelques factures de rappel.

– Je nettoie, reprit-elle.

Elle était soudain devenue grave, comme pour souligner le sens de son affirmation. La bouilloire commençait à chanter. Pourvu que l'eau ne tarde plus à bouillir !

– Bien sûr.

– La maison. Pas les gens.

Et elle ajouta en riant à nouveau :

– Pour ça il vous faut une infirmière à domicile.

Elle fit un signe de tête muet en direction du salon.

– Ça va. On se débrouille bien tous les deux, répondit-il.

Si le père avait dit un seul mot maintenant, il l'aurait balancé par la fenêtre dans le tas de neige gelée. Mais il n'entendit qu'un raclement de gorge méthodique et appuyé.

Enfin l'eau arriva à ébullition, il y mit les grains de café et tourna avec une fourchette, maintint la bouilloire au-dessus de l'évier et envoya un jet d'eau glacé.

– Je vais voir si on a des petits pains, dit-il. Je crois que…

– Pas pour moi. Je fais un régime.

Effectivement, elle avait beaucoup de graisse en trop. Elle ne pesait pas plus de quarante-cinq kilos, il en avait la certitude, habitué comme il était à juger du poids d'abattage.

– Un morceau de sucre, alors.

– Vous êtes fou !

Il apporta au père une tasse de café et deux sucres dans le salon, ravi que le vieux ait depuis longtemps l'habitude d'y rester. Il entendait tout ce qui se disait, ça suffisait. Camilla Eriksen voulut savoir quel genre d'animaux ils élevaient, s'il ne trouvait pas atroce que les bergers veuillent tuer les loups, et s'il croyait que la morue ressentait la douleur.

– La morue ?

– Oui, le poisson, quoi !

– Je n'en ai aucune idée, répliqua-t-il.

Il regarda ostensiblement l'horloge.

– Bon, il est temps que je m'y mette !

En disant cela, elle tapa sur les cuisses de sa salopette et arbora un large sourire. Il fut tellement soulagé qu'il demanda :

– Qu'est-ce que vous faites comme études ?

– Première année de droit. Il contient combien de litres, votre ballon d'eau chaude ?

Il n'avait rien à faire à la porcherie à cette heure-là de la journée, mais il s'y rendit quand même lorsqu'elle se mit au travail. Et il s'empressa de refermer la porte derrière lui.

Les porcs étaient allongés et somnolaient. Il commença à nettoyer les cases des porcelets, qui lorgnèrent vers lui avec désintéressement et se rendormirent. Ils savaient intuitivement, au rythme de la journée, qu'ils n'allaient pas avoir à manger avant longtemps.

Il mouilla un bout de papier qu'il arracha à un sac d'aliments et s'en servit pour enlever les toiles d'araignée de la petite fenêtre de la buanderie, de là il avait une vue directe sur l'appentis. Le tapis synthétique de la cuisine était arrivé dehors, était-ce bien utile ? Ils avaient lavé le sol de la cuisine à Noël. Il réalisa soudain qu'elle n'avait pas dit où elle allait nettoyer, il se dépêcha de sortir et traversa la cour en toute hâte.

– Dites donc ! lança-t-il.

Elle était en train de sortir les tapis du salon.

– Camilla, dit-elle.

Elle avait enlevé sa veste en cuir rouge et enfilé par-dessus ses vêtements un T-shirt avec la photo d'une tête d'homme. « Robbie », était-il écrit en dessous, en lettres rouges.

– Vous n'avez pas besoin de nettoyer les chambres là-haut, seulement la salle de bains.

– D'accord ! Pas de problème. Je nettoie seulement où vous voulez que ce soit propre.

– C'est tout ce que je voulais dire.

Il s'en retourna précipitamment et se renferma dans la porcherie. Il allait réveiller Siri, même si elle allait grogner parce qu'il n'avait pas de friandises pour elle dans ses poches.

Margido arriva pendant le repas. Le break Citroën blanc pénétra dans la cour tandis que le père et lui étaient assis à la table de la cuisine et mangeaient des saucisses poêlées, sur des tranches de pain complet. La date de péremption des saucisses était dépassée depuis trois jours, mais elles ne sentirent pas mauvais quand il les passa à la poêle. Ils buvaient de l'eau et avaient chacun un petit peu de ketchup sur le bord de leur assiette. C'était bon, et la cuisine sentait le savon noir et l'ammoniaque.

– Margido, dit le père.

– Je ne suis pas aveugle.

C'était quand même un peu fort ! pensa-t-il. Il ne manquait plus que Torunn téléphone pour savoir comment ils avaient survécu au ménage qu'on était venu leur faire.

Margido entra jusque dans la cuisine.

– J'en ai fait juste assez pour nous, dit Tor. Alors il n'en reste plus.

– J'ai mangé au boulot, rétorqua Margido. Comment ça s'est passé ?

– C'est propre.

Le père ne dit rien. Il coupait son pain en petits dés et les portait à sa bouche. La radio était branchée sur NRK qui diffusait l'émission régionale de l'après-midi, il y était question du succès de la casse auto de Namsos. Margido écarta une chaise de la table et s'assit au milieu de la pièce. Il avait l'air fatigué, se dit Tor, fatigué et livide, c'était sans doute inévitable à force de s'occuper constamment des morts. Mais il pensa à leur mère, à l'enterrement, et regretta.

– Mets la bouilloire ! dit-il. Il y a encore du café. Ajoute un peu d'eau !

Margido se leva et fit ce qu'il lui demandait. C'était curieux, ça aussi, que Margido fasse ce qu'on lui demande.

– Il faut bientôt que j'aille à la porcherie, dit-il.

– Je sais, reprit Margido. J'étais dans le coin et je voulais seulement voir comment ça allait.

Il avait déjà répondu, il n'en dit pas davantage.

– Torunn a dit quelque chose ? Tu parles avec elle, non ? demanda Margido.

Il leur tournait le dos, devant la cuisinière. Que faisait-il donc ? Il regardait dans la bouilloire ?

– Dit ? À propos de quoi ? Il n'y a que cette histoire de maison et d'aide familiale et je ne sais trop quoi.

Le père se racla la gorge.

– J'ai bien mangé, merci !

– Bon ! dit Tor.

– Je m'en vais regarder un peu la télé.

– C'est ça, dit Tor. Margido t'apportera ton café.

Le père se rendit à pas feutrés dans le salon, alluma la télé non sans peine, le son était à plein tube, il eut beaucoup de mal à le baisser, c'était un vieux téléviseur sans télécommande.

– Non, rien ? insista Margido.

– Qu'est-ce que Torunn aurait dit, selon toi ? demanda Tor.

– Si elle avait parlé à Erlend.

– Je ne pige pas, dit Tor. Explique-toi !

Margido se retourna vers lui, garda les mains en arrière pour se tenir à la cuisinière. Il était bizarre, ne se comportait pas comme d'habitude, on aurait dit qu'il était en passe de faire quelque chose, l'air mystérieux, comme sous l'emprise d'une intense Transfiguration.

– J'ai… commença Margido.

– Oui ?

– J'ai perdu le Christ de vue pendant un temps. Sans qu'aucun de vous ne soit au courant. Et maintenant, Il est revenu.

– Et c'est ça que tu as annoncé à Erlend ? À lui ?

– Non ! Mais…

– Il faut que j'aille à la porcherie. Alors dis-moi ce que tu dois me dire !

– J'ai fauté.

– Comment ça ? demanda Tor.

Jamais cela ne lui était arrivé, quand donc en aurait-il eu l'occasion ? Margido se tourna à nouveau vers la cafetière.

– J'ai fauté, murmura-t-il. Je me suis laissé entraîner par Satan lui-même. J'ai succombé à la tentation.

– Mais quand est-ce que ça s'est passé ? Et qu'est-ce que tu as fait ?

– Je voulais seulement le dire. Pas le raconter. Et je crois que c'est Dieu qui m'a mis à l'épreuve. J'ai échoué. Maintenant il faut que j'obtienne son pardon. Jésus doit me recevoir à nouveau.

– Il le fera sûrement, à mon avis, puisqu'il est mort sur la Croix pour nous, pauvres pécheurs. Ce n'était pas ça le but ?

– Tor ! Tu ne dois pas en parler comme si... comme si c'était un banal fait-divers !

– Je suis fatigué.

– Tu crois que tu as des difficultés, mais le Christ sera toujours là pour toi, Tor. Pour toi et pour moi. Je prie pour nous tous.

Tor se leva.

– Je ne comprends pas de quoi tu parles. Moi je n'ai pas fauté, alors prie pour toi-même ! Là je vais à la porcherie. Tu peux prendre ton café tout seul. Ou avec... ton père.

Maintenant les porcs savaient ce qui allait se passer, c'était normal. L'obscurité aux fenêtres, son pas pressé, la porte du silo grande ouverte, le bruit de ses bottes sur le sol en béton poisseux.

– Il y en aura pour tout le monde ! cria-t-il comme à son habitude.

Et les porcelets agitaient la queue en le voyant, les truies reniflaient en faisant des gargouillis, même les petits qui tétaient encore se montaient les uns sur les autres pour le plaisir. Ils étaient tous heureux, sauf lui.

Quel bouleversement ! Bon Dieu, n'allaient-ils pas bientôt retrouver un peu de tranquillité dans cette ferme ? Si Torunn appelait à son retour de la porcherie quand il se délasserait en buvant du café tiède, il n'hésiterait pas à lui expliquer ce qu'elle avait déclenché.

En fait il aurait aimé avoir un chat aussi, mais le directeur commercial, Poulsen, avait mis son veto. Il ne voulait pas d'enfants en pleurs devant sa vitrine. Et pour ce qui était des souris, il fallait que ce soit des grises, sauvages, comme il disait, et pas des blanches. Il y avait des limites éthiques, selon Poulsen, pour les animaux de compagnie empaillés.

Erlend avait obtenu l'aide de deux assistants de l'agence, et ils travaillaient jour et nuit. Ils installaient toute la scène sur une estrade, montée sur roulettes en caoutchouc. Quand tout serait prêt, il n'y aurait plus qu'à faire rouler l'ensemble jusque dans la vitrine. Il avait déjà rendu fou le taxidermiste en exigeant de nouveaux yeux pour les animaux. Ceux qu'il avait d'abord mis aux moutons, à la chèvre et à la tête de cheval lui rappelaient les vieux films d'Ivo Caprino.

C'était un tableau génial, la réplique exacte d'une photo qu'il avait découverte dans un livre sur la vie à la campagne au tournant du siècle dernier. Après avoir passé des journées entières à la Bibliothèque nationale à feuilleter des ouvrages qu'un pauvre bibliothécaire devait l'aider à rechercher en espérant qu'il trouverait bientôt ce qu'il souhaitait, il était finalement tombé dessus. Tout y était ou presque : les poutres, le sol, la lumière s'infiltrant entre les planches de la porte, les bottes de paille, les outils, la tête de cheval qui dépassait. Il avait juste ajouté les autres animaux : une chèvre attachée à une corde, la mine rusée sous son toupet noir, ainsi qu'une brebis et ses deux agneaux. Sans oublier les souris. Cinq grises, placées de telle sorte qu'elles donnaient l'impression d'être en train de jouer dans un coin, derrière la botte de paille, où les enfants Benetton ne les voyaient pas. Et ces enfants étaient naturellement des mannequins, pas des enfants empaillés, des mannequins qui portaient « toutes les couleurs du monde ». Ils ne se contentaient pas de montrer leurs vêtements. L'un tenait un pot à lait, un autre une bêche, un troisième caressait la chèvre et un autre encore tendait la main vers le cheval. Une fillette était assise par terre, avec un brin de paille dans la bouche, qu'ils avaient fixé à l'aide de colle ultra-forte.

Un chat couché de l'autre côté de la botte de paille, écoutant et guettant les souris, aurait apporté la touche finale. Mais le fin du fin, c'était la tête de cheval, l'expression que le taxidermiste avait fini par lui donner, comme si l'animal hennissait complaisamment à l'adresse des enfants ! Poulsen s'extasiait de bonheur alors que le tableau commençait à prendre sa forme définitive. Les assistants avaient fabriqué tous les murs, et le sol, en suivant à la lettre les directives d'Erlend. Les matériaux provenaient d'une ferme en ruine, ils étaient authentiques, avec des fentes, des entailles et de vieux trous de vers. Ils placèrent les bottes de paille, en éparpillèrent par terre et accrochèrent d'antiques harnais aux murs. Erlend se chargea personnellement de l'éclairage, c'était un sacré travail de donner l'illusion de rayons de soleil se faufilant par la porte disjointe, alors que la scène tout entière était brillamment éclairée.

– Il faut que les vêtements soient au centre, dit Poulsen.

– Vous faites erreur, mon cher monsieur, rétorqua Erlend. C'est l'impression parfaite du bonheur nostalgique qui sera centrale.

– Ça n'a pas besoin de devenir du Laura Ashley non plus, reprit Poulsen.

– Ne vous inquiétez pas ! Cette vitrine attirera l'attention, et de ce fait, les vêtements aussi.

– Pourvu qu'on n'ait pas la Ligue protectrice des animaux sur le dos !

– Toutes les autorisations sont en règle, l'agence s'en est occupée. Les animaux ont été achetés et payés comptant, puis euthanasiés avec ménagement et respect. Et le paysan savait ce qu'on allait faire d'eux. Si seulement on avait eu un chat en plus…

– Dans vos rêves, dit Poulsen.

– Là c'est difficile d'avoir des chats, regretta Erlend.

– Pourvu que personne ne reconnaisse le cheval. D'où vient-il ?

– C'est un trotteur du sud du Jutland qui a eu la jambe cassée pendant une course. Il avait quatre propriétaires qui gagnaient gros avec lui. Si l'un d'entre eux éclate en sanglots devant cette vitrine, ce sera parce qu'ils ont perdu une bonne vache à lait avec ce cheval, littéralement.

Le matin où le papier kraft fut enlevé et les vitres soigneusement nettoyées, la satisfaction et l'excitation d'Erlend étaient déjà très fortes, mais devaient culminer lorsqu'il dirigea ceux qui poussèrent l'estrade afin que l'ensemble trouve sa place.

– Faites attention aux câbles électriques ! Pas si vite, la chèvre va tomber !

Enfin il put sortir dans la rue et voir, et ce qu'il vit lui fit monter les larmes aux yeux, de joie. C'était parfait. Un véritable chef-d'œuvre.

– Vas-y ! dit-il à l'un des assistants. Mitraille !

Il fallait photographier chaque nouvelle vitrine sous tous ses angles pour le book de l'agence.

– Félicitations ! dit Poulsen en lui tapant sur l'épaule.

– C'est moi qui vous félicite ! répliqua Erlend. Pour la réouverture d'une vitrine extraordinairement belle ! Vous recevrez la facture dans une semaine.

– Qui ne dépassera pas le devis, j'espère.

– On verra. Si c'est trop cher, je reviendrai et j'enlèverai… la tête de cheval, par exemple.

– Non ! Vous êtes fou ! J'ai envie de faire une promenade à cheval rien qu'en la voyant. Et je ne sais même pas monter. On s'entendra sûrement sur le montant total.

– Encore une chose ! Si d'autres boutiques Benetton veulent copier l'idée, c'est nous qui avons les droits. Elles pourront bien sûr s'en inspirer, mais ça leur coûtera des sous.

– Beaucoup ?

– On s'entendra sûrement sur le montant total, répondit Erlend.

Comme il était payé à la commission, il ressentit une envie incontrôlable de fêter ça. Et c'était urgent. Il emmena Poulsen et les assistants dans la taverne la plus proche. Les assistants étaient un couple d'amoureux de Fionie, l'esprit vif, compétents et précis dans leur travail. Ils touchaient un salaire normal, et il fallait absolument récompenser leur contribution.

Il leur offrit le déjeuner à tous. Pommes de terre et viande rissolées, avec œuf sur le plat et betteraves marinées, le tout servi avec du pain de seigle, et accompagné de bière et de snaps.

– Pas un seul parent stressé de Copenhague ne passera devant cette vitrine sans se reprocher amèrement de priver ses enfants du calme et de la sérénité campagnarde, déclara Erlend avec solennité en levant son verre de bière. C'est de la psychologie pure. Donnez-leur un moyen d'accéder à l'impossible, ils sauteront sur l'occasion.

– C'est une vitrine de rêve, dit Poulsen.

– Exactement. Un rêve qui peut s'acheter, ajouta Erlend. À la vôtre !

Ils burent et essuyèrent la mousse qu'ils avaient aux lèvres.

– Vous êtes génial, dit Poulsen.

– Oui, c'est vrai, dit aussi Agnete, la jeune amoureuse.

– Vous nous apprenez énormément, renchérit le jeune amoureux, qui s'appelait Oscar.

– Bon, bon, fit Erlend. Il faut quand même bien reconnaître que, sans vous deux, la vitrine n'aurait jamais vu le jour. Vous avez fait un travail de forçats ! Je vous en remercie. Demain, un carton d'excellent vin vous attendra chacun au bureau. Et vous pourrez prendre deux jours de congé.

– C'est vrai ? s'écria Oscar.

Le jeune homme, âgé de vingt-cinq ans, commençait déjà à perdre ses cheveux. Il devrait se raser le crâne, pensa Erlend, comme ça, il serait plus attrayant.

– Bien sûr que c'est vrai ! C'est toujours payant de s'investir. Passez ces journées-là au lit ! Et n'oubliez pas les cartons. Voilà le modeste conseil que je vous donne ! Encore une fois, à votre santé !

Dans l'euphorie professionnelle où il baignait maintenant, il aurait volontiers discuté avec eux de toutes les nouvelles idées qu'il avait pour de prochaines vitrines, mais il n'osa pas. Poulsen risquait de les mentionner à d'autres, et hop ! on les lui piquerait et elles verraient le jour sans lui. Car il comptait poursuivre dans ce concept du « tableau », au lieu du simple étalage de produits. Il voulait donner une impression de vécu, qui déclenchait chez le passant une foule d'associations.

Juste avant Noël, il avait décoré la vitrine d'un bijoutier et présenté magnifiquement les bijoux, mais dans un coin de la vitrine il avait réalisé un tableau miniature, fait d'un écrin vide posé sur du papier cadeau froissé et déchiré, de deux coupes de champagne à moitié pleines et d'une petite culotte abandonnée là. Il évoquait ainsi la gratitude de la femme ayant reçu un précieux cadeau. C'était osé, mais le propriétaire de la boutique avait adoré. Il lui faudrait bientôt refaire sa vitrine, et s'il pouvait le rallier à ses idées… Alors il était certain qu'on en parlerait dans *BT*. Krumme le proposerait à la rédaction du journal, même s'il s'agissait de son propre compagnon.

Deux hommes, en réalité des mannequins naturellement, seraient assis face à face à une table de cuisine, en jeans et T-shirt blanc, les lunettes de soleil relevées dans les cheveux. Il faudrait leur donner un style un peu loubard, selon lui. Boucles d'oreilles, tatouages, baskets crottées. Sur la table il y aurait une bouteille de whisky et des verres, un cendrier plein. L'un d'eux tiendrait une cigarette entre ses doigts. La scène, qui serait évidente pour celui qui la verrait, représenterait deux cambrioleurs en train d'évaluer leur butin. Un store cassé derrière eux, la table couverte de bijoux et de montres, on en apercevrait aussi par l'ouverture d'un sac en toile posé par terre. Pour donner une touche humoristique, il y aurait des tenues de prisonnier bouchonnées dans un coin, de celles qu'on voyait dans les films américains, rayées noir et blanc. Il serait sans doute obligé d'acheter lui-même de la peinture textile et de peindre des rayures noires sur des caleçons longs blancs. Peut-être aussi un boulet avec une chaîne, sciée net ? Ce serait des condamnés en cavale ! Et l'éclairage devrait être parfait, les hommes en contre-jour et les bijoux et les montres sous le feu précis de petits spots. Ce serait criminellement raffiné, une sensation. Mais il ne pouvait pas en parler maintenant, au lieu de ça il orienta la conversation sur un débat qui faisait rage à New York. Agnete et Oscar étaient au courant, mais pas Poulsen.

– Des associations moralistes ont appelé au boycott du magasin parce que la vitrine était trop polissonne, expliqua Erlend. Des mannequins en plastique presque nus, pensez donc ! et chez Henri Bendel, qui plus est !

– Boycott ? Alors ils perdent de l'argent, dit Poulsen.

– Les ventes ont progressé, rectifia Agnete. Le boycott est une super pub !

– Ils repoussent partout les limites à New York maintenant, même H&M présente des jouets sexuels dans leurs vitrines de sous-vêtements. Les vitres sont embuées par l'haleine des clients… Les gens ordinaires en parlent et donnent leur avis, ce n'est pas vraiment comme ça à Copenhague, hein ?

– Les Américains sont puritains, pas nous, rétorqua Poulsen.

Il vida son verre, Erlend fit signe au serveur d'en apporter un autre.

– Non, personne ne sourcillerait par ici ! reprit Erlend. Les sex-shops sont également scabreux aux États-Unis, mais que des grands magasins comme Saks, sur la Cinquième Avenue, H&M, Bendel ou Victoria's Secret s'y mettent, c'est nouveau. Celle qui a fait les premières vitrines érotiques de H&M était styliste pour *Sex and the City*, alors elle s'y connaît en dépassement de limites et en pensée conceptuelle.

– Qu'est-ce qui choquerait à Copenhague, alors ?

– Oh, je sais bien ! Un des magasins chics pour hommes, disons sur Strøget, qui présenterait deux mannequins portant des costumes Calvin Klein en train de s'embrasser. L'un serait peut-être assis jambes écartées sur un fauteuil, l'autre nous tournerait le dos, penché sur lui, et se tiendrait aux accoudoirs, la tête légèrement de côté. On verrait ce qu'il fait, bien que ce soit des mannequins. Un baiser sur la bouche prolongé.

– Ça soulèverait un tollé général, s'exclama Poulsen.

– Exactement, dit Erlend. Et ça boosterait les ventes du magasin et de Calvin Klein. Mais aucun commerçant ne franchira le pas.

– Pour sûr ! reprit Poulsen. Et je suis bien content de vendre des vêtements pour enfants.

– Les enfants sont tellement inventifs… fit Erlend. Dans une grange. Peut-être sur une botte de paille, à jouer au docteur et au malade, ou à moitié déshabillés, United Colors of Benetton.

Poulsen le dévisagea avec effroi.

– Vous oseriez !

– Moi, oui, mais pas vous ! dit Erlend.

Il rentra à pied, il avait envie de respirer l'air frais. Quand il travaillait, il fumait toujours trop. Il éprouva un bonheur intense, jusqu'à la pointe de ses poumons encombrés de nicotine. Comme il aimait ce travail ! Comme il aimait sa vie entière ! Il ne pourrait pas imaginer d'y changer quoi que ce soit ! Si, peut-être la cheminée à l'appartement, une luxueuse cheminée à gaz vitrée. Il avait lu récemment un article sur ce qui était le dernier cri : la cheminée holographique. La parfaite flambée virtuelle, on pouvait y mettre la main sans se brûler, car la chaleur rayonnante provenait du cadre entourant le foyer. Quand on était assis devant, il était absolument impossible de voir la différence. Pas de suie, pas de cendre, et bien plus passionnant qu'une cheminée à gaz. Il aborderait délicatement la question avec Krumme, une cheminée holographique coûtait les yeux de la tête, et même un peu plus.

Il jeta un coup d'œil sur son portable, qu'il avait laissé en mode silence : trois SMS de Torunn et un de Krumme. Il lut celui-là en premier. Krumme rentrerait tard, mais il rapporterait des gourmandises. Cela convenait parfaitement à Erlend, il allait directement se mettre au lit. Ils avaient travaillé à la vitrine jusqu'à deux heures du matin, et repris à sept heures. L'unique bière et le snaps en compagnie de Poulsen et des assistants l'avaient mis KO, il voyait déjà le motif de la housse de couette, des croissants de lune sur fond noir.

Il lut les SMS de Torunn avec un mélange d'envie et d'inquiétude. Elle était tombée complètement amoureuse de ce type qu'elle avait rencontré à la Saint-Sylvestre et qui voulait déjà la revoir quinze jours plus tard. Il était inquiet parce qu'il ignorait comment elle réagissait avec les hommes, il avait l'impression que c'était démesuré, que ça ne ressemblait pas à la Torunn qu'il connaissait. Et elle s'ouvrait entièrement à lui, envoyait des textos, lui téléphonait, se confiait à propos de ce Christer, le fils des terres sauvages. Elle ne parlait presque plus de Tor. Elle ne lui donnait pas non plus de nouvelles de sa mère, la femme éconduite de Røa. Alors, au fond, il devrait être soulagé et heureux pour elle. Néanmoins... de cette façon-là ? Non, il était inquiet. Là, elle lui écrivait qu'il était venu la voir à son boulot, juste pour savoir où elle travaillait, comment c'était autour d'elle lorsqu'il lui parlait au téléphone. Et, dans le deuxième message, elle écrivait tout simplement : « Il est parfait. Pour moi. »

D'un autre côté, son inquiétude mise à part, il était terriblement jaloux. Un colosse qui vient vous chercher sur un parking dans la nuit de janvier avec sept chiens polaires, qui vous conduit à la lueur d'une lampe frontale dans un paysage immense sous un ciel étoilé, et qui étale une peau de renne sur la neige pour vous servir des petits pains à la cannelle et du chocolat chaud dans une thermos...

Naturellement, cela s'était terminé dans une totale débauche érotique, et pour cause. Sur une peau de renne... Lui-même n'avait pas encore fait l'expérience. Est-ce que ça ne sentait pas un peu le fauve ? Il s'imagina avec Krumme, enveloppés dans de nombreuses peaux, tandis que la Grande Ourse brillait au-dessus de leur tête et que les loups hurlaient au loin. Ah, non ! mieux valait le jacuzzi et le sol chauffant, pensa-t-il, et il lui envoya ce SMS : « Amuse-toi bien et prends soin de toi ! Bisous de ton oncle qui vient de terminer une de ses vitrines qui fera date. Vive Benetton ! Erlend. »

Mais pour ce qui était de tomber amoureux, ça ne lui manquait pas. En fait, il pouvait être fou d'autres hommes, mais c'était purement physique, il n'avait qu'à trouver les toilettes les plus proches. Seul.

Beaucoup de couples homosexuels se donnaient carte blanche pour avoir de brefs rapports avec des hommes rencontrés par hasard au café ou au sauna, et ne considéraient pas cela comme des infidélités. C'était différent pour Krumme et lui. Personne, absolument personne d'autre que lui, ne devait sentir sur son front la chaleur du ventre rond, à la peau tendue, de Krumme, ne devait partager le bonheur extrême d'y poser une joue mouillée de larmes de joie. Et le prix à payer pour exiger pareille exclusivité, c'était bien sûr que nul autre non plus ne vienne tripoter son propre ventre.

Il s'enferma à clé, se déshabilla et jeta négligemment ses vêtements sur le sol de la salle de bains. Il prit une douche et gagna son lit tout nu, sans même écouter les messages sur le répondeur. La chambre était froide et agréable. Krumme disait seulement « froide », il avait horreur de dormir la fenêtre ouverte mais s'était fait aux habitudes norvégiennes d'Erlend. En outre ils avaient une couette double et partageaient généreusement leur chaleur corporelle. Mais là il était trop fatigué pour que celle de Krumme lui manque. Ou ses ronflements. Il adorait la façon de ronfler de Krumme, on aurait dit le bruit d'un vol d'oies sauvages cacardant sans arrêt, ça le faisait dormir comme un loir.

Il fut réveillé en sursaut par une main qui prenait la sienne.

– Krumme, tu es rentré, j'étais si fatigué que je me suis couché. C'est bien que tu sois là, qu'est-ce que tu as rapporté à manger… ?

– Erlend.

– Quoi ?

Il se souleva sur un coude, c'était un gros effort, mais il y avait quelque chose dans la voix de Krumme qui n'allait pas.

– Je…

– Mais qu'est-ce qui se passe, Krumme ? dit-il en allumant les lampes douces au-dessus de la tête du lit.

Krumme était horrible à voir, du sang d'une blessure au menton et de la boue sur une épaule de son manteau Matrix, les cheveux hirsutes, les larmes aux yeux.

– Mon Dieu, Krumme, qu'est-ce qu'il y a ? Qu'est-ce que tu…

Il bondit hors du lit et le prit dans ses bras. Krumme se mit à sangloter, Erlend essaya d'imaginer pourquoi il était dans cet état.

– On t'a fait tomber ? Quelqu'un t'a…

– Renversé. Presque écrasé, dit Krumme.

– Mais… Ici ? Devant chez nous ?

– Non, il y a deux heures, juste en sortant de la rédaction. La police m'a emmené aux urgences à Bispebjerg, mais là ils ont dit que j'allais très bien. Pas de traumatisme crânien. Inutile de recoudre le menton. Je vais très bien, mais…

Erlend jeta un rapide coup d'œil au radio-réveil, il avait dormi très longtemps. Il aida Krumme à se redresser et le conduisit dans la salle de bains, lui ôta son manteau et ses vêtements, l'accompagna jusque sous la douche, et fit couler l'eau tout en le tenant. Krumme pleurait, il bredouilla quelque chose et frissonna violemment de tout son corps. Erlend sentit combien il aimait cet homme-là, l'aimait plus que tout au monde, Krumme, le petit gros qui ressemblait à Karlsson sur le toit, le héros de son enfance.

– J'ai cru que j'allais mourir. Non… je savais que j'allais mourir. J'étais à plat ventre, la figure contre les pavés crasseux et mouillés, et je voyais tout de travers, les gens, les voitures, je gisais là. Et une autre voiture a surgi en trombe, j'ai vu le pare-chocs et les roues se rapprocher. Elle… elle a réussi à stopper. Dans un hurlement de freins elle s'est arrêtée en biais, juste devant… l'endroit où j'étais. Allongé, Erlend, au milieu de la rue.

– Mais tu es là maintenant, mon Krumme adoré, je te serre dans mes bras, tu es bien là.

– Je savais que j'allais mourir, et je me suis dit…

– Allons, allons…

– Je me suis dit… Et le reste de ma vie ? Hein ?

– Mais je suis là. Et tu es vivant.

– Je veux qu'on ait un enfant, Erlend. Un enfant.

– Quoi ?

– Ça fait longtemps que j'y pense. Longtemps.

Erlend relâcha son étreinte et lui caressa les cheveux pour en chasser l'eau. Krumme était debout, les yeux fermés, les bras ballants, il n'était qu'un corps ruisselant. La blessure à son menton ne saignait plus, mais la marque des contusions s'affichait sur son épaule et son bras. Qu'est-ce qu'il racontait ? Un enfant ? Que se passait-il ? Était-il en plein sommeil, au milieu d'un cauchemar ?

– Un enfant, répéta Krumme.

– Mais… avec qui ? demanda Erlend. Et pourquoi ? Tu m'as déjà !

Krumme n'ouvrit pas les yeux, il resta sous le jet d'eau de la douche.

– Une mère porteuse, comme pour beaucoup d'autres couples d'homos, ou une femme qui, tout comme nous, veut… Je ne sais pas ! Mais je veux qu'on ait un enfant, Erlend. Un enfant à nous. Je t'aime, j'ai failli mourir, je pourrais être mort maintenant, je veux qu'on ait un enfant. Il s'agit du reste de notre vie, Erlend. On a besoin de plus. Que ce qu'on a précisément à l'heure actuelle. Plus. Quelque chose qui durera, après nous. Qui continuera. Une vie.

– Je coupe l'eau, dit Erlend. On va se sécher, enfiler nos robes de chambre. Et puis on va allumer la cheminée et se relaxer. Tu es sous le choc, Krumme.

– Oui, j'en suis sûr. Mais ça ne me déplaît pas tout à fait non plus.

Krumme ouvrit les yeux. Son regard était noir et intense. D'habitude il était bleu et joyeux. Un frisson parcourut Erlend, bien que l'eau fût chaude. Que se passait-il ? Qu'entendait-il ? Lui qui aimait sa vie, son travail et Krumme. Il ne lui manquait rien, absolument rien. Était-ce un avertissement, pour avoir joué avec le destin par la pensée, en se disant sans toucher du bois combien il était heureux et satisfait ?

– Tu trembles, Krumme, viens ! Je vais te frictionner et tout va s'arranger, dit-il. Je prépare de l'irish coffee, trois verres chacun. Sur un estomac vide, tu verras, tout va s'arranger.

– Margido, il y a une dame qui souhaite vous parler, dit Mme Marstad. Je vous l'envoie ?

– Qui donc ? Je n'ai pris aucun rendez-vous, et j'ai des tas de choses à faire.

– On s'est occupé de son mari à l'automne. Selma Vanvik ?

– Ah oui, c'est vrai, je m'en souviens, maintenant que vous le dites.

– Alors je peux vous l'envoyer ? ou lui demander d'attendre ?

– Qu'elle vienne ! Dans… cinq minutes.

La tête de Mme Marstad disparut, il entendit ses pas dans le couloir qui menait à l'accueil.

– Seigneur, prends pitié de moi ! murmura-t-il. Viens à mon secours !

Il revissa le capuchon de son stylo à plume, qu'il rangea avec précaution à sa place dans son écrin. Il était si bien assis dans son fauteuil de bureau qu'il venait tout juste de se dire qu'un fauteuil Håg valait bien son prix. Le dossier, le siège et les accoudoirs se réglaient parfaitement. Il avait cru que tout était terminé, joui avec une satisfaction exagérée du confort d'un fauteuil, était-ce là aussi une épreuve qui l'attendait, être jeté au dépourvu dans les pires contrastes ?

Il croisait les mains, assis derrière son bureau, quand elle entra dans la pièce et referma vivement la porte derrière elle. Il ne leva pas les yeux, mais le bruit qu'elle fit en la claquant lui laissa une impression désagréable dans tout le corps. Heureux les pauvres, car le Royaume des Cieux est à eux, psalmodia-t-il en lui même, je suis pauvre. Mais riche aussi, il était riche par la foi, en fait il devrait en être presque reconnaissant. Elle se mit à parler, il n'entendit pas tout ce qu'elle disait, mais qu'avait-il donc pensé ? Ah oui, qu'il devrait être reconnaissant, Selma Vanvik étant l'épreuve à laquelle Dieu le soumettait. Mais elle avait beau être l'instrument de Dieu, elle était aussi un être humain. Or tous les hommes étaient des instruments, il devait la considérer avec miséricorde. Il leva la tête et les yeux, elle se tenait juste devant son bureau, beaucoup trop près, elle portait du vert. Ses lèvres s'agitaient, il ne voulait plus baisser la tête, seulement regarder sa bouche, ou ses yeux. Il croisa rapidement son regard, mais s'empressa de focaliser à nouveau sur sa bouche, il était impossible de plonger dans ses yeux, ils étaient noirs et distants, il devait écouter ses paroles. Elle parlait fort. Et si Mme Marstad ou Mme Gabrielsen venaient s'en mêler ? On parlait toujours tout bas dans ce bureau.

– Je n'ai pas vraiment entendu ce que vous avez dit, déclara-t-il en regardant par la fenêtre.

Elle s'affala sur une chaise en face de lui et éclata en sanglots.

Il se détendit un peu, il savait tout sur les pleurs. Les gens qui pleuraient se laissaient percer à jour sans difficulté. Il la laissa pleurer un moment, puis il dit :

– Je vous prie de m'excuser ! Je suis désolé pour ce qui s'est passé, Selma. Vraiment désolé !

– Mais pourquoi ? On était si bien, Margido. C'est pire encore quand vous dites ça de cette façon…

Sa voix de petite fille figeait l'air autour de lui. Si seulement il avait pu être ailleurs, n'importe où, même au fond d'une tombe obscure.

– Vous n'auriez pas dû venir ici, dit-il. Si Mme Marstad ou Mme Gabrielsen savait que…

– Et alors ? Vous êtes marié avec elles, peut-être ? Vous n'avez pas une vie à vous ?

Il aurait volontiers répondu non aux deux questions, mais comprit avec une angoisse croissante qu'une nouvelle colère était en train de la gagner. Et cela, il le gérait mal. Si elle venait tout juste d'éprouver un terrible chagrin, ç'aurait été beaucoup plus facile.

– Ce dont vous pouvez être désolé, c'est de refuser de me parler ! J'ai téléphoné, j'ai même écrit, j'ai tenu pendant un mois ! Dans quel état croyez-vous que je suis ? J'ai d'abord pensé que vous aviez besoin de temps. Ce que j'ai été sotte !

– Chut ! Ne criez pas ! Je vous entends.

Heureusement elle se remit à pleurer, il osa la regarder. Elle avait pris son visage dans ses mains, le vert était un chapeau en feutre, avec une fleur en tissu fixée sur le bord. Son sac, vert également, était posé sur ses genoux, elle y appuyait ses coudes.

– Vous ne pouvez pas faire ça, murmura-t-elle entre ses doigts. Coucher avec une femme et disparaître, prétendre que vous avez des choses importantes à faire quand j'appelle, je sais que vous mentez, vous m'avez expliqué que vous prenez toujours soin d'éteindre votre portable dans ces cas-là.

Maudit portable ! Tout était plus simple avant, sans lui. Moins pratique, mais plus simple.

– Je croyais qu'on avait trouvé le ton, Margido. Je le croyais vraiment.

– Ce n'est pas aussi simple. Je suis un homme profondément croyant, Selma.

– Bah ! Je ne pense pas vraiment que vous vous soyez comporté comme tel le soir de la Saint-Sylvestre !

– Je ne supporte pas l'alcool. Je n'en bois jamais. Voilà pourquoi.

Sa colère était revenue, elle se leva, se pencha au-dessus du bureau, instinctivement il se renversa en arrière, le fauteuil de luxe suivit son mouvement.

– Elle a bon dos, la cuite, hein ? Vous ne trouvez pas ?

Il ferma les yeux. Quelle vulgarité ! Elle était métamorphosée, il ne s'agissait plus de flirt et de joyeuses plaisanteries, la femme qui se tenait devant lui était grossière et fruste, et cela lui simplifiait tout. Il se leva et la regarda droit dans les yeux.

– Je veux que vous partiez maintenant, Selma. Je suis navré, vraiment. Vous êtes une très… belle femme. Mais une relation avec vous est incompatible avec ma foi.

– Vous êtes moine, ou quoi ? Ou curé ? Ha ! Vous travaillez dans une misérable entreprise de pompes funèbres, je ne crois pas que les femmes soient prêtes à se jeter à vos pieds ! Mais, pour moi, vous étiez un bel homme, quelqu'un qui me rassurait, votre calme me fascinait. J'aurais dû comprendre que ce calme n'était rien d'autre qu'une simple passivité. Vous êtes un couillon, Margido Neshov. Et je m'en vais. Vous n'entendrez plus jamais parler de moi.

Lorsque toutes les tâches de la journée furent accomplies, les documents rassemblés dans les classeurs, les coups de fil importants donnés, et l'enterrement du lendemain à l'église d'Ilen planifié en détail, il rentra directement chez lui, bien qu'il fût à peine trois heures et demie. Il prétendit devant les dames qu'il devait aller au dépôt vérifier le stock de cercueils, réalisa aussitôt que c'était stupide puisque tout ça était rentré dans l'ordinateur de Mme Marstad, et indiqua alors qu'un des cercueils devait avoir un défaut, une des poignées lui semblait lâche, il allait voir s'il pouvait réparer ça lui-même, afin de s'épargner d'avoir à le renvoyer.

En fait il avait prévu de faire ses courses pour la semaine, ce qu'il faisait d'habitude le jeudi, mais en s'asseyant au volant, il se rendit compte qu'il n'en avait pas le courage. Et si Mme Marstad et Mme Gabrielsen s'étaient doutées ne fût-ce qu'un instant que quelque chose n'allait pas… Quelle honte ! Il avait besoin de leur respect, il en dépendait, il était celui qui ne faisait jamais rien de mal ou d'immoral.

Il referma la porte de son appartement, tourna la clé dans la serrure, dorénavant il était joignable sur son téléphone fixe. Il éteignit son portable et poussa un soupir quand l'écran s'obscurcit. Elle avait aussi son numéro personnel, mais ça faisait en tout cas un numéro de moins où le joindre. Encore qu'il la croyait, elle n'allait plus le contacter.

Couillon, pensa-t-il, dire qu'elle l'avait traité de couillon, lui qui avait redressé l'échine, vu le péché en face et mis ses propres désirs de côté. Il était fort, au contraire, même s'il refusait d'en tirer vanité. Sa force était une évidence, elle confirmait la présence constante de Dieu et de Jésus-Christ dans son esprit, dans son âme. Cette force ne venait pas de lui-même, elle résultait directement de sa foi. Selma Vanvik ne comprendrait jamais cela, elle et son vin rouge et son paquet familial.

Il fit cuire un œuf sur le plat et la moitié d'une saucisse de Voss, coupa une tomate en quartiers et la mit sur l'assiette, ainsi qu'une tranche de pain complet. Il alla jusqu'au frigo avec un verre à la main et le remplit de lait. Puis il emporta l'ensemble au salon, s'assit dans son fauteuil Stressless, et mangea, son assiette posée sur les genoux, sans allumer la télé. Une fois qu'il eut fini, il posa l'assiette et le verre sur la petite table basse et se renversa en arrière.

Tout était silencieux. Il avait commencé à neiger. Il regarda le cyprès en pot dans la véranda, il était beau, avec la neige sur son feuillage vert. Il se plaisait toujours à le contempler, mais pas ce jour-là. Il voulait déménager, trouver un appartement avec un sauna, ou avec la place d'en installer un. Il se leva, prit le journal du jour et le feuilleta jusqu'aux annonces immobilières. C'est alors que le téléphone sonna, son pouls s'accéléra, cela grondait à ses oreilles, ses mains tremblaient quand il décrocha.

– C'est moi, dit Mme Gabrielsen.

– Ah, c'est vous.

– Ils viennent tout juste d'appeler, Randi Lagesen, Randi et Einar Lagesen, ceux dont l'enfant a succombé à la mort subite du nourrisson, on a préparé son corps hier et on doit l'inhumer lundi.

Mme Gabrielsen avait la pénible habitude de lui servir l'évidence sur un plateau. Il lui aurait suffi de dire « Lagesen », il y avait seulement quelques heures de cela, il relisait les dernières épreuves du livret pour le service funèbre.

– Oui, oui, je vois bien qui vous voulez dire.

– Ils veulent une mise en bière malgré tout. Ses parents à lui sont arrivés d'Oslo cet après-midi. J'ai appelé l'hôpital pour la chapelle, elle est libre aujourd'hui, mais prise demain. Vous croyez que vous pourriez vous en charger ? Ce serait à sept heures.

– Oui. Donnez-leur confirmation ! J'aurai le temps.

Il replia soigneusement le journal et alla se servir un autre verre de lait. Telle était la réalité, la réalité qui l'entourait. Et à laquelle Selma Vanvik ne comprenait apparemment rien du tout.

– Seigneur, toi qui nous vois et qui nous connais, viens nous apporter ton réconfort !

Le père et la mère de l'enfant étaient tous deux croyants. Il s'en réjouissait, cela rendrait leur deuil plus facile à porter. C'était leur premier enfant et la première petite-fille des deux côtés. Le père et la mère se tenaient tout près l'un de l'autre, les mains jointes, avec deux couples de grands-parents qui tour à tour leur caressaient le dos et leur prenaient la main. Ils étaient devant le cercueil ouvert, où reposait un bébé de trois mois, vêtu d'une robe rose et blanche, tricotée à la main. Le bonnet était également rose et blanc, noué à l'aide d'un ruban rose sous le cou. Les orbites étaient déjà sombres, mais il avait réussi à les enduire d'un peu de crème avant qu'ils n'arrivent. Les cierges blancs étaient allumés, les flammes vacillaient. Le couvercle du petit cercueil était posé sur une chaise contre le mur.

Ils écoutaient tous ses paroles, ça lui faisait du bien de les prononcer, d'être utile à ces gens-là, de les mener un tout petit pas en avant. Depuis trop longtemps il sentait que ses mots sonnaient creux, ils le réchauffaient lui-même autant qu'ils consolaient les parents et les grands-parents.

– Écoutons comment Jésus ouvrit le Royaume des Cieux aux enfants !

Il leva les yeux et croisa les leurs. Ceux de la mère étaient rouges, remplis d'un chagrin infini et d'un désir presque physique, qu'il rencontrait toujours chez les mères qui perdaient leur bébé.

– Ils lui amenèrent des petits enfants, afin qu'il les touche. Mais les disciples les rabrouèrent. Jésus, voyant cela, s'indigna et leur dit : « Laissez venir à moi les petits enfants, ne les en empêchez pas ; car le royaume de Dieu est pour ceux qui leur ressemblent. Je vous le dis en vérité : quiconque n'accueillera pas le royaume de Dieu comme un petit enfant n'y entrera point. » Puis il les prit dans ses bras, et les bénit, en leur imposant les mains… Jésus dit : « Je suis le bon berger. Je connais mes brebis et elles me connaissent. Je leur donne la vie éternelle ; et elles ne périront jamais, et personne ne les ravira de ma main. Mon Père, qui me les a données, est plus grand que tous ; et personne ne peut les ravir de la main de mon Père. »

La mère sanglotait, sa propre mère lui entoura les épaules.

– Écoutons la parole de Dieu !

Il attendit quelques secondes avant de poursuivre :

– Disons ensemble la prière que le Seigneur nous a apprise !

Les proches joignirent les mains et baissèrent la tête. Tous étaient croyants et, heureusement, l'enfant était baptisé, ils avaient célébré le baptême seulement dix jours plus tôt. La petite avait reçu le nom de Sara Emilie.

Margido ferma les yeux, ressentit toute la solennité qui l'emplissait en récitant la prière avec eux.

– Notre Père qui es aux cieux, que ton nom soit sanctifié, que ton règne vienne, que ta volonté soit faite sur la terre comme au ciel, donne-nous aujourd'hui notre pain de ce jour, pardonne-nous nos offenses comme nous pardonnons à ceux qui nous ont offensés. Ne nous soumets pas à la tentation, mais délivre-nous du mal, car c'est à toi qu'appartiennent le règne, la puissance et la gloire, pour les siècles des siècles. Amen.

– Amen ! murmurèrent-ils.

Il alla chercher le couvercle du cercueil.

– Voulez-vous lui couvrir le visage ? demanda-t-il tout bas.

L'une des grands-mères déplia le mouchoir en soie posé sur l'oreiller à côté de sa petite tête, et l'étendit sur son visage après lui avoir caressé la joue. Elle laissa échapper un sanglot.

– Ma pauvre petite… Je n'aurai donc pas eu le temps de te connaître.

Il régnait le plus grand silence lorsqu'il posa le couvercle et que le père de l'enfant le vissa.

Après quoi ils lui serrèrent la main tous les six avec une authentique et chaleureuse sincérité.

– Vous avez si bien parlé, dit l'un des grands-pères. Grâce à vous, nous avons ressenti que le Seigneur venait nous apporter son réconfort. Car c'est ce qu'il fait. Un très grand merci à vous ! Nous aurons suffisamment de force pour l'inhumation.

Il dut dégager la neige sur la voiture, jouant lentement de la balayette et éprouvant une sorte de bonheur. « Ne nous soumets pas à la tentation… » Mais c'était arrivé. C'était arrivé et on ne pouvait pas revenir en arrière. Néanmoins il savait qu'il était de retour, maintenant, de retour dans la bergerie de Dieu, il était libéré, redevenu l'un de ces innombrables, il n'était pas seul.

Il était vraiment différent de tous les hommes qu'elle avait déjà fréquentés, aussi cherchait-elle à convaincre Sigurd de ne pas se faire de souci. Sigurd prétendait qu'il était franchement inquiet, ce qui la rendait furieuse, mais elle essayait de ne pas le montrer, elle comprenait que c'était parce qu'il était très attaché à elle, même s'il était à côté de la plaque.

– Tu devrais plutôt être content pour moi, je plane !

– Merci, je m'en aperçois, tout le monde s'en aperçoit.

– Tu as bien vu qu'il n'avait ni cornes sur le front, ni fusil-mitrailleur sous son blouson quand il est venu ici. C'est un chic type, et je suis…

– … amoureuse jusqu'au bout des ongles. Il avait l'air vraiment sympa, mais tu ne le connais que depuis…

– Trois semaines ! On se rend compte de beaucoup de choses en trois semaines ! D'ailleurs je l'ai rencontré à la Saint-Sylvestre, ça fait donc cinq.

– Mais tu n'as plus les pieds sur terre, Torunn. Comme hier à la réunion, quand tu as posé les mêmes questions plusieurs fois de suite. Le pauvre comptable a failli péter les plombs !

– J'ai fait ça, moi ? Bon, mais prends-le au moins un peu à la rigolade ! dit-elle. La clinique est bénéficiaire, cet homme-là peut bien répéter de temps en temps. Quant aux relations que j'ai eues ces dernières années, elles avaient elles aussi bien commencé, mais ensuite ça a mal tourné parce que je me suis mise à les commander et ils ont fini par se laisser faire, alors j'ai perdu le respect que j'avais pour eux et ils sont allés trouver d'autres dames pour reprendre de l'assurance. Raccourci psychologique ! Mais Christer ne s'en laisse pas conter, Sigurd.

– J'aimerais seulement que tu ne t'emballes pas. Tout ce que je souhaite, c'est que ça aille bien pour toi, Torunn.

Il prit un biscuit au gingembre, se rappela trop tard qu'il en était dégoûté et fit la grimace.

– Noël dure jusqu'à Pâques… dit-elle. Mais franchement, Sigurd, tout va merveilleusement bien pour moi, tu n'as pas besoin de t'inquiéter. En fait c'est un type tout à fait normal, même s'il parcourt la vallée de Maridal avec sept chiens dans la nuit noire. Mais le fait que tu sois toujours après moi comme ça me force à le porter davantage aux nues. Tu ne comprends pas ? Tiens-en-toi aux faits !

– C'est-à-dire ?

– Que ceci n'est pas comme les diverses relations que j'ai eues par le passé. Ceci m'est salutaire. Tu n'as pas à te faire de souci.

– À une condition. Que tu remplisses une gamelle de ces biscuits, que tu les mettes dans la salle d'attente pour les toutous qui viennent en consultation, et que tu rachètes des Maryland Cookies.

– D'accord, je jette ces biscuits. Mais tu achèteras les cookies toi-même !

Elle n'aimait pas que Margrete lui rabâche plus ou moins la même chose à propos de Christer. Disant que c'était trop rapide, qu'elle allait perdre pied trop vite. Mais comment pouvait-elle faire autrement ? Être avec Christer, c'était comme être chez soi, même si ça ressemblait à un cliché pour les autres. Et rien que le fait de l'avoir rencontré, c'était comme si elle avait gagné au Loto. Il ne venait pas à Oslo, ne fréquentait pas les cercles qu'elle côtoyait. Il était parfois à Marjorstua, dans son appartement rue Bogstadvej, mais sinon il restait dans son chalet, en pleine forêt. Il était interdit d'utiliser un chalet comme résidence principale, d'où cet appartement à Majorstua où lui arrivait son courrier. C'était son adresse officielle.

– Même Luna n'y est pas allée, avait-il déclaré. Mais c'est aussi un investissement, il prend vachement de valeur. J'étouffe quand je suis enfermé là-dedans. C'est bizarre que les gens se bousculent pour vivre entassés les uns sur les autres.

– Comme moi, hein ? avait-elle dit. Quand je suis dans mon appartement, je n'ai pas l'impression qu'il y a des gens qui habitent au-dessus ou au-dessous.

Mais naturellement elle aimait le chalet de Christer bien plus que son propre appartement, il ne manquerait plus que ça. Elle aurait volontiers vécu de cette façon si elle avait pu. Un chalet apparemment tout simple, quand on le voyait de l'extérieur, mais assez grand, et l'intérieur était parfait. Sol en ardoise chauffé, salle de bains aux murs en rondins avec poêle à bois, énorme table de ferme bleue, grande cheminée, vieux fauteuils profonds recouverts de peaux de mouton, cuisine gentiment désordonnée avec la même cuisinière à bois qu'à Neshov. Les murs de la salle étaient couverts de rayonnages, avec des livres et de vieux magazines. L'ambiance était vraiment celle d'un chalet, jusqu'à ce qu'on ouvre la porte de la pièce informatique. Trois écrans, des imprimantes, un fax et des cadrans qui indiquaient l'heure à New York, à Londres et à Tokyo. En pénétrant dans cette pièce, la seconde fois où ils étaient ensemble, elle s'était retournée vers lui et écriée :

– Mon Dieu, mais qu'est-ce que tu fais en réalité ?

Ils n'en avaient pas encore discuté, elle n'était pas allée jusqu'à poser franchement la question. Ils avaient simplement parlé des chiens, blottis l'un contre l'autre, fait l'amour, appris à se connaître à l'odeur, au goût et au toucher. Il l'avait physiquement possédée d'une manière dont elle avait rêvé lors de sa puberté, mais dont elle avait abandonné l'espoir de la voir un jour se concrétiser. Elle avait cru que ce n'était qu'un rêve à l'eau de rose, un rêve absurde de jeune fille.

– Ce que je fais ? Je gagne de l'argent.

– Mais comment ?

– Des actions. Des titres. J'achète et je vends.

– Tout seul ? Tu ne travailles pas quelque part ?

– Si, ici. Dans ce chalet.

Il avait été courtier dans une banque pendant plusieurs années, un univers de requins comme il disait, ce dont elle n'avait pas de raison de douter. Dans le même temps, il se passionnait de plus en plus pour les chiens d'attelage. Il avait fini par se rendre compte que les deux activités étaient difficilement conciliables. La première fois qu'il avait participé à la course du Finnmark, il avait décidé, le troisième jour, alors qu'il était en train de séparer quatre molosses entortillés dans leurs harnais au milieu de la piste, que c'était ainsi qu'il voulait vivre à plein temps. Il était rentré directement chez lui et avait donné tous ses costumes et ses chemises à l'Armée du Salut, ne conservant qu'un Hugo Boss noir qui, pensait-il, pourrait lui servir au cas où il irait à un enterrement.

– Tout passe par l'informatique. En fait je peux travailler où je veux. Dans une cabane de pêcheur du Svalbard, pourquoi pas ?

– Mais ça ne coûte pas extrêmement cher ? On ne doit pas disposer d'un capital ou de ce genre de chose ?

– Si, mais je m'en suis construit un. Et ça tourne bien. Je dose les risques. Et j'en prends plutôt davantage ces derniers temps, pour être franc. Mais c'est bon, c'est tout bénef.

Ensuite il avait refusé de continuer à parler boulot et refermé la porte de son bureau. Il avait pris Torunn dans ses bras, l'avait soulevée de terre, embrassée dans le cou et jusqu'à la racine des cheveux, et déclaré qu'ils allaient faire du feu dans la cheminée et qu'elle pourrait rester pour la nuit. Elle avait accepté, la route arrivait jusque derrière le chalet, là où était garée sa voiture, elle ne mettrait pas beaucoup plus d'une demi-heure pour se rendre à son travail.

Si seulement on l'avait laissée tranquille, sans lui rebattre constamment les oreilles, mais non. Sa mère insistait. Son père ne l'embêtait pas, mais c'était toujours à elle de téléphoner, jamais le contraire, et c'était presque pire. Ça tournait au martyre. Avant il passait un coup de fil de temps en temps pour bavarder, mais plus maintenant. Comme s'il tenait à montrer qu'il savait se débrouiller et qu'il n'avait bougrement plus de raison d'appeler, plus besoin d'elle. Au boulot, elle faisait le plein avec les cours de dressage et la clinique. Elle aurait préféré s'enfermer avec Christer, jeter son portable aux orties et remonter à la surface quand viendrait le printemps.

– Et autre chose, Sigurd. C'est drôlement amusant de courir avec des chiens ! Ils m'écoutent, tu sais ! Ça procure une sorte… d'ivresse ! Et la forêt sombre tout autour, et les vastes étendues, et pas d'autres bruits que les halètements et le traîneau qui glisse sur la neige.

– Ces chiens-là ne sont jamais clients chez nous, dit-il. Les maîtres les recousent eux-mêmes, et s'ils se font des blessures plus graves que des estafilades ou des plaies, ils sont bons aussitôt pour les terres de chasse éternelles.

– Oui, c'est une autre façon d'élever des chiens, dut-elle reconnaître.

Les chiens de trait étaient des bêtes de somme, même si Christer était attaché à chacun d'entre eux, pour autant qu'elle puisse en juger. Luna était sa préférée, la svelte petite Luna à la tête de l'attelage où ils étaient tous plus gros qu'elle. Et s'il y avait un problème dans les rangs, elle se retournait et aboyait quelques remontrances que seuls les chiens comprenaient, en tout cas c'était efficace. Un jour où Torunn était là, une bagarre avait éclaté entre deux mâles.

– Regarde ! avait dit Christer.

Il avait ordonné l'arrêt complet et laissé les chiens se battre, puis il était passé rapidement devant eux et avait détaché Luna. Telle une tornade blanche, elle avait foncé sur les deux mâles, leur montrant respectivement les dents et se dressant presque sur ses pattes arrière tout en flanquant un coup de patte avant à chacun. Les deux compères avaient cessé immédiatement, s'étaient couchés, et Luna avait appuyé le message en les mordant derrière l'oreille, l'un après l'autre, et en grognant furieusement. Les mâles avaient hurlé comme des chiots.

– Elle leur fait mal ?

– C'est à peine si elle les touche, ils hurlent seulement pour signifier qu'ils se rendent.

Avant que Luna n'ait eu fini, les autres chiens s'étaient aussi aplatis dans la neige et Torunn avait littéralement vu les ailes leur pousser dans le dos. Une fois de nouveau attachée en tête, Luna s'était ébrouée violemment et avait grondé de satisfaction, lançant de rapides regards par-dessus son épaule.

– Une chienne comme ça vaut son pesant d'or, avait dit Christer en relançant l'attelage. Hiiii-ya !

Mais elle n'irait pas le voir aujourd'hui, elle devait aller chez sa mère ce soir. Voilà pourquoi, en attendant, elle tuait le temps dans la pièce commune en compagnie de Sigurd. Il était père de quatre enfants, s'était marié il y avait belle lurette, savait-il encore ce que c'était de tomber amoureux ? Finalement sa mère l'appela et lui demanda ce qu'elle faisait.

– J'arrive, on a pris un peu de retard ici. Tu veux que je t'achète quelque chose en route ?

Avait-elle une idée ?

– Je ne sais pas. Quelque chose de bon ? Quelque chose qui te fait envie ? dit Torunn.

Sa mère n'avait envie de rien.

Elle ouvrit la porte, vêtue de son pyjama en soie.

– Bonsoir, ma chérie ! dit-elle en se précipitant sur Torunn pour l'embrasser, avant même que celle-ci ne se retourne et s'avance dans l'entrée.

– Tu étais couchée ?

– Non. Je ne me suis pas encore habillée.

– Mais maman ! Il est neuf heures du soir !

– Alors ça ne vaut même pas la peine que je m'habille. Je vais me mettre au lit d'ici quelques heures de toute façon.

– Ça ne va pas, maman, ça ne va pas du tout.

– Ne me dis pas ce qui va et ce qui ne va pas, ça ne fait même pas trente secondes que tu es là ! Enlève ton manteau avant de commencer à me distiller tes préceptes de vie.

– Si tu dois être désagréable, je repars tout de suite. En fait je suis crevée.

Elle pourrait rejoindre Christer, lui faire la surprise, apporter une pizza et et des snacks. Sa mère s'immobilisa, se cacha le visage dans ses mains et se mit à sangloter tout haut.

– Bon, excuse-moi ! Je sais que tu ne me veux que du bien !

Et comme d'habitude il fallut qu'elle la console, alors qu'en réalité la pique avait été lancée dans l'autre sens. Elle s'empressa d'attirer sa mère dans ses bras.

– Allons, maman, ne pleure pas ! Mais il faut que tu sortes davantage. Tu ne peux pas rester constamment à la maison, peut-être qu'on devrait aller faire un tour à Copenhague ? Erlend n'attend que ça ! Qu'on vienne toutes les deux. Je pourrais organiser un long week-end.

– Oui, peut-être… même s'il fait partie de la famille Neshov. Mais cet Erlend m'a l'air d'un joyeux luron malgré tout.

– Il l'cst vraiment, maman ! Tu l'adoreras ! Il sait tout sur les bonnes boutiques où tu pourras faire tes achats !

– Mes achats… de quoi ? À bien y réfléchir, je n'ai même pas les moyens d'aller à Copenhague.

Torunn lâcha son étreinte, alla s'asseoir dans un fauteuil, ôta son manteau et le posa par terre à côté d'elle.

– Gunnar n'a pas l'intention de te laisser dans la dèche, dit-elle.

Sa mère essuya ses larmes avec des gestes brusques et croisa les bras de manière théâtrale.

– Il ne peut pas subvenir à mes besoins le restant de mes jours. Or je suis femme au foyer depuis que je l'ai rencontré, Torunn. Et ça fait de nombreuses années, tu sais. Et tu sais aussi que je n'ai pas la moindre qualification. Il veut qu'on vende la maison.

– Ah bon.

– Ah bon ? C'est tout ce que tu trouves à dire ? Ma maison depuis plus de trente ans ?

– C'est aussi celle de Gunnar. Et cette maison vaut sûrement une fortune. Tu pourrais t'acheter un bel appartement et…

– Dis-moi, tu es de son côté, ou quoi ?

– Maman. Essaie d'être réaliste ! Tu ne peux pas habiter toute seule dans une villa de deux étages à Røa alors que Gunnar, lui, vit…

Elle s'interrompit net, elle n'avait aucune idée de l'endroit où Gunnar vivait. Pour autant qu'elle sache, Marie possédait un appartement sous les toits à Aker Brygge, où Gunnar s'était installé pour jouir de ses cigares et d'un parking souterrain.

– Je suis de ton côté, maman. Je ne veux que ton bien ! Il faut que… tu coupes les ponts.

– Que j'abandonne, tu veux dire.

– Le contraire, en fait. Que tu n'abandonnes pas ! dit Torunn.

– Que j'abandonne Gunnar, tu veux dire.

Torunn la dévisagea.

– Mais tu m'as dit cent fois que jamais de la vie tu ne le reprendrais s'il se repointait un jour, la queue entre les jambes !

– Oui. Sa queue n'est pas assez longue pour qu'il réussisse à l'envoyer en arrière entre…

– Maman ! Je ne veux pas entendre de choses comme ça !

– Oh là là ! Quelle âme sensible ! Une tasse de thé, ma chérie ?

Elle ne parvint pas à s'arracher à elle avant qu'il ne soit presque minuit et demi. La première chose qu'elle fit dès qu'elle se retrouva en sécurité dans sa voiture, ce fut d'appeler Christer. Il ne décrocha qu'au bout d'interminables sonneries et dit qu'il était en train de travailler.

– À cette heure-ci ?

Il était sept heures et demie du matin à Shanghai.

– Shanghai ?

C'était à Shangai que tout se passait.

– Mais tout quoi ? demanda-t-elle.

Les investissements, expliqua-t-il. C'était le siècle de la Chine, on pouvait oublier les États-Unis et le Japon, il fallait investir son argent en Chine. Un turbocapitalisme dont le monde n'avait pas vu l'équivalent depuis que Hong Kong s'était ouvert à la venue de capitaux occidentaux. C'était même le cran au-dessus.

– Je te crois.

Il parlait d'un ton différent. Sur le moment, elle fut incapable de l'imaginer ni derrière un attelage complet de chiens de traîneau, ni encore moins en costume, chemise blanche et cravate de soie. Le costume noir qu'il gardait pour les enterrements. Elle avait espéré qu'il dise : « Viens ! Viens même s'il est vraiment tard et que tu dois te lever tôt demain matin, Torunn ! » Mais il ne dit rien, il avait l'air pressé, et il ne pouvait évidemment pas tout lâcher uniquement parce qu'elle téléphonait. C'était son gagne-pain.

– On se rappelle, alors, fit-elle.

– Oui, répondit-il. Et pense à ce que je t'ai dit ! Si tu disposes de cinquante mille couronnes, je peux leur faire faire des petits. Je ne travaille pas avec d'aussi petites sommes d'habitude, mais pour toi je ferai une exception.

– J'avais cinquante mille et quelques, mais on remet tout dans la clinique, on investit dans un nouvel appareil de radiologie électronique et on va peut-être embaucher un autre…

– Penses-y quand même ! On se rappelle !

Il raccrocha. Elle se dit : Il est en train de travailler et il savait que j'étais occupée ce soir, il est sur une autre longueur d'onde, je ne peux pas lui en vouloir, si je filais chez lui maintenant et frappais à sa porte, il serait sûrement aux anges.

En s'enfermant dans son appartement, elle se sentit soudain inhabituellement seule. C'était bizarre. Elle avait toujours aimé s'enfermer, se savoir dans son propre petit cocon. Elle fit chauffer de l'eau pour une tasse de thé, se déshabilla et enfila une robe de chambre. Elle passa en revue la pile de courrier et élimina la publicité. Des factures et une convocation du syndic à une réunion des copropriétaires, dont elle ne daigna pas regarder l'ordre du jour. Elle jeta un coup d'œil sur le palier pour voir si la fente pour les lettres dans la porte de Margrete était éclairée, mais elle était sombre. Au fond, elle en fut plutôt soulagée, de quoi aurait-elle parlé avec Margrete de toute façon ? À trente-sept ans, ne pouvait-elle pas se permettre de fréquenter un homme célibataire de son âge ? Heureusement qu'elle n'avait pas soufflé mot de Christer à sa mère ! D'ailleurs comment pourrait-elle le dire ? Raconter qu'elle était follement amoureuse, alors que sa mère s'attendait exclusivement à ce que la vie de Torunn soit l'écho de la sienne, privée d'amour ?

Elle eut envie de le rappeler. Elle prit son portable, fit apparaître son numéro sur l'écran, mais n'appuya pas sur la touche verte. C'était son numéro à lui, en tout cas. Si elle appuyait, sa voix surgirait.

Erlend. C'était toujours agréable de bavarder avec lui. Mais il était tard. Une heure du matin. Elle envoya néanmoins un SMS : « Je peux t'appeler ? »

« OK », répondit-il au bout de quelques minutes.

– C'est moi. Je sais qu'il est tard, mais en fait il est huit heures du matin à Shanghai.

Ah oui, bien sûr. Elle avait vraiment une vision globale.

– Vous vous couchez tard, vous aussi ?

Pas Krumme. Seulement lui.

– Qu'est-ce que tu es en train de faire, alors ?

Rien de particulier. Il buvait un cognac en regardant les lumières de Copenhague.

– Ça a l'air chouette.

Oui, ce n'était pas si mal que ça.

– À t'entendre, j'ai l'impression que tu… que tu es contrarié. Est-ce qu'il s'est passé quelque chose ?

Il ne s'était rien passé. Il s'était découvert une ride, sous une fesse, quel endroit ! Mais il le disait sans sa verve habituelle, sans ses accents tragiques.

– Mais tu n'es pas comme d'habitude, Erlend. Y a-t-il quelque chose ? À part la ride, je veux dire.

Il ne fallait pas qu'elle s'inquiète, ni qu'elle s'imagine quoi que ce soit. La veille il était allé rechercher son poster d'*Aladdin Sane* chez l'encadreur, il était devenu magnifique, les plis avaient été lissés et les bords retaillés pour supprimer les trous de punaises et les restes de ruban adhésif. Il était maintenant au mur de la chambre, dans son cadre rouge vif. Et puis aujourd'hui il avait envoyé tout un tas de papiers signés à un certain Maître Berling à Trondheim, Tor serait sous peu légalement propriétaire de la ferme.

– Tant mieux ! dit-elle en pensant : « Il faut absolument que j'appelle mon père demain. » Il n'y a rien de nouveau sinon ?

Bah, Krumme a failli se faire écraser aujourd'hui, il s'en est tiré avec des égratignures et des bleus, la voiture a réussi à s'arrêter à la dernière seconde.

– Mon Dieu ! Et c'est seulement maintenant que tu me le dis ? Il a dû avoir horriblement peur ! Oh, pauvre Krumme !

Erlend baissa subitement le ton, indiqua que Krumme venait sans doute de se lever, il l'entendait dans la salle de bains.

– Vous vous êtes disputés ? chuchota-t-elle à son tour. Vu que tu parles tout bas.

– Non, mais on se fait... un peu la tête en ce moment.

– Vous vous faites la tête ? Tu plaisantes ? Krumme et toi, vous êtes complètement... Ce n'est pas possible !

C'était possible, mais ça passerait, la petite nièce n'avait plus à y songer, maintenant il allait raccrocher, ils se rappelleraient plus tard.

Elle se glissa dans des draps glacés, se coucha en chien de fusil et ferma les yeux. Elle entendit par une fenêtre ouverte un bébé pleurer à chaudes larmes, et en bas, dans l'allée, des jeunes discutaient vivement de leur voix criarde. « Un peu la tête en ce moment. »

Il n'y avait pas un brin de vent, pas la moindre intempérie. Elle aimait s'endormir au son de la pluie ou du vent dans les branches de bouleau. Un lit douillet l'était encore bien davantage lorsque les éléments se déchaînaient dehors. Mais c'était calme plat à Stovner. Elle se leva, ralluma son portable, envoya un SMS : « Tu me manques. On se voit demain ? » Allongée dans son lit, elle regarda les chiffres rouges du radio-réveil jusqu'à ce qu'ils indiquent 02.43 et qu'elle s'endorme, tandis que Christer n'avait toujours pas répondu.

Lorsqu'à son habitude il se leva à six heures et demie et descendit dans la cuisine, il vit au thermomètre qu'il faisait moins douze dehors. Cela l'inquiéta aussitôt. Son élevage comptait deux nouvelles portées, les plus jeunes n'avaient que cinq jours. Selon les statistiques, un porcelet sur sept mourait en général la première semaine, mais il n'avait aucune envie qu'elles s'appliquent à son cas. Hélas, le froid était un ennemi déloyal. La nature régnait en maître.

Après que sa mère eut décidé de vendre leur quota laitier quelques années plus tôt et de se lancer dans l'élevage des porcs, il avait transformé l'étable en porcherie, mais il n'avait pas eu les moyens d'installer un chauffage par le sol dans les cases où les petits venaient au monde. Ils dormaient dans des couveuses chauffées en permanence par des lampes et garnies d'une bonne épaisseur de foin. Mais lorsque la truie grognait pour les appeler à la tétée, les porcelets devaient y aller sur le sol en béton et revenir de même. Ce n'était pas toujours facile pour un tout petit cochon de manœuvrer autour de sa montagne de mère, allongée entre le froid et la chaleur. Et s'ils étaient déjà un peu fatigués, quelques minutes suffisaient pour qu'ils soient transis et perdent leur énergie, c'était un cercle vicieux.

Mais d'abord il devait prendre son café. Il n'était pas bon à grand-chose sans café.

Il chargea convenablement la cuisinière à bois pendant que le café chauffait, il fit également un bon feu dans le salon. Le père se levait plus tard et avait donc le privilège de descendre dans des pièces chaudes et d'avoir du café encore tiède. Du vivant de la mère, c'était elle qui allumait le feu et lui-même qui descendait au chaud. Et trouvait les tasses sur la table, les morceaux de sucre, un biscuit aux flocons d'avoine fait maison avec du fromage de Gudbrandsdal. Il ne mangeait jamais beaucoup si tôt que ça, elle le savait bien, c'était seulement en revenant de la porcherie, après les soins matinaux, qu'il avait une faim de loup.

Il s'assit près de la fenêtre et but son café avant que le marc n'ait le temps de se déposer. Le ciel était mauve et étoilé, seule une mince bande était éclairée à l'est. Il hésita avant de traverser la cour dans le froid mordant, il haïssait le froid comme la peste. Non seulement parce qu'il s'infiltrait dans les maisons, mais parce que tout devenait compliqué, les doigts engourdis, le tracteur difficile à démarrer au moment d'aller à la boutique, et c'était ce qu'il devait faire aujourd'hui. Le frigo était presque vide. Il ne prenait jamais la Volvo pour y aller, elle était à l'abri dans la grange et il ne la mettait en route que pour se rendre en ville, c'est-à-dire pas souvent. Il pouvait déduire le coût du gasoil de ses impôts, il allait donc de soi qu'il ne gaspillait pas la chère essence pour aller à la coop en Volvo comme tous les nantis.

Et pourtant ne l'était-il pas lui-même au fond, maintenant ? Nanti. Il était propriétaire de la ferme.

Enfin… propriétaire ? Ni Margido ni Erlend n'avaient renoncé à leur héritage, donc ce n'était pas seulement la sienne. Mais elle était à son nom désormais. Pour la première fois il n'aurait pas à apporter tous les formulaires du bilan annuel et de la déclaration de revenus au père dans le salon, et le regarder gribouiller son nom.

Cette année, il avait écrit son propre nom sur toutes les lignes en pointillé.

Était-il heureux le jour où tous les papiers étaient arrivés par la poste et où Margido avait téléphoné pour le féliciter ? Il n'en était pas tout à fait sûr. Et le fait que Margido ait employé le mot « félicitations », cela n'avait pour lui absolument aucun sens. La ferme était une responsabilité, pas un paquet-cadeau qu'on lui aurait remis pour lui faire plaisir.

La neige crissait sous ses sabots, il avançait prudemment pour ne pas tomber. Le froid n'aurait pas dû le surprendre, c'était la mi-février, seulement le mois de janvier les avait désorientés avec ses températures bien au-dessus de la normale. On avait même observé des vols d'huîtriers-pies en bas à Gaulosen, avait-il entendu dire à la coop.

Il enfila sa combinaison et ses bottes, entra dans la porcherie et alluma les néons du plafond. Des yeux à peine réveillés clignaient dans sa direction depuis toutes les loges, les truies se levèrent et l'accueillirent en grognant, il s'accroupit et toucha le sol. Il était froid, oui. Il fallait apporter de la paille en quantité. Ce n'était pas bon non plus pour les truies qui allaitaient d'être couchées sur un sol glacé. Ce serait un terrible surplus de travail de devoir changer constamment toute cette paille supplémentaire, mais il n'avait pas le choix.

Il s'empressa d'aller voir les plus jeunes portées. La lumière avait incité les deux cochettes à appeler à la tétée, et il observa attentivement les porcelets. Ils avaient chacun leur trayon, il fallait compter plusieurs jours avant qu'une hiérarchie ne s'établisse entre eux, et que chacun ne se soit assuré de son trayon personnel. Si l'un d'eux se trompait par la suite, le porcelet lésé passait carrément à l'attaque. Les truies avaient suffisamment de trayons pour tous, elles étaient jeunes, si bien que les portées n'étaient pas de plus de onze ou douze. C'était la portée la plus récemment mise au monde qu'il regardait maintenant, la mère s'appelait Trulte, une belle cochette très calme en laquelle il plaçait de grands espoirs. Jamais il n'avait vu de comportement aussi tranquille et confiant pendant la mise bas, seule Siri la dépassait en cela, et malgré tout elle avait réussi à tuer un de ses petits. Il regarda dans la case où les porcelets de Siri et de Sara étaient regroupés ensemble, sevrés depuis quinze jours. Ils le dévisageaient intensément, côte à côte, en agitant le groin en l'air, comme si sa propre odeur pouvait leur expliquer pourquoi il était sur place quand ils étaient affamés.

Le camion des abattoirs Eidsmo était venu chercher Sara quelques jours après qu'il l'eut séparée de ses petits. Elle n'avait eu le temps d'avoir qu'une seule portée, et elle avait tué quatre de ses neuf porcelets. Une truie maligne sur laquelle il ne pouvait pas continuer à miser. Certes elle avait été effrayée, pendant la mise bas, par un hélicoptère ambulance qui avait rasé les bâtiments de la ferme en direction de l'hôpital Saint-Olav, de l'autre côté des collines, mais quand même. Elle était devenue de la viande hachée et du salami. Il allait choisir deux cochettes dans une des prochaines portées et les faire évoluer en truies reproductrices. Elles avaient besoin d'un régime différent de celui des porcs d'abattage, moins énergétique, puisqu'il n'était plus question d'obtenir le poids nécessaire en un temps donné mais, au contraire, des femelles saines et bien portantes, qui se développaient correctement. Comment allait-il donc les appeler ? Peut-être Dolly et Diana. C'étaient de jolis noms. Il aimait que ses animaux aient des noms, pas seulement des matricules.

Deux des porcelets de Trulte avaient l'air mollasson. Ils ne mangeaient pas avec le même entrain que les autres. C'étaient les deux plus petits. Quand ils eurent fini de téter, il en attrapa un par la patte de derrière et le souleva. Il tremblait.

– Tu n'es pas encore bien gras, toi, hein ? Et tu as froid, en plus.

Il le plaça juste sous la lampe chauffante. Si les petits se chicanaient, ils n'hésiteraient pas à repousser un peu un rival, même s'ils allaient dormir. La loi hiérarchique avait cours ici comme partout ailleurs.

Dans la portée de Trine ils étaient beaux et robustes, il n'en remarqua pas de souffreteux. Eux aussi avaient huit jours et franchi le plus mauvais cap. Même les plus petits semblaient éveillés et débordants de vie, ils ne se rendaient pas compte que le monde au-delà des murs de pierre était à moins douze degrés.

Il nettoya toutes les cases et y distribua la paille et la litière de tourbe. Il grattait derrière l'oreille les porcs qui enfonçaient leur groin dans les granulés, causait aux truies en les appelant par leur nom, souriait aux porcelets qui grimpaient les uns sur les autres pour avoir la meilleure place.

– Vous n'avez pas à craindre d'avoir froid, ça non, avec la vie que vous menez ! Mais vous aurez de la paille en plus tout de même, pour vous donner une bonne raison de vous disputer.

Il traîna deux grosses bottes de paille dans l'allée centrale, entre les cases, et en coupa les ficelles. Il prit la fourche et distribua de grosses portions de paille aux brins enchevêtrés. Les porcelets se mirent aussitôt à en arracher des poignées qu'ils jetaient en l'air en se poursuivant. Les truies grognèrent de satisfaction. Siri, comme d'habitude, attendait plus que la paille et il lui présenta une pomme de terre bouillie du dîner de la veille, qu'elle engloutit bruyamment avec plaisir.

– Et tu as le droit à davantage de paille vu le froid qu'il fait dehors !

Siri était de nouveau gravide, il aurait bien aimé qu'elle ait une nombreuse progéniture et que ce soit elle qui donne naissance aux futures truies reproductrices. Dans les couveuses il bourra de la paille supplémentaire. Ça ferait l'affaire.

Après avoir accompli son devoir matinal, et tandis que la porcherie résonnait du bruit des porcs qui mangeaient et remuaient, il alla dans la buanderie pour préparer un biberon d'eau tiède sucrée. Il était inquiet pour les deux porcelets plus faibles de Trulte. Le paquet de sucre dans le placard avait pris l'humidité, il trouva un tournevis et le larda de quelques bons coups, il fit bouillir de l'eau sur la plaque électrique posée sur la paillasse et y versa le sucre. Quand celui-ci fut dissous, il rajouta de l'eau froide jusqu'à ce que le mélange soit tiède, puis il s'en retourna à la case de Trulte.

C'était bien ce qu'il avait pensé. Les deux plus petits se retrouvaient déjà à l'extrémité du tas de corps endormis sous la lumière rouge. Il en prit un dans ses bras, il dormait et ne se réveilla guère. Tor chercha longtemps à enfoncer la tétine dans sa petite bouche, avant que ses instincts reprennent le dessus et qu'il la mordille et se mette à sucer.

– Voilà, c'est bien comme ça, je crois. Mais ne bois pas tout ! Il faut en garder la moitié pour ta sœur.

Le porcelet tremblait encore, même lorsqu'il le reposa sous la lampe chauffante. Trente-quatre degrés, c'était la température idéale pour ces presque nouveau-nés, et il pensait que ça allait, mais à partir du moment où ils commençaient à avoir froid, ils consacraient énormément d'énergie à produire la chaleur de leur corps. Il souleva le deuxième et lui donna le reste d'eau sucrée. Tout à coup il se rappela avoir lu dans *La Nation*, cela faisait un bout de temps déjà, qu'un éleveur de porcs mettait les nouveau-nés dans des seaux avec de l'eau chaude et une bouée jaune autour du cou. Il avait bien rigolé en voyant la photo, d'ailleurs c'était passé aussi aux actualités télévisées. Il y était justement question de la mortalité chez les tout jeunes porcelets.

Il ne disposait pas de bouées jaunes, mais il avait un seau et de l'eau chaude. Et ses deux mains.

Il alla chercher un seau d'eau chaude et des chiffons secs, puis il attrapa le petit par une patte de derrière. Il le tint fermement par les épaules et le plongea dans l'eau. L'animal se débattit comme un forcené, en hurlant comme si on lui enfonçait un pieu à travers le corps. Dans le reste de la porcherie, le plus grand silence se fit soudain, on écoutait avec attention.

– Du calme ! Je ne suis pas en train de te tuer ! J'ai besoin de toi pour vivre, espèce de petit idiot !

Il s'écoula de nombreuses secondes avant que le porcelet ne cesse de protester et exprime une satisfaction béate. Et il s'en écoula tout autant avant qu'il ne s'endorme dans l'eau chaude, pendant mollement dans ses mains.

Tor était dans une position inconfortable. Combien de temps le porcelet à la bouée jaune était-il resté dans l'eau ? Il ne s'en souvenait pas, ils ne l'avaient peut-être même pas mentionné.

Il aurait dû s'asseoir sur une botte de paille avant de le plonger dans le seau. C'était trop tard maintenant. Il attendit de ne plus pouvoir supporter la douleur dans son dos, avec l'espoir que le porcelet se soit parfaitement réchauffé, pour l'enlever du seau, l'envelopper dans un chiffon sec et le frictionner. L'animal se réveilla à peine, il le remit avec les autres, au beau milieu du tas, en écartant quelques porcelets peu enthousiastes. Il repartit dans la buanderie, rajouta de l'eau chaude et entreprit la même opération avec le second, qu'il redéposa ensuite sous la lampe, parmi ses congénères, à côté du premier. Les frères et sœurs bien nourris qui avaient chaud devaient se faire à l'évidence que ce n'étaient pas eux qui décidaient.

Il ramassa la paille dans l'allée centrale, poussa le seau d'eau chaude et donna un coup de balai, puis resta appuyé sur le manche, à méditer. Toute la porcherie aurait dû être lavée à grande eau, aussi bien le sol que les murs et le plafond. En cas d'inspection des Services d'hygiène, il serait sûrement sanctionné. Mais par ce froid, ce n'était pas la peine d'y penser. Néanmoins, l'idée soudaine d'un inspecteur débarquant à la ferme l'emplit d'une certaine épouvante. Il risquait d'obtenir un prix moindre à l'abattoir s'il ne respectait pas toutes les normes sanitaires de la production de viande. Alors il alla chercher d'autres seaux d'eau et les vida çà et là, évacuant le liquide brunâtre aussi soigneusement qu'il pouvait. Puis il rinça bien son balai et s'en servit pour ôter les toiles d'araignée du plafond et épousseter les néons, il eut aussitôt l'impression que c'était beaucoup mieux. Dans la buanderie, il passa sur la paillasse le chiffon avec lequel il avait séché les porcelets, s'arrêta devant la plaque électrique, elle n'était pas belle, elle avait été blanche autrefois. Il ouvrit un placard et fouilla d'une main dans l'obscurité, tout au fond d'une étagère. C'était bien ce qu'il pensait, une très vieille boîte de Vim. L'étiquette bleue et argent était toute ridée sous l'effet de l'humidité, et pas le moindre grain de produit ne sortait par les trous sur le dessus. Il coupa le haut, aperçut les grumeaux desséchés de poudre blanche et joua énergiquement du tournevis. Armé d'un chiffon, de Vim et d'eau tiède, il s'attaqua à la plaque de cuisson, cela lui plaisait, il se sentait à la hauteur de la tâche, faisait preuve d'efficacité. La boîte de Vim lui rappelait le bon vieux temps, maintenant ils n'en vendaient plus. Ce que les gens utilisaient désormais s'appelait Cif et c'était comme une crème. Sa mère était toujours restée fidèle au tampon métallique et aux copeaux de savon avec du Sunlight, et c'était propre.

Comme il rangeait la poudre à récurer dans le placard, son regard tomba sur l'étagère du bas. Il y avait là une demi-bouteille d'aquavit avec un reste dans le fond, une grande bouteille foncée de snaps danois pratiquement vide, et quelques bières. C'étaient les reliefs de Noël qu'il avait mis là pour en disposer lui-même. De toute façon, le vieux ne supportait pas l'alcool.

Il souleva une des bouteilles de bière. Exactement ce qu'il craignait. La bière était en train de geler, de fines plaques de glace flottaient déjà derrière le verre marron. Il les prit toutes et les emporta dans la porcherie, où il les déposa devant une couveuse de l'allée centrale.

Avant de quitter la buanderie, il ouvrit le robinet pour laisser couler un mince filet d'eau. Cela éviterait que les tuyaux ne gèlent. Il était temps de rentrer prendre un copieux petit déjeuner et écouter le bulletin météo, après quoi il irait en tracteur à la boutique.

Le lendemain l'aide familiale revint. Il ne faisait plus que moins dix dehors. La première chose qu'elle dit en arrivant, ce fut :

– C'est mon dernier jour ici.

– Mais…

– Oui, on vous enverra toujours une aide, mais on va modifier un peu nos horaires, donc ce sera une autre qui viendra.

Il s'était habitué à elle. Elle ne fouinait pas partout, ne faisait que ce qui était prévu et repartait. Et pendant la lessive, elle se mettait dans les oreilles des bouchons qui jouaient de la musique, et fredonnait en même temps. C'était précisément ce qui agaçait le père, il aurait voulu discuter. Il ne comprenait pas qu'une jeune fille comme elle n'ait pas envie d'entendre un ancien évoquer le temps qu'il faisait, la guerre et ce à quoi Bynes ressemblait jadis, et la folie d'avoir aménagé un terrain de golf à Spongdal, sur de bonnes terres agricoles.

– Alors on ferait mieux de ne plus avoir d'aide familiale, dit Tor.

– N'importe quoi ! Il faut que ce soit propre ici. Aujourd'hui je vais faire une machine avec ce que vous portez à la porcherie, vous allez me donner tout ce qui a besoin d'être lavé. Et au fait, on dit une aide ménagère, c'est autrefois que ça s'appelait aide familiale. D'ailleurs, en réalité, on ne dit même plus une aide ménagère, mais une technicienne de surface. Mais c'est tellement stupide que même moi je n'utilise pas ce terme-là.

– Il vaudrait mieux qu'on arrête. Quelle que soit l'appellation.

Soudain il se rappela que c'était Margido qui payait la participation aux frais et qu'il s'en apercevrait si on mettait fin à tout ce bazar. Il jura intérieurement, ce n'était pas la peine. Et il y avait Torunn aussi…

– Ce sera qui, alors ?

– Aucune idée ! Vous verrez bien quand elle viendra. Allez chercher les vêtements que vous avez à la porcherie ! Et vos grosses chaussettes et tout ça, pendant que je sors cet horrible tapis synthétique.

C'est au moment où, sa combinaison à la main, il passait la tête par la porte pour voir si les porcs allaient bien, qu'il les aperçut. Trois gros rats au bout de l'allée centrale, qui étaient en train de manger des granulés qu'il avait renversés après la distribution matinale.

– NOM DE DIEU !

Les rats filèrent le long du mur jusque dans l'aire de stockage, il courut à leur poursuite à grandes enjambées mais ils avaient disparu. Il y avait partout des fentes dans les murs, des passages évidents qui menaient à la grange, aux vieux cabinets extérieurs et aux marches du silo.

– DES RATS ! Il n'est pas question que j'aie des RATS dans ma porcherie ! hurla-t-il.

Il brandit le poing en l'air. Rien que l'idée de ce que dirait un inspecteur des Services d'hygiène… On n'évitait pas les souris dans une ferme, mais des RATS !

Il porta en vitesse la combinaison à l'aide familiale, ressortit et se dirigea vers le tracteur. Soudain il se ressaisit. Il ne pouvait pas aller à la coop acheter des pièges à rats et du poison, la rumeur se répandrait vite. Il fallait qu'il aille en ville, à la droguerie Østerlie, là il pourrait se garer juste devant le magasin. Il rentra à pas lourds dans la maison et monta à la salle de bains faire sa toilette. Pourvu que la Volvo démarre par ce foutu froid !

– Je m'en vais faire un tour en ville, vous aurez sans doute fini quand je reviendrai, dit-il en redescendant.

Il avait enfilé son parka. Elle lavait le sol de la cuisine et ne réagit pas à ses paroles. Il dut lui tapoter l'épaule du doigt avant qu'elle n'enlève le bouchon de son oreille. Tout petit, il pendait au bout d'un fil noir. Incroyable qu'une si petite chose fasse autant de bruit.

– Vous avez dit quelque chose ? demanda-t-elle.

– Je m'en vais en ville, vous aurez sans doute fini à mon retour, merci de votre aide !

– De rien ! C'est simplement mon boulot. Prenez soin de vous !

Il hocha la tête et partit. Le père était dans le salon, il avait probablement entendu ce qu'il avait dit, Tor n'avait pas besoin de signaler deux fois qu'il s'en allait.

La surface du fjord était lisse et froide, sans la moindre ride. Le district de Stad, de l'autre côté, tremblait derrière un voile de brume glacée. L'express côtier pénétrait dans le Flakkfjord, blanc et allongé, avec ses hublots en pointillé. Le soleil avait sa pâleur hivernale et s'élevait chaque jour un peu plus dans le ciel, mais ne chauffait guère encore. Il se demanda ce que devenaient les huîtriers-pies, ils devaient être morts de froid. Il imagina leurs fines pattes rouges pataugeant dans l'eau glacée par moins douze degrés. Les pistons marchaient de façon saccadée, le moteur n'était pas encore chaud, il dut gratter l'intérieur du pare-brise jusqu'à ce qu'il ait dépassé Rye.

Nouvelle aide familiale. Des rats dans la porcherie !

Or pas plus tard que la veille, il avait éprouvé la bonne vieille joie de maîtriser sa journée, d'avoir l'impression qu'il la maîtrisait et que tout allait comme sur des roulettes. Qu'il était bête ! Personne n'avait idée de ce qu'une journée pouvait réserver avant que le soleil ne soit couché, il n'allait pas de soi que les choses se passent comme prévu.

Debout devant le meuble vitrine, Erlend contemplait ses figurines Swarovski, cent trois miniatures de cristal taillé en facettes, des petits miracles de beauté, éclairées par des spots et placées sur des miroirs et du verre. Des miniatures d'animaux et de fleurs, une coupe à champagne haute de quelques centimètres à peine, des insectes aux pattes et aux antennes en argent, de parfaites copies des objets quotidiens jusqu'au moindre détail, entre autres un téléphone portable en cristal et en or, long de quatre centimètres seulement, où, à l'aide d'une loupe, on pouvait lire les chiffres et voir le cygne Swarovski affiché sur le cadran.

La vitrine était un peu le symbole de sa formidable passion de collectionneur, et il avait mis l'échiquier en cristal clair et noir de jais sur l'étagère du milieu. Reprenant un problème d'échecs de *BT*, il avait disposé les pièces de telle sorte que les noirs seraient mat en deux coups. Krumme avait évidemment résolu le problème aussitôt, c'était incroyable ce que cet homme-là était doué. Mais lorsque Krumme, le Jour de l'an, avait proposé de jouer une partie en cristal, Erlend l'avait informé sans détour que jamais ils ne le feraient. Ils pouvaient se servir du vieil échiquier en bois, avec les pièces en bois. L'échiquier en cristal risquait d'être rayé, ou une pièce de tomber par terre, et d'ailleurs il perdrait, comme toujours. Mais devant cet échiquier qui brillait de tous ses feux, il serait toujours le vainqueur, parce que c'était le sien.

Il était seul à l'appartement et le serait encore de nombreuses heures. Krumme travaillait tard, ils étaient déjà en train de préparer les suppléments des éditions de Pâques, depuis les reportages sur les traditions du lièvre de Pâques et des œufs décorés jusqu'aux interviews des célébrités les plus en vogue qui décoraient leur maison dès la fin février pour avoir leur bouille dans le journal.

Il avait mangé une part de quiche qu'il avait trouvée dans le frigo, accompagnée de vin rouge, puis il s'était fait un expresso. Il avait la tasse à la main et en buvait de toutes petites gorgées, tout en contemplant cette beauté superflue qui lui procurait une telle joie. Qui d'habitude lui procurait une telle joie, bien plus grande qu'à cet instant.

On aurait dit que le sel de toute chose avait disparu depuis que Krumme n'en finissait plus de rêver qu'ils deviennent parents. Une personne pouvait tout de même se faire renverser par une voiture sans pour autant éprouver aussitôt le besoin de procréer, pensait-il. Mais bon, pour être tout à fait honnête, ce n'était pas Krumme qui voulait procréer lui-même, il voulait en réalité qu'Erlend soit le père, il prétendait qu'Erlend était porteur de meilleurs gènes, il n'y avait qu'à se mettre devant un miroir et le choix du père était tout à fait évident, avait-il dit.

Des enfants. Il ne connaissait pas d'enfants, ne voyait jamais d'enfants, n'avait aucun rapport avec les enfants, en dehors des mannequins raides et froids de chez Benetton. Et la collection Swarovski qu'il était en train de contempler – il serait obligé de faire creuser des douves autour du meuble et d'y mettre de jeunes crocodiles vivants. Les enfants et les crocodiles apprendraient à grandir ensemble, c'était bon pour les enfants d'être élevés avec des animaux, avait-il entendu dire.

Ce n'était pas tellement le fait que Krumme veuille des enfants qui le déstabilisait. Mais le fait que Krumme, secrètement, ait ressenti que sa vie n'était pas parfaite. Au plus profond de lui-même, il avait senti qu'il lui manquait quelque chose, que cela ne suffisait pas.

Voilà ce qui était terrible.

Et ce qui l'était encore davantage, c'était que Krumme le quitterait certainement, peut-être pour trouver une femme qui lui donnerait des enfants. Krumme avait déjà eu deux relations avec des femmes avant leur rencontre. Des relations avec des hommes aussi, mais donc ces deux femmes. L'idée ne le rebutait pas si cette histoire d'enfant lui tournait complètement la tête.

Toutefois ils n'en parlaient plus. Erlend soupçonnait Krumme de vouloir lui donner le temps d'y réfléchir, or tout ce qu'Erlend pensait, c'était qu'il y avait quelque chose de changé ou de brisé dans leurs rapports. Auparavant, il racontait toujours ce qui lui trottait par la tête, il était complètement décontracté en compagnie de Krumme, mais ces dernières semaines il avait commencé à peser d'abord ses mots. Il veillait à ce que ses phrases ne contiennent pas d'expressions ou de thèmes qui amèneraient la conversation sur les enfants.

Il emporta sa tasse de café jusqu'à la cheminée, s'assit sans allumer les flammes autour des bûches artificielles. Il n'était pas heureux, et il avait horreur de ça. Il voulait être heureux ! Il pensa à l'horrible soir où Krumme s'était fait renverser par une voiture. Si seulement on pouvait prendre quelques heures du passé et les faire disparaître, il choisirait précisément ces heures-là. Il donnerait cher pour ça d'ailleurs, peut-être même son échiquier. Quant à la cheminée holographique, il n'y songerait même plus. Si seulement il ne s'était pas mis à en rêver, Krumme n'aurait pas été renversé. C'était le châtiment. Qui trop embrasse, mal étreint.

Il ne travaillait pas bien non plus. En gros, il avait mis le pilote automatique. La vitrine avec les cambrioleurs pour le bijoutier, il n'était pas en état de la faire. Le propriétaire de la boutique insistait pour avoir sa nouvelle devanture, mais Erlend faisait valoir que l'attrait de la nouveauté pour la présente durerait encore une quinzaine de jours, ce qui était naturellement pur mensonge. Il avait laissé une bonne part de responsabilité à Agnete et Oscar, mais à Illum, la semaine précédente, il était parvenu à se concentrer et avait eu une idée formidable. Le rayon cadeaux du grand magasin voulait signaler le large choix dans chaque classe de prix, les objets onéreux et les petits riens bon marché qui mettaient la touche finale, et il avait de ce fait réalisé la vitrine adéquate. Il avait suspendu un tapis de velours noir à l'arrière-plan et posé deux présentoirs devant. Sur l'un il avait placé un plat fait à la main du château de Steninge, à trente-sept mille couronnes, sur l'autre un rond de serviette en raphia orné de petits cœurs en tissu bleu, à quatorze couronnes. Le plat et le rond de serviette furent chacun accompagnés d'une grosse étiquette indiquant le prix. Il braqua des projecteurs sur l'un et l'autre comme s'il s'agissait de stars, et rien de plus. L'effet était saisissant, même si au bout de trois jours Illum avait vendu tous ses ronds de serviette avec des cœurs bleus, et dû remplacer celui qui était en vitrine par un autre, en bois foncé parsemé de points dorés, à vingt-trois couronnes.

Ils étaient très satisfaits de la solution apportée. Mais il ne pouvait évidemment pas leur envoyer une facture mirobolante, juste pour cette vitrine-là.

Soudain il crut entendre le bruit sourd d'un ascenseur qui s'arrêtait, et il regarda sa montre, Krumme rentrait-il déjà ? Il écouta. Tout était silencieux. C'était sans doute le voisin du dessous. Et tout à coup un constat s'imposa à lui : il avait été soulagé que ce ne soit pas Krumme qui rentre ! Il éclata en sanglots.

Il se versa fébrilement une bonne rasade de cognac, se fit un nouvel expresso, et apporta des cigarettes et un cendrier propre dans la chambre d'amis qui leur servait de bureau. Il déposa le tout à côté du clavier de l'ordinateur, s'essuya les yeux de ses deux mains sans s'inquiéter de son fard à paupières, vida le verre de cognac et alla s'en servir un autre, mit aussitôt Donna Summer et brancha les haut-parleurs du bureau, avant de s'affaler sur la chaise devant l'écran. Il faudrait absolument qu'ils en discutent ensemble. Ils dissimulaient tout sous le tapis, mais ça ne pouvait pas durer. Il serait bien obligé de se rendre à l'évidence, et l'idée même l'affolait.

– Bon sang ! murmura-t-il en allant sur le site de la boutique en ligne de Swarovski.

Les pages Internet emplirent l'écran. En tant que membre du club des collectionneurs de Swarovski, il avait droit à des offres spéciales sur les figurines produites en nombre limité. Il se connecta et se vit aussitôt proposer *L'aigle*, de 1995, qu'il avait déjà, *Le paon*, de 1998, qu'il avait également, et *Le taureau*, de 2004. Il n'avait pas celle-là. Il cliqua sur « Ajouter au panier » et continua. Il arriva à la figurine de l'année dont chaque membre ne pouvait acheter qu'un seul exemplaire, deux poissons vivant en symbiose avec une anémone de mer. Il se pencha vers l'écran, but une petite gorgée de cognac, la figurine était particulièrement raffinée et existait en deux versions, l'une colorée, l'autre transparente, il choisit la transparente. « Ajouter au panier », il commença à se sentir un tout petit peu heureux à nouveau, il serait bientôt forcé d'acheter un second meuble vitrine, ce qui impliquerait d'autres douves et davantage de crocodiles.

Il cliqua sur la fenêtre « Nouveautés ». Un bernard-l'hermite. S'en allant avec son coquillage volé, montré à l'écran sous trois angles différents. « Ajouter au panier ». Peut-être « Acheter » maintenant ? Non, pas encore, pourquoi donc, il commençait à être de meilleure humeur. Et une licorne alors ? Krumme lui avait donné une licorne Swarovski qu'il avait réussi à casser en époussetant le meuble peu avant Noël, il voulait la remplacer. Pour sûr, et tant pis pour Krumme, qui aurait bien pu lui en acheter une autre, une surprise pour lui faire plaisir. Donna Summer sollicitait à les rompre ses cordes vocales tandis qu'il lançait la recherche sur « licorne » et faisait un saut dans le salon pour se verser davantage de cognac. Quand il revint, elle était à l'écran, avec sa corne torsadée et une patte de devant levée. Seulement mille neuf cents couronnes, une bonne affaire. « Ajouter au panier », « Acheter ».

Krumme n'allait-il donc pas rentrer bientôt ? Ils devaient discuter, ce n'était plus possible autrement. Krumme prétendait qu'on ne pouvait pas discuter avec lui, qu'il n'avait que des réactions émotionnelles, mais de quelle autre manière pouvait-on réagir quand la vie tout entière était ainsi chamboulée ? Si seulement il avait pu mettre la main sur le type qui avait renversé Krumme ! Il l'aurait assommé d'un bon coup et lui aurait arraché ses bijoux de famille. Mais maintenant il allait avoir un taureau, deux poissons-clowns avec une anémone, un bernard-l'hermite et une licorne, ils lui arriveraient par la poste, une pensée qui lui réchauffait un peu le cœur. Il se souvenait des bernard-l'hermite le long de la côte d'Øysand, à Gaulosen, qui se sauvaient à marée basse. Le grand-père Tallak et lui riaient de leur audace, quand ils rejetaient le vieux coquillage volé, devenu trop petit, et qu'ils en dérobaient un autre, plus grand. Le grand-père Tallak l'aidait à en ramasser dans un seau. Ils y ajoutaient quantité de coquillages vides et s'amusaient de voir les bernard-l'hermite qui filaient tout nus essayer une nouvelle demeure et en vérifier la forme et l'espace. « Ils s'efforcent de trouver la bonne et ils sont inquiets parce qu'ils ont trop de maisons parmi lesquelles choisir, disait le grand-père Tallak, ils s'imaginent qu'ils sont mal dans la vieille quand ils en découvrent une nouvelle. » Erlend était fasciné par le fait qu'ils étaient nés pour ça, nés pour voler la maison d'un autre afin de survivre.

Qu'ils étaient nés sans aucune protection.

Ils avançaient dans l'eau, le grand-père et lui, et mouillaient leurs bas de pantalon. *Grand-père*. Oui, c'est comme ça que je t'appelais, pensa-t-il en fermant les yeux, se souvenant des vagues qui rognaient le banc de sable, des orteils qui se fripaient à l'eau de mer.

Il dormait dans un fauteuil devant la cheminée lorsque Krumme le réveilla en lui caressant rapidement la joue et en l'embrassant sur le front.

– J'ai de la pizza, dit-il. On en a fait venir au boulot, et on en a eu bien de trop ! Tu as faim, petit mulot ?

– Je crois que je me suis endormi…

Le sommeil avait dissipé les effets de l'alcool et il eut soudain mauvaise conscience d'avoir commandé cette licorne. Il serait obligé de la dissimuler un peu, de la mettre tout au fond d'une étagère. Krumme ne s'arrêtait jamais à contempler le contenu de la vitrine si Erlend ne l'y traînait pas pour lui faire partager son enthousiasme.

Krumme sentait le cigare, l'ail et la bière. Le Matrix était posé négligemment sur l'accoudoir d'un des fauteuils Empire dans l'entrée. Krumme et son manteau étaient devenus inséparables.

– Qu'est-ce que tu as fait aujourd'hui, alors ? demanda Krumme.

– Pas grand-chose. Travaillé à l'agence, commandé de nouveaux catalogues d'accessoires, établi la liste des marchés aux puces où on enverrait les assistants. On ne sait jamais ce qu'ils vont trouver comme objets rares ou hors du commun qui pourront nous servir dans les vitrines, tu sais. Samedi dernier, Sally, la nouvelle, a dégoté une très vieille baignoire extrêmement belle, noire, style Louis XVI, avec des pieds en tortue de mer véritable. On pourra sûrement l'utiliser si on fait quelque chose sur l'agencement ou l'équipement de la salle de bains. Ou sur les sous-vêtements sexy, pourquoi pas ? Où l'on dispose les mannequins dans un milieu balnéaire, où en quelque sorte ils se préparent pour la fête, par exemple. Ce ne sont pas les possibilités qui manquent.

Il jacassait et s'en rendait compte, il sentit le regard de Krumme posé sur lui.

– Qu'est-ce qu'on va boire avec la pizza ? reprit-il.

Il se dirigea vers le frigo et tourna le dos à Krumme. Ils ne mangeaient jamais de pizza. S'ils achetaient de quoi emporter, c'était africain, chinois ou thaï, ou bien des sushis.

– Du vin rouge, peut-être, répondit Krumme en posant la pizza sur la grille d'un des fours. Je la réchauffe un peu sous le gril.

Erlend but une canette d'eau gazeuse, prit une bouteille de vin dans le casier sans même regarder ce que c'était, et la déboucha.

– Alors on boit quoi finalement ? lança Krumme.

– Aucune idée ! dit-il en s'asseyant lourdement. Je n'ai pas regardé, seulement débouché.

– Ce n'est pas vraiment la forme ?

– Non. Je suis complètement… anéanti par tout ça.

Il éclata en sanglots, il devait être encore un peu ivre malgré tout. Il n'avait pas dormi plus d'une heure, et le foie avait besoin de davantage de temps pour venir à bout des quatre cognacs qu'il avait fini par ingurgiter.

– Mais mon petit Erlend…

– QU'EST-CE QUE TU CROIS QUE ÇA FAIT, HEIN, DE SENTIR SOUDAIN QU'ON N'EST PLUS ASSEZ BIEN ?

– Assez bien ? Mais tu te méprends complètement, tu mélanges tout ! C'est exactement le contraire ! J'ai seulement dit que j'aimerais bien qu'on ait un enfant. Et comme par-dessus le marché je souhaite que ce soit toi le père, comment peux-tu dire que tu n'es pas assez bien ? répondit Krumme en s'asseyant de l'autre côté de la table.

Pourquoi s'asseyait-il là ? Pourquoi ne venait-il pas le prendre dans ses bras et le consoler, chasser toutes ces sornettes ?

– Notre vie n'est pas assez bien, c'est ça que tu veux dire. Notre vie ! ÇA ! s'écria Erlend en écartant les bras. Je croyais qu'on vivait l'un pour l'autre ! Nos boulots, notre amour, nos voyages, nos amis. NOTRE VIE !

– J'ai quarante-trois ans, dit Krumme tout bas. Tu en auras quarante dans quelques mois. Je pensais simplement que… ça nous hisserait à un autre niveau. Je suis désolé de t'avoir blessé aussi profondément. Ce n'est pas quelque chose que je veux, moi. C'est quelque chose que j'aurais aimé que nous voulions, nous.

– Mais je ne voulais pas atteindre un autre niveau, Krumme ! Et maintenant ce niveau-ci est en quelque sorte… gâché.

– Écoute ! Si tu ne veux pas d'enfant, il n'y aura pas d'enfant. C'est aussi simple que ça.

– Mais NON ! Tu vas me quitter.

– Pourquoi donc ?

– Pour avoir un enfant.

– N'importe quoi ! dit Krumme.

– Comment est-ce que tu comptais t'y prendre, alors ? Pour cet enfant ?

– Je t'ai déjà dit que je ne sais pas encore. Il faudrait qu'on trouve un moyen ensemble, si tu étais d'accord. Jytte et Lizzi ont dit qu'elles désiraient un enfant, mais qu'elles n'étaient pas vraiment prêtes à renoncer à leur liberté. Elles pensent un peu comme toi. Si on avait un enfant avec l'une d'elles, on serait quatre à se partager la responsabilité, et on continuerait à jouir de notre liberté. On pourrait aussi faire appel à une mère porteuse, mais pour ça il faudrait qu'on aille à l'étranger. On pourrait également faire quelque chose de tout à fait différent, c'est-à-dire adopter.

– Tu as déjà dit tout ça.

– Alors pourquoi me demandes-tu ? s'étonna Krumme.

– Ça sent la pizza brûlée.

Krumme se leva et alla la sortir du four.

– Elle est seulement un peu brune autour.

– Je l'ai dans le baba quoi qu'il arrive, dit Erlend. Si je dis non, tu vas me détester. Si je dis oui, c'est moi qui vais me détester, parce qu'au fond je n'en veux pas.

– Mais de quoi as-tu peur ? Tu veux bien me le dire ? Qu'est-ce qui t'effraie à l'idée d'être père ?

Il ne pouvait pas répondre : la vitrine, les rayures sur le parquet, les saletés et dix-huit ans de travail, car ils ne quittaient pas la maison avant d'avoir dix-huit ans, n'est-ce pas ?

– La responsabilité, dit-il. Et le fait que je ne sache rien des enfants. Je ne les connais pas, ne les vois pas, ne pense pas à eux. Ils ne m'intéressent pas.

– Tu aurais quelqu'un avec qui jouer. Tu adores jouer, Erlend.

– Je veux jouer avec toi. Je voulais jouer avec toi.

– Allez, prends une part de pizza !

Pendant qu'ils mastiquaient les bouchées de pizza, Erlend se dit que c'était sûrement ce que mangeaient les parents des petits bébés. En Norvège, les pizzas surgelées Grandiosa étaient le plat du soir le plus vendu, avait expliqué Torunn, parce que les mères et les pères n'avaient jamais le courage de faire cuire des pommes de terre. Il ne croisa pas le regard de Krumme, ils n'avaient pas avancé du tout, leur conversation n'avait fait que tourner en rond, confirmer et re-confirmer qu'il manquait quelque chose à Krumme. Il repoussa la croûte brûlée de la pizza et vida son verre.

– Je pense à *La Cage aux folles*, dit-il. Albin qui s'efforce de prouver qu'il peut faire figure de mère. Une maudite folle, voilà ce que je suis ! Je suis sûr que tu me vois habillé en femme, en train de pousser un landau et de parler d'une voix aiguë !

– Ç'aurait été amusant, ça, dit Krumme. Moi, je serais Pierre. Sympa et masculin.

– Je ne plaisante pas, Krumme ! Tu veux que je me fasse opérer pour changer de sexe, peut-être ? Et que je me balade avec un coussin sur le ventre jusqu'à ce qu'une nana quelconque ait fini de porter l'enfant, et puis on pourra jouer à faire comme s'il était sorti de mon ventre ?

– Là, tu es méchant. Tu veux qu'on se dispute ?

– J'EN AI MARRE DE NE PAS ÊTRE HEUREUX !

– Si j'avais su que ce serait comme ça... dit Krumme.

Il laissa sa pizza. Il avait à peine touché au vin, pourquoi ne buvait-il pas ? Quel idiot, Krumme, au fond !

– ... le restant de tes jours, oui ! Tout à coup rien de tout ça ne te suffit plus, simplement parce qu'une voiture a failli t'écraser ? Et le restant de *mes* jours, alors ? Hein ? Tu sais que les petits pissent dans leurs couches jusqu'à l'âge de quatre ans, aujourd'hui ? Quatre ans, Krumme ! C'était marqué dans ton propre journal ! Et tu as envie de subir ça pendant quatre ans, uniquement parce que tu t'es retrouvé par terre, la joue contre le pavé ? J'ai bien l'impression que c'est ta tête qui a cogné !

– On n'en parle plus. On n'aura pas d'enfant. Tu n'en veux pas, et on n'en aura pas.

– Sois tranquille, je ne vais pas contrarier tes instincts de paternité ! Éjacule un peu dans une tasse à café, et donne-la à Jytte et à Lizzi ! Quand tu auras la visite de la machine à pisser, je m'en irai. Un week-end sur deux, par exemple. Pourquoi est-ce que tu ne bois pas ton vin ?

Erlend s'en servit encore un verre, le fit déborder.

– As-tu beaucoup bu ? demanda Krumme. Avant que je rentre ?

– Pas une goutte. Mais je viens de commander des figurines Swarovski pour plus de six mille couronnes. C'est peut-être ça qui m'est monté à la tête.

– Je crois que je vais me coucher, dit Krumme.

Après être resté seul dans la cuisine et avoir vidé la bouteille tout entière ainsi que le verre presque plein de Krumme, il alla dans le salon, s'allongea sur le canapé et se recouvrit de deux plaids en laine.

– Merde ! murmura-t-il. Merde, merde, merde !

Il réfléchit à la question que Krumme lui avait posée, ce dont il avait peur, ce qui l'effrayait à l'idée d'être père. Il connaissait la réponse : il n'avait aucune enfance à transmettre, son enfance s'était construite sur un mensonge. Il n'avait rien à donner, il n'était personne, et maintenant Krumme et lui seraient aussi brisés. Leur vie commune.

Il passa chez le bedeau et emprunta la clé. Il s'enferma dans l'église glaciale et s'affala sur le dernier banc, juste sous le tableau où l'on déposait les aumônes.

Voilà ce qu'il aurait dû faire depuis longtemps, venir ici et jouir seul de la paix de la maison de Dieu, sans tous ces gens en deuil qui avaient besoin de lui, ni ces rubans imprimés qu'il fallait lire, ni ce cercueil posé sur le catafalque et dont il avait la responsabilité. Même s'il était assez rare qu'il fasse des inhumations ici.

L'église de Bynes était sa préférée, il savait tout sur elle. Même la cathédrale de Trondheim venait en second à ses yeux. La cathédrale était trop grande, trop majestueuse, elle se prêtait davantage aux honneurs et aux chants de louanges qu'au deuil. Le deuil nécessitait une convivialité et un espace plus restreint, comme celui-ci, qui avait plus de mille ans d'histoire à l'intérieur de ses murs, des murs qui protégeaient de pompeuses décorations.

Il joignit les mains de sorte que les manches de son manteau forment une espèce de manchon, il avait laissé ses gants dans la voiture. Il faisait moins sept dehors, la lumière du jour provenant des fenêtres percées très haut faisait l'effet de piliers d'un blanc poussiéreux, tous les recoins de l'église étaient sombres et glacés. Un vide, mais néanmoins la présence évidente de Dieu. Il chassa un peu d'air de ses poumons et contempla la buée qui sortait de sa bouche. Il regarda le plan incliné du banc devant lui, usé par les générations de fidèles qui y avaient posé leur livre de psaumes. Il leva les yeux et admira la peinture murale du mur nord, elle représentait le Pécheur et les sept péchés capitaux, sous la forme de serpents qui lui sortaient du corps, chacun avec une poignée d'hommes affolés dans la gueule. Duquel de ces péchés mortels s'était-il rendu coupable en l'espace d'un seul soir ? La gourmandise, assurément. Et la luxure. Avant tout la luxure. Et durant les longues années où il avait perdu de vue la foi et s'était imaginé qu'il était capable de vivre sans Dieu : l'orgueil.

Il sortit la Bible de la poche de son manteau et l'ouvrit là où le ruban de soie était serré entre deux pages, à la Lettre de saint Paul aux Romains.

– Car le péché n'aura point de pouvoir sur vous, puisque vous êtes, non sous la loi, mais sous la grâce, lut-il tout haut. Mais grâces soient rendues à Dieu de ce que, après avoir été esclaves du péché, vous avez obéi de cœur à la règle de doctrine dans laquelle vous avez été instruits. Ayant été affranchis du péché, vous êtes devenus esclaves de la justice... Car le salaire du péché, c'est la mort ; mais le don gratuit de Dieu, c'est la vie éternelle en Jésus-Christ, Notre-Seigneur.

Il ferma les yeux et écouta ses propres paroles, leur écho entre les murs de pierre, la simple logique entre elles, et l'amour. Il pensa à la dernière fois où il était venu ici, il s'affairait alors autour du cercueil de sa mère avant que les gens n'arrivent, puis il s'était assis au premier rang avec Tor et Erlend, Torunn, Krumme et le vieux. Il y avait quelque chose d'étrange à ce qu'ils soient là ensemble, et de différent dans le deuil de chacun. Pratiquement aucun chagrin pour certains, il le savait bien. Il était aussi venu ici la veille de Noël et, auparavant, aux obsèques du fils de Lars Kotum, un jeune de dix-sept ans qui s'était suicidé dans sa chambre juste avant les fêtes. Tout le monde savait pourquoi maintenant. La rumeur avait d'abord couru qu'une jeune fille dont il était amoureux ne voulait pas de lui, mais il s'avérait que c'était un garçon qui l'avait plaqué.

Il avait beaucoup pensé à Erlend ces dernières semaines, et au tort qu'on lui avait fait. Il se félicitait de ne pas être pasteur, un pasteur devait avoir des opinions en lesquelles tout le monde se retrouvait et en outre se faire sermonner par l'évêque. Lui-même échappait à cela. Car qui donc pouvait accuser Erlend de péché ? N'était-il pas l'œuvre de Dieu, lui aussi ? Dieu ne l'avait-il pas créé avec une intention particulière, n'avait-il pas voulu qu'il soit ainsi ? Aucun être doué de raison ne pouvait prétendre qu'Erlend avait choisi son penchant naturel pour la luxure. Tout petit déjà, on voyait bien qu'il était différent, efféminé. Et c'était son envie de réussir et la volonté de s'épanouir qui l'avaient poussé à quitter un endroit où il était condamné.

Oui, condamné, pensa-t-il. Parce qu'ils croyaient qu'il faisait exprès, pour les provoquer. Mais ce n'était pas le cas. Il était Erlend.

Et le jeune fils de Lars Kotum… S'il avait eu le choix entre mourir et tomber amoureux, de manière sincère et convenable, de n'importe quelle jeune fille… Mais il n'avait pas été en position de choisir. Il avait été simplement lui-même. Secrètement, en toute humilité et toute honte. Et voilà ce qui l'avait tué.

Oui, on avait été très injuste envers Erlend.

Il ne savait pas non plus si la semaine de Noël lui avait mis du baume au cœur, bien que son histoire soit apparue dans un contexte plus large. Il avait tellement envie de lui dire que personne ne le condamnait pour quoi que ce soit, mais c'était impossible après ce coup de fil qu'il avait passé, assis sur un muret comme un idiot dévoyé qui, dans le délire de l'ivresse, se croyait devenu différent, dégagé de la responsabilité de ses actes.

Il enfouit son visage dans ses mains, appuya ses doigts dans ses orbites, appuya jusqu'à ce qu'il ait mal et voie des cercles rouges et verts se détacher d'un centre noir. Curieusement, il exigeait davantage de lui-même que d'Erlend. Il demeura longtemps ainsi, la tête entre ses mains, à se demander pourquoi, avant d'arriver à la conclusion que ce devait être parce que lui-même était fort, et pas Erlend. Mais il avait aussi appris désormais que la force venait de la foi. Il tournait le dos à Dieu en se laissant aller à la gourmandise et aux plaisirs charnels, et Dieu avait dû insister pour lui montrer le droit chemin.

Lorsqu'il ne sentit presque plus ses pieds, engourdis par le froid, il se leva péniblement, sortit de l'église et tourna la grosse clé en fer forgé.

Assis à la table de la cuisine, Tor lisait *La Nation*, le vieux était dans le salon, un livre à la main, la radio marchait en sourdine. Ils avaient chacun une tasse vide devant eux.

– C'est toi ? s'exclama Tor.

– Oui. Le café est chaud ?

– Il y a eu un enterrement par ici ? Je n'ai pas entendu les cloches sonner.

– Non. Je voulais seulement me recueillir un peu à l'église, tout seul.

– Pourquoi ? Tu as encore fauté ?

– Tor…

– Sinon chaud, tiède en tout cas.

C'était du marc qui avait déjà bouilli bien des fois, constata-t-il.

– Tu es toujours abonné à *La Nation* ? dit-il à la place, en s'asseyant à la table.

– Je m'y suis habitué. Je le reçois tous les jours. *Le Journal des agriculteurs*, c'est le vendredi seulement.

– Tu n'aurais pas préféré un quotidien local ?

– Non. J'écoute la radio pour ce genre de nouvelles.

– Et à la porcherie ? Les cochons sont gros et gras ?

– Oui. Mais pas trop gras. Sinon on n'en retire pas un bon prix. Il faut qu'ils aient le pourcentage de viande adéquat.

– Et comment tu vérifies ça ?

– C'est le type et la quantité d'aliments qui le régularisent, répondit Tor.

– J'ai… Je m'occupe de la pierre tombale de maman maintenant. En granit blanc.

– C'est pour ça que tu es venu ?

– Mais on ne la posera pas avant le printemps. Il y a une rose en bronze sur la gauche, et le nom est gravé et peint en noir.

Il parlait plus fort que s'il avait été seul avec Tor, afin que le vieux dans le salon soit aussi au courant.

– Ce n'est probablement pas donné, dit Tor.

– Ça coûte assez cher, c'est vrai. Mais il faut qu'elle soit convenable.

– Il y aura de la place pour d'autres noms, alors, dit Tor.

Margido hocha la tête. Tor replia le journal et alla trouver le vieux, qui le prit aussitôt, posa sa loupe et chaussa des lunettes. Margido se demanda depuis combien de temps il avait cette paire-là, s'il ne devrait pas prendre un rendez-vous chez l'ophtalmo, venir le chercher ici pour l'y emmener, l'obliger à se laver et se changer d'abord.

Tor versa du café dans sa tasse, ce n'était plus que du marc à la fin, mais cela ne le dérangeait apparemment pas.

– J'ai des rats, dit-il en soupirant.

– Des rats ?

– À la porcherie. Une sacrée merde. Je te le dis franchement, tant pis pour tes oreilles chastes. Ils ne se laissent même pas prendre aux pièges, ils sont trop malins. Mais ils bouffent le poison et s'en vont crever dans les cloisons. Mais pas assez vite, il en arrive toujours d'autres, j'ai repéré leurs traces jusque dans la cour.

– Tu devrais contacter une entreprise de dératisation.

– Il faut prendre un rendez-vous. J'ai téléphoné pour me renseigner. Des milliers de couronnes. Jamais de la vie, conclut Tor en secouant la tête.

– Ils ne risquent pas de mordre les porcs ? Ou de les contaminer ?

– J'y ai pensé aussitôt. Je les ai imaginés devant les mamelles des truies, bon sang ! Mais j'ai condamné tous les accès à la porcherie, et dans le silo ils n'ont que le peu qui traîne par terre. Je fais sacrément attention maintenant, tu sais, je balaie et je nettoie avec soin. Malgré tout il y a la chaleur, tu sais, la chaleur des animaux. Et ils se reproduisent à une telle vitesse...

– On m'a parlé, un jour, d'un méchant moyen pour se débarrasser des rats, dit Margido.

– Ah bon ?

– Tu en attrapes un vivant...

– Merci bien !

– Tu en attrapes un vivant, reprit Margido. Tu lui brûles les yeux et tu le relâches. Il paraît que les cris de celui-là mettront en fuite tous les autres.

– Bon Dieu ! On est loin de l'amour de son prochain.

– Mais ce sont des rats, se défendit Margido.

– Des créatures de Dieu malgré tout, dit Tor avec un sourire en coin.

Margido lui rendit son sourire et sentit que le moment était propice aux confidences, sous couvert de sourires. Il baissa la voix, jeta un coup d'œil par la porte du salon, le vieux était penché sur son journal. Pour plus de sûreté, Margido augmenta le son de la radio.

– J'ai pensé à Erlend, déclara-t-il.

– Comment ça ?

– On n'a pas été gentils avec lui. Lui à côté... non plus.

– Ils ont pu venir à Noël, tous les deux, dit Tor. Et quand ils sont partis, j'ai serré la main du Danois et je lui ai proposé de revenir cet été. J'ai dit que c'était beau par ici.

– Tu as vraiment dit ça ?

– Eh bien quoi, c'est beau ici en été.

– Pas ça. Mais tu l'as invité à revenir ?

– Oui.

– Tu as bien fait, Tor !

– Mais toi qui es chrétien et tout. Comment peux-tu… ? Il y a quelque chose qui ne colle pas. Tu es d'une certaine façon… obligé, toi, de dire que c'est une faute. Un péché, dit Tor tout bas.

– Non, je ne suis pas obligé. C'est pourquoi j'ai choisi de dire la même chose que Jésus en pareille occasion.

– Quoi donc ?

– Absolument rien du tout, dit Margido.

Ils se turent un instant, les yeux fixés dehors sur le perchoir vide, où pendaient des filets verts et plats.

– Oui. On est là tous les deux, reprit Tor. Nous, on n'a personne, mais Erlend a quelqu'un, lui. C'est un comble, hein !

– C'est comme ça !

– Tu dois te trouver une femme, Margido !

Ils continuaient à regarder la mangeoire des oiseaux tout en parlant.

– Oh, je n'en veux pas, répondit Margido. Je veux vivre seul. En paix.

– Le reste de ta vie ?

– Oui, bien sûr. Au point où j'en suis, je devrais y arriver.

– C'est vrai. Mais c'est quand même curieux. Moi, j'avais maman.

– Oui, dit Margido.

– Tu veux peut-être… que je refasse du café ?

– Pas pour moi.

– On a une nouvelle aide familiale. Ils ont changé leurs services, tu parles d'une connerie ! dit Tor, sans plus baisser la voix.

– La première était mieux ?

– Je n'en sais rien, l'autre n'est pas encore venue. La première n'était pas mal, elle se contentait de nettoyer et de repartir.

– Il faut que je reparte, moi aussi, dit Margido en se levant. Merci pour la tasse de café !

– C'est drôle que tu aies eu le temps de passer. Un jour ouvrable tout à fait ordinaire.

– Pas beaucoup de travail en ce moment. C'est surtout avant Noël et juste après. J'ai seulement deux inhumations cette semaine. Une hier et une demain.

– Curieux, dit Tor. Qu'il y ait une « saison » pour ce genre de choses. Maman aussi... Mais elle a d'abord été malade.

– La plupart sont d'abord malades. Les accidents sont plus rares.

Il ne dit pas à Tor qu'il devait partir parce qu'il attendait un agent immobilier chez lui. Tor ne comprendrait pas cette histoire de sauna, il n'avait sans doute jamais mis les pieds dans un sauna et il ne comprendrait jamais ce besoin qu'il avait de suer après les enterrements, d'évacuer, en transpirant, les odeurs de fleurs coupées et de cierges coulants et fumants.

L'appartement était rangé et d'une propreté impeccable. L'homme étonnamment jeune en costume bleu foncé parcourait lentement les pièces et prenait des notes sur un bloc rigide surmonté d'une pince en métal.

– Il faudra redécorer un peu, pour les visites éventuelles. Égayer les pièces.

– Égayer les pièces ? dit Margido, extrêmement mal à l'aise de l'avoir chez lui, parmi ses effets personnels, en train de tout évaluer froidement.

Jamais personne n'entrait ici. Et il était si jeune, bien trop jeune pour faire preuve d'une opinion aussi arrêtée.

– Nous nous en chargerons. Il n'y a pas grand-chose à faire.

– Qu'entendez-vous par là ?

– Quelques gros pots de fleurs, une coupe pleine de fruits sur la table, des napperons et des bougies, deux ou trois tableaux à accrocher, les murs ici ressemblent à ceux d'une cellule de prison. Il faut rendre ça plus agréable.

– Mais c'est de chez moi que vous parlez. Et je me plais bien comme ça.

– Nous sommes bien d'accord, monsieur Neshov, mais les gens qui viennent ici doivent avoir aussitôt envie d'y habiter, commencer à imaginer leur emménagement. Voilà comment nous obtiendrons le meilleur prix. Et le point de départ est excellent, c'est à peine si on remarque l'usure du temps. Il faudrait peut-être aussi des tapis au sol.

– Des tapis ? Mais les parquets sont en bon état.

– Trop froids et impersonnels. Nous apporterons tout ça et l'installerons avant la mise en vente, c'est inclus dans le prix, nous l'enlèverons ensuite, bien sûr. Mais qu'avez-vous l'intention d'acheter ? Nous avons un grand nombre d'appartements que je pourrais vous montrer si vous souhaitez vous rapprocher du centre-ville.

– Il doit avoir un sauna, dit Margido.

– C'est noté. Quoi d'autre ?

– Rien d'autre. Comme celui-ci, sinon. C'est la raison pour laquelle je veux déménager.

– Seulement pour ça ?

Le jeune homme le dévisagea avec une sorte de stupéfaction que Margido ne pouvait accepter, cela n'avait vraiment rien d'exceptionnel d'aimer le sauna.

– Oui, répondit Margido.

– Pardonnez-moi, mais… je ne suis pas sûr de comprendre. Il doit bien y avoir une autre raison. Et si je dois vous trouver un nouvel appartement, il est important que je… C'est peut-être très bruyant ici ? Beaucoup de familles avec des enfants ?

– Non ! Je veux un sauna et c'est la seule raison qui me pousse à déménager !

– Mais…

Le jeune homme eut l'air désemparé, il se tripota de manière peu décente l'aile d'une narine. Margido fut soudain incapable de se rappeler son prénom. Christian ou Thomas ou Magnus, tous les jeunes gens s'appelaient comme ça en ce moment. Il aurait bien aimé s'en souvenir et essayé de l'admonester un peu, sur cette base-là.

– Mais je ne comprends pas très bien. Pourquoi ne faites-vous pas installer un sauna ici ? À moins que vous n'ayez l'intention d'acheter un logement moins cher ? Que vous n'ayez pas les moyens de…

– Faire installer un sauna ? Bien sûr que j'ai les moyens ! Mais vous avez vu par vous-même que la cuisine est petite et qu'elle a un mur en commun avec la salle de bains. Il n'y a pas de surface à récupérer !

Margido se retenait de toutes ses forces pour ne pas laisser éclater sa colère. Un blanc-bec qui débarquait en s'imaginant qu'on pouvait faire apparaître des mètres carrés comme par enchantement…

– Mais la salle de bains elle-même… insista-t-il tout bas.

– Il n'y a pas de place pour un sauna. Vous en sortez tout juste !

Ce type était-il aveugle ?

– Mais si, il y a de la place. Vous avez une baignoire.

– Et alors ?

Le jeune homme le regarda dans les yeux en inclinant la tête, avec un sourire un peu niais.

– Dites-moi, avez-vous réellement vérifié la possibilité d'avoir un sauna dans votre salle de bains ? Vous pouvez même combiner sauna et douche de vapeur.

Margido avait simplement les yeux rivés sur lui. Un sauna, selon lui, c'était ouvrir une lourde porte et pénétrer dans une pièce avec des bancs en gradins jusqu'au plafond, un gros poêle à bois où l'on versait de l'eau sur des pierres, comme ça se pratiquait dans le sauna des anciens bains-douches au bas de la rue Prinsensgate, aujourd'hui disparus. Certes il comprenait bien qu'il n'avait pas besoin d'un sauna aussi vaste, mais de là à croire qu'il aurait de la place dans sa salle de bains…

– Écoutez ! dit le jeune homme. Je veux bien vendre votre appartement, mais si la raison que vous invoquez est la seule et unique, ce serait vous berner que de ne pas vous informer. Votre salle de bains fait plus de huit mètres carrés, il n'y a pas de problème. Renseignez-vous dans un magasin spécialisé. Si vous n'aimez pas ce qu'ils font, revenez vers moi ! Si je n'entends plus parler de vous, je pourrai me botter le derrière parce que j'aurai raté une bonne vente. Mais je suis à peu près convaincu que ce sauna n'est pas la seule raison. Et puis ça ferait mauvais effet si le nouvel appartement que je vous proposais avait une salle de bains exactement de la même taille. Mais avec un sauna.

– L'honnêteté est toujours récompensée, déclara Margido d'un ton calme.

– Oui, il paraît.

Il se rendit chez un marchand de salles de bains le lendemain, à l'heure du déjeuner, et on lui présenta quantité de brochures. Il en croyait à peine ses yeux. Ainsi, il avait rêvé pendant des années, sans aller voir ce qui se faisait.

Compactsauna. C'était le plus petit modèle, qui ne nécessitait qu'une hauteur normale sous plafond et une surface au sol correspondant à une baignoire. Le générateur de vapeur était installé au plafond et on s'asseyait sur un banc en bois, adossé à une paroi lambrissée, les pieds posés sur un second banc. Quand on avait fini, on repliait les bancs contre le mur et on se retrouvait soudain dans un grand espace de douche. Des carreaux au sol et sur les murs, une belle armature. Si, en outre, il faisait déplacer un peu le lavabo, il aurait de la place pour la version en coin, qui était encore plus spacieuse.

En ressortant de la boutique, il éprouva un énorme soulagement mêlé à une attente toute puérile, il savait qu'il ne pourrait s'empêcher de sourire, c'était un miracle.

Il n'avait plus besoin de déménager.

Ils viendraient prendre les dimensions exactes, ce n'était plus qu'une question de temps avant que le rêve ne devienne réalité, et il aurait tout ce dont il avait besoin au monde.

– Merci, mon Dieu ! murmura-t-il.

Il avait tellement de raisons d'être heureux, la conversation avec Tor la veille, au cours de laquelle ils s'étaient souri, le fait que Tor ait proposé à Krumme de revenir, qu'il y avait peut-être de l'espoir pour eux. La soirée de la Saint-Sylvestre lui revint subitement et il se rembrunit un peu, mais Erlend avait sans doute oublié, ou peut-être n'avait-il pas entendu, avec tout le bruit qu'on faisait autour de lui.

Il allait acheter des viennoiseries et les apporter au bureau pour accompagner le café de l'après-midi. Les dames seraient contentes, elles travaillaient dur, il devrait les augmenter, pas beaucoup, mais suffisamment pour qu'elles comprennent qu'il les appréciait. Il entra dans la boulangerie de Byhaven.

– J'en voudrais trois comme ça, avec des noisettes et du chocolat dessus. Et peut-être aussi trois beignets. Fourrés à la confiture.

Elle s'enflammait dès qu'il portait sur elle ce regard particulier qu'elle avait appris à reconnaître désormais, quelque chose dans ses yeux, plissés, plus sombres, comme ceux de Styrk, un des jeunes mâles qui ressemblait le plus à un loup. Depuis la nuit qu'elle avait passée chez elle deux semaines auparavant, allongée dans le noir, persuadée que c'était fini parce qu'il ne répondait pas à ses SMS, ayant le sentiment d'être une femme qui insiste, s'accroche, et que tout homme cherche à éviter, quelque chose avait changé.

Il avait dit ensuite qu'il avait gagné plus de deux cent mille couronnes cette nuit-là. Elle ne comprenait pas que ce soit possible, elle savait que ce genre de choses existait, mais elle n'y croyait pas vraiment. Quand il lui téléphona à la clinique un jour, en pleine opération de la rétine sur une chienne boxer, c'est à peine si elle pouvait tenir la pincette sans bouger pendant qu'Anja allait recoudre. Elle avait choisi une mélodie particulière pour son appel et enfoncé son portable dans la poche de son pantalon.

– Sonnerie spéciale, remarqua Anja.

Elle ajusta la lampe avant de prendre le premier bouton qui servirait d'arrêt aux points de suture entre la rétine et la paupière.

– C'est la musique d'un film, dit Torunn.

– Je l'ai déjà entendue, mais je ne trouve pas ce que c'est.

– *Le Bon, la Brute et le Truand.*

Mais lui, il n'était toujours que le premier. Il lui préparait à manger et comptait sur elle quand il lui passait un coup de fil pour qu'elle vienne, et elle venait. Lorsqu'il disait qu'il devait travailler, elle le laissait tranquille car il allait gagner des mille et des cents.

Sa voiture avala les derniers virages entre les sapins hauts comme des tours. Fraîchement douchée, Torunn avait passé un jean et un pull propres, une veste en peau The North Face toute neuve, un peu plus rêche que ses autres vêtements de plein air ; elle était sûre qu'il aimerait. Elle était un peu en retard, du fait d'une consultation chez la famille de Néron. Le chiot avait mordu la petite fille et grogné méchamment à l'adresse de tous les autres, à tour de rôle. Elle leur avait conseillé de retourner l'animal à l'éleveur, mais, comme ils étaient déjà bien trop attachés à lui, ils avaient décidé de prendre le taureau par les cornes. En fait elle avait bien envie de téléphoner à l'éleveur et de lui dire sa façon de penser. Il avait forcément remarqué que Néron, tout chiot déjà, était un individu à dominante alpha, et jamais au grand jamais il n'aurait dû le vendre à une famille avec de jeunes enfants qui achetait un chien pour la première fois.

Soudain un lièvre traversa la route, il n'était qu'à quelques centimètres de la voiture lorsqu'elle donna un coup de volant pour l'éviter, mais elle vit dans le rétroviseur qu'il continuait à bondir, sain et sauf. Heureusement qu'elle roulait avec des pneus cloutés et qu'elle avait nettoyé les phares à l'avant, car il n'y avait aucun éclairage public.

Elle pensait rester toute la nuit, mais si jamais il devait travailler…

C'était déjà arrivé, ça aussi, qu'il reçoive un e-mail au cours de la soirée et que son regard devienne distant. Un regard cupide, comme elle l'appelait secrètement. Quand il recevait un mail important, il en était averti sur son portable, et il n'éteignait celui-ci que lorsqu'il menait ses chiens.

Elle avait du mal à comprendre. Il avait abandonné les requins de la finance pour s'occuper de chiens, mais il était disponible sur Internet à partir du moment où les chiens étaient rentrés au chenil et nourris. Était-ce ça, la liberté ? Alors qu'on était toujours en plein travail quelque part dans le monde et qu'il savait toujours quelle heure il était là-bas ? Or ces deux dernières semaines elle n'avait couché que trois nuits chez elle, dans son propre lit, et il occupait ses pensées toute la journée quand ils n'étaient pas ensemble. Néanmoins elle ne mentionnait jamais Christer dans les conversations obligées qu'elle avait avec sa mère au téléphone, au cours desquelles elle était lasse de répéter que Cissi avait tout avantage à ce que Gunnar et elle vendent la maison et qu'ils se partagent la somme. C'était pourtant la maison de son enfance, mais elle n'y songeait pas un seul instant. Elle était trop vieille pour se raccrocher aux valeurs affectives de l'enfance, tout en sachant que ça ferait tout drôle de vider le grenier, où étaient empilées des caisses et des caisses pleines de souvenirs. Des peluches et des albums, des dessins et des cahiers d'écolier. Des habits aussi, des skis et des patins, une luge en plastique, et sa première chaise traîneau que

Gunnar avait peinte en rouge vif pour que personne ne la lui vole.

Elle n'avait pas parlé avec Gunnar depuis le jour où il avait plaidé pour sa propre cause, au café. Elle n'en avait pas le courage, même s'il avait laissé plusieurs messages sur son répondeur. Elle comprenait intuitivement qu'il voulait son soutien pour la vente de la maison. Il aurait dû savoir qu'elle abondait dans son sens, de toute façon. Sa mère était une belle femme, et à partir du moment où elle aurait digéré l'ignominie, elle s'épanouirait, exactement comme disait Gunnar. Et trouverait sans doute aussi un emploi. Elle avait des amies aisées qui étaient employées dans des galeries d'art ou des petites bijouteries, en dehors de leurs heures de bénévolat au sein du Rotary et d'Inner Wheel. Elle ne resterait pas à se tourner les pouces, ce n'était pas son genre. Pendant toutes ces années de « femme au foyer », comme on dit, elle avait eu plus d'un chat à fouetter. Elle avait, entre autres, été guide touristique à Oslo pour des loges féminines et autres groupes bien-pensants. Mais elle ne prenait guère de rémunération en échange, puisqu'elle n'était pas dans le besoin. Désormais elle serait forcée de se faire payer. Elle n'était pas si à plaindre que ça, se consolait Torunn pour la énième fois. Mais il fallait que Cissi elle-même finisse par s'en convaincre.

Les coups de fil obligés à son père, Torunn y veillait aussi. Ils allaient avoir une nouvelle aide ménagère, ce qui n'était pas de leur goût, et c'était apparemment le seul nuage dans le ciel bleu à la ferme. Mais vu la rapidité avec laquelle son père s'était adapté à la première, il ne devrait pas y avoir de problème avec la prochaine non plus.

Les chiens avertirent de son arrivée par des aboiements et de longs hurlements, tout en se jetant contre le grillage. Cinq d'entre eux, dont Luna, sortirent de leur cage, les autres restèrent à l'abri et aboyèrent en chœur, tout excités, y compris ceux qui n'arrivaient pas à la voir.

– Bonjour ! C'est seulement moi !

Elle se hâta vers le grillage, passa les doigts par les trous et approcha son visage tout près. Les chiens la léchèrent partout où ils pouvaient l'atteindre. Ils essayaient tous de sauter plus haut les uns que les autres.

– Ma petite Luna, comme tu es belle... !

C'était dommage qu'ils ne puissent pas les prendre longuement avec eux à l'intérieur, mais les chiens se mettaient alors à haleter désespérément. Leur fourrure était conçue pour le froid à cette époque de l'année. Même le soir de la Saint-Sylvestre, quand Luna était venue pour faire la police, on l'avait très vite attachée dehors et elle s'était pelotonnée avec plaisir dans la neige glacée.

Il l'accueillit à la porte, la prit dans ses bras et l'embrassa rapidement sur le front, les joues et la bouche.

– Tu restes pour la nuit ? murmura-t-il dans ses cheveux.

– Volontiers. Si tu veux bien.

– Je veux bien. Belle veste. Une nouvelle ?

– Non. Je l'ai achetée l'automne dernier.

Il fit un ragoût avec de la sauce en sachet, de la viande hachée et du riz, mélangea le tout dans une casserole. Cela n'avait pas grand goût, mais c'était lui qui l'avait préparé. Il versa du vin rouge dans les verres, il y avait une bonne flambée dans la cheminée. Elle avait éteint son portable au moment de garer la voiture. Maintenant elle se sentait heureuse et chez elle, savourant l'instant présent, ensemble. Davantage « ensemble » qu'avec quiconque auparavant. Le vin la poussa à demander bêtement :

– Pourquoi tu m'aimes bien, au fond ? Moi, plus spécialement ?

Il haussa les épaules, se mit à rire un peu, avala une gorgée.

– Parce que toi, tu m'aimes bien, peut-être ? Moi et mes chiens ?

Ils ne parlaient jamais de l'avenir, vivaient au jour le jour, mais jamais en tant que couple, si ce n'est qu'ils étaient ensemble au chalet. Elle n'en ressentait cependant aucune frustration puisqu'elle ne voulait pas le partager avec d'autres, quand bien même elle aurait trouvé amusant de le présenter, de s'afficher avec ce nounours mâle, de détecter la jalousie chez les autres femmes.

– À quelle heure devras-tu te lever ? demanda-t-il.

– Sept heures.

– Alors on pourrait bien aller au lit.

– Mais il n'est que huit heures et demie, dit-elle en souriant.

– Justement.

Et il était là, le regard de loup.

Lorsque, beaucoup plus tard, il se leva pour aller chercher deux verres de vin et les apporta au lit, elle commença à parler d'Erlend.

Elle avait beaucoup de mal à l'avoir au bout du fil, mais ça faisait déjà quinze jours qu'il lui avait dit que Krumme et lui se faisaient la tête. Les rares fois où elle l'avait eu en direct et non sur le répondeur, il était occupé et n'avait pas le temps de discuter, mais tout allait bien, aucune raison de s'inquiéter, il était en train de préparer de nouvelles vitrines, Pâques et le printemps arrivaient à grands pas, il avait un million de tâches à mener à bien, disait-il. Mais il n'insistait plus pour qu'elle vienne à Copenhague, et elle trouvait ça bizarre.

Elle n'avait encore jamais parlé d'Erlend à Christer. Tout ce qu'il savait de sa famille, c'était que sa mère venait d'être plaquée par son mari et que son père avait une ferme à Bynes, tout près de Trondheim. Il ne s'était même pas enquis de l'activité exacte de son père : des vaches, des porcs, des moutons, des céréales, des pommes de terre ou des fraises, ou bien tout à la fois.

Mais là, baignant dans l'amour et la volupté au point de souhaiter la pareille à chacun dans le monde entier, la pensée d'Erlend et de Krumme la peina et les mots lui vinrent tout seuls.

– Alors, comme ça, il est homo, fit Christer au bout d'un moment.

– Oui. Et tu sais, on est presque du même âge, il a à peine trois ans de plus que moi, donc il ne me fait pas l'effet d'un oncle. C'est presque comme un frère. Je n'ai jamais eu de frères et sœurs.

– Et son compagnon et lui se chamaillent ?

– Oui, il s'est passé quelque chose et je n'aime pas ça. J'y songe souvent. Quand je ne pense pas à toi, je pense à eux. Ils vont tellement bien ensemble !

Elle était couchée sur son bras, nuque en sueur contre bras en sueur, elle sentait l'odeur de son aisselle, le drap sous eux était moite, il n'était pas plus de onze heures et demie, et la nuit était longue. Elle se souleva sur un coude et but une gorgée de vin au verre posé sur la table de chevet, elle dut se pencher au-dessus de lui, il lui caressa les seins.

– Le monde est plein d'homos, dit-il.

– Qu'est-ce que tu veux dire ?

– Cet Erlend… ton oncle. Il s'en trouvera un autre. C'est ce qu'ils font continuellement, dans les saunas et les lieux publics. Ces gars-là ne tournent pas autour du pot. George Michael utilisait les pissotières pour draguer. Tu imagines un peu ? Tu es millionnaire et tu dragues un type dans une pissotière ! Mais il faut dire que ça a fait vachement de bruit. Son contrat avec la maison de disques en a fait les frais, sa sucette lui a coûté cher.

– Ce n'est pas exactement pareil. Erlend et Krumme vivent ensemble depuis douze ans, rétorqua-t-elle.

– Bah, ils ont sûrement d'autres copains. Les couples homos ont des relations très ouvertes.

– Tu m'as l'air bien au courant, dit-elle. Mais je crois qu'ils sont très fidèles l'un comme l'autre.

– Oui, oui. Si tu le dis.

– C'est pour ça que c'est triste. Si quelque chose vient à les séparer.

– Sans aucun doute, conclut-il.

Elle était restée allongée, à regarder le plafond. La porte du salon était ouverte, elle l'entendit remettre des bûches dans la cheminée en allant rechercher du vin. Elle savait qu'elle ne devait rien dire de plus.

– Tu trouves que ce serait plus triste si c'était un couple hétéro qui avait des problèmes au bout de douze ans ? demanda-t-elle cependant.

– Ce serait plus naturel, en tout cas.

Elle ricana un peu et ajouta, avant de se hâter de l'embrasser :

– Tu es homophobe, ou quoi ?

– J'estime seulement que ce n'est pas tout à fait normal. Surtout quand je pense à la façon dont ils le font.

– Alors évite d'y penser !

– Mais c'est répugnant. Je trouve ça répugnant.

– Personne ne te demande d'en faire autant, dit-elle.

– Non, mais je ne me sentirais pas à l'aise en pareille compagnie.

– De qui ?

– Des homos.

– Tu crois qu'Erlend t'aurait violé, hein ? fit-elle en riant.

Elle sentait battre son cœur, il devait s'en rendre compte, lui aussi, elle avait l'impression d'avoir un piston à l'intérieur du corps.

– Non. Mais peut-être flirté un peu. J'en aurais dégueulé.

– Mon Dieu, Christer…

– Je te le dis simplement comme je le ressens. J'aurais dégueulé.

Ils cessèrent de faire l'amour. Elle alla aux toilettes et y resta longtemps, comptant les nœuds du lambris, et quand elle revint, il s'était endormi. Elle pensa aux cinq chiens dans le chenil, ils n'étaient pas rentrés dans leur cage. Elle s'habilla et sortit.

Ils savaient eux-mêmes qui allait où, et, fatigués, ils retrouvèrent leur coin de paille avec satisfaction. Elle s'accroupit près de Luna et la caressa longuement.

– Ma belle petite… C'est un sacré macho, ton maître. Je me demande même s'il ne serait pas un peu homo lui-même.

Luna remua la queue et lui lécha le poignet.

Elle ferma la cage, se redressa et contempla le ciel. Un léger voile d'aurore boréale glissait au-dessus des collines. Ce n'est pas grave, pensa-t-elle, on peut être en désaccord sur des tas de choses quand on s'aime. Elle aurait toutefois préféré que ce ne soit pas justement ce sujet-là. Mais plutôt la politique ou la religion, ou le bien-fondé d'une chimiothérapie à dix mille couronnes pour un chat. Absolument tout, sauf ça.

Elle était chaudement vêtue. La voiture était là. Elle hésita un instant, puis elle rentra dans le chalet, se déshabilla et se faufila sous la couette à côté de lui. Il ne se réveilla pas. Il respirait comme d'habitude, tout était finalement comme d'habitude.

La nouvelle aide familiale devait venir aujourd'hui. Il avait l'impression que c'était hier qu'il redoutait d'avoir une étrangère à la maison, et c'était reparti pour un tour. Il se rassura lui-même à l'idée qu'au fond tout s'était quand même bien passé la dernière fois, et que l'aspirateur pouvait encore servir. Cela dit, à qui aurait-il affaire cette fois-ci ? Il y avait même des hommes parmi les aides familiales, avait-il entendu dire à la radio. Heureusement qu'Erlend avait passé quelques jours à Noël, il serait ainsi moins choqué de voir s'affairer un homme en tablier.

Après les soins matinaux des porcs, il allait s'occuper des rats, il en avait des haut-le-cœur. Il supportait tout sinon, le lisier, le placenta, les aliments moisis dans le frigo, il buvait même du lait tourné sans sourciller plutôt que de le jeter dans l'évier, et il fourrait les rares caleçons du père dans la machine à laver sans remuer une narine. Mais ça… les rats crevés dans les murs… Une odeur douceâtre qui rappelait un peu celle du pain sortant du four, si on ignorait de quoi il s'agissait.

Ils commençaient à venir jusque sur le plancher de la grange maintenant, se traînaient jusqu'à ce qu'ils s'écroulent, la gueule ensanglantée. Le poison devait contenir du verre pilé, ils étaient entaillés de l'intérieur. Bien fait pour eux ! Envahir de la sorte l'œuvre de sa vie. Si un inspecteur du Service d'hygiène venait mettre son nez par ici, il risquait l'interdiction d'envoyer ses porcs à l'abattoir.

Il en découvrit deux à côté du tracteur et glissa une pelle par-dessous. Les pièges étaient vides, comme d'habitude, avec des flocons d'avoine dedans. Il en trouva un troisième à l'entrée de la porcherie à nouveau barricadée et un dernier près de la Volvo. Il emporta dehors la pelle d'où pendaient leurs queues et s'en fut derrière la grange jeter les cadavres sur le tas des ordures qu'il brûlait. C'était là qu'avait fini le matelas de sa mère, là que finissaient tous les porcelets morts. Heureusement, il avait sauvé les deux petits de Trulte en leur donnant des bains chauds. Jamais il n'aurait cru qu'un simple seau d'eau chaude, matin et soir, pendant plusieurs jours, aurait suffi.

Il arrosa les corps des rats de kérosène et craqua une allumette, avant de retourner dans la grange et de se laisser guider par son odorat. L'odeur des rats crevés tranchait de façon écœurante avec celle de la porcherie dont la chaleur accélérait leur décomposition une fois qu'ils s'étaient couchés pour mourir le long des poutres à l'extérieur. Il les atteignait en montant sur un escabeau et en enfonçant la pelle de façon à récupérer, en raclant vers lui, la pourriture visqueuse avec des bouts de pelage. Et quand la chaleur reviendrait au printemps, Dieu seul savait combien il en découvrirait encore derrière les planches. À moins que le gel ne les dessèche, espérait-il.

Parfois il se disait que c'était un combat perdu d'avance, il ne parvenait pas à les empoisonner assez rapidement, il aurait besoin d'aide. Mais il rejetait l'idée tout aussi vite. Elle impliquait la défaite, personne ne devait savoir. Il s'était étonné par la suite d'en avoir parlé à Margido. Et ce que Margido lui avait dit à propos d'Erlend l'avait étonné tout autant. Lui, il avait cru que c'était Jésus en personne qui avait déclaré que les hommes ne devaient pas coucher avec les hommes.

Il déposa la masse abjecte par terre, cela devait correspondre à deux ou trois rats, il lui faudrait désormais vérifier cette poutre tous les jours, les prendre avant qu'ils ne pourrissent. Il emporta cette horreur jusque dans le feu et ajouta un peu de kérosène. Après quoi il enfonça violemment sa pelle à plusieurs reprises dans la neige, pour la nettoyer. Dans la buanderie, il se lava les mains à l'eau froide et au savon, jusqu'à ce qu'elles soient rouge vif. Il ôta la vieille combinaison qu'il avait utilisée pour cette tâche et l'accrocha dehors avec son outil. Il fallait éviter tout contact entre les rats et ses porcs. Il y avait les mouches, évidemment. Mais aucun éleveur de porcs sur les terres verdoyantes de la Création ne pouvait venir à bout des mouches.

Un chat. Il devrait pouvoir emprunter un ou plusieurs chats. Il les enfermerait dans la grange la nuit. Pas de chatons, car les rats les égorgeraient. Non, il fallait un matou aguerri, mais où allait-il le trouver ? Il pourrait peut-être téléphone à Røstad et lui poser la question, un vétérinaire devait savoir ça.

Lorsque la voiture arriva dans la cour, ils étaient assis comme avant, lui à la table de la cuisine, le père dans le salon. Celui-ci n'était absolument pas aussi impatient que la dernière fois.

– C'est une dame d'un certain âge, commenta Tor.

Il la regarda sortir son attirail de l'arrière de la voiture tout comme l'avait fait l'étudiante en droit.

– Ah, bon ! dit le père.

– Grosse.

– Ah, bon !

– Elle a bien l'air d'une aide familiale. À l'ancienne mode.

– Oh là là ! grogna le père.

– Oui, c'est de ta faute.

– Marit Bonseth, dit-elle pour se présenter, après avoir déposé son chargement dans le couloir.

– Tor Neshov.

Elle transpirait déjà, remarqua-t-il, rien que de porter tout ça depuis la voiture. Cheveux châtains bouclés, légère moustache au-dessus des deux coins de la bouche, sourcils se rejoignant comme ceux d'un homme, la cinquantaine s'il devait parier, une énorme poitrine sous une veste en tricot qu'elle avait peine à boutonner.

– Un ancien évier bas, je n'en avais pas vu depuis longtemps ! J'ai grandi à la ferme de Fosen, moi, vous savez. Mais maintenant tout est rénové là-bas, depuis que mon frère a repris l'exploitation. Ils ont même un casier à bouteilles sur la hotte électrique au-dessus des plaques de cuisson. Vous n'avez pas de hotte, vous.

– Non. Nous avons des fenêtres.

Elle aperçut le père par la porte ouverte du salon.

– Marit Bonseth, répéta-t-elle.

Elle se dirigea résolument vers lui, la main tendue. Le père souleva à peine les fesses et se présenta, jetant en même temps un regard effaré à Tor.

– Prendrez-vous un café ? demanda Tor.

– Oui, ce ne serait pas de refus avant de commencer.

La chaise de cuisine en formica et tubes d'acier grinça lorsqu'elle s'assit.

– J'ai des biscuits, dit-il.

– Alors j'en veux bien.

– Et du sucre ?

– Aussi. Et c'est du vrai café dans la bouilloire, à ce que je vois.

– On n'a pas de cafetière électrique, dit Tor.

– Tant mieux pour vous ! Rien ne vaut un véritable café.

Elle regarda autour d'elle, fourra un biscuit dans sa bouche avant même qu'il lui ait rempli sa tasse.

– Je me sens chez moi ici, reprit-elle. C'est exactement dans une cuisine comme ça que j'ai grandi. Une bonne vieille cuisinière à bois aussi. Je me rappelle encore quand maman a eu sa première cuisinière électrique. Tout passait par-dessus.

Ses éloges auraient dû lui faire plaisir, mais ce n'était pas le cas et il ne savait pas vraiment pourquoi. Elle donnait l'impression d'occuper toute la cuisine et ce n'était pas pour ça qu'elle était venue.

– J'ai l'habitude d'aller à la porcherie quand l'aide… ménagère est ici, dit-il. Et à l'étage, vous n'aurez que la salle de bains à faire. On s'occupe des chambres nous-mêmes.

– Tiens donc ! Et pourquoi ça ? Je peux quand même bien défaire les draps et laver les planchers ?

– Non, ce n'est pas la peine.

– Je viens ici faire le ménage, c'est mon travail, il ne s'agit pas de savoir si c'est la peine ou pas, répliqua-t-elle en souriant.

– Mais vous n'avez pas à le faire, dit-il.

– Qu'est-ce que vous avez donc là-dedans ? Pour que ça vous fasse si peur ?

Elle rit à gorge déployée, ses plombages en argent étincelaient, à moitié recouverts de biscuit.

– On s'en occupe nous-mêmes, martela Tor en se levant. Maintenant je m'en vais voir mes porcs.

Après avoir refermé la porte de la porcherie derrière lui, il en voulut longtemps au vieux qui était à l'origine de tout ça, à force de réclamer qu'on l'envoie en maison de retraite. Mais ici, au moins, il pouvait venir, pas son père. Celui-ci ne faisait plus que s'occuper du bois et, ces derniers temps, il ne s'acquittait de ce labeur que plus rarement. C'était assez compréhensible, malgré tout, couper du bois était un travail pénible. Il avait beau être débité, il fallait encore le fendre. En fait, Tor était même étonné que le père y soit parvenu si longtemps. Il l'imagina, levant la bûche au-dessus de sa tête pour l'envoyer sur le billot, puis la faire voler en éclats. Il l'avait peut-être sous-estimé. Ou surestimé, laissant trop de choses reposer sur les épaules d'un vieillard comme lui. À l'avenir, il l'aiderait un peu pour le bois.

Il s'approcha de la lucarne et jeta un coup d'œil vers la maison. Les fenêtres de la cuisine étaient déjà de nouveau embuées, et le père en franchissait justement le seuil, avançant péniblement en direction de la remise, en chaussons de feutre, la bassine en zinc à la main. Il se dépêchait manifestement. Ils n'avaient plus affaire à une fille de la ville avec des bouchons dans les oreilles. Celle-ci venait de Fosen, qui plus est. De souche paysanne. On n'aurait pas pu imaginer pire étrangère.

Son regard se posa sur le placard, il l'ouvrit, sortit la bouteille avec un fond d'aquavit, dévissa le bouchon et la porta à ses lèvres. Il fit cul sec, il n'en restait pas beaucoup, mais quand même une bonne gorgée. Puis il se rinça la bouche à l'eau froide sous le robinet. Il attendit la sensation de chaleur et elle survint, associée à celle de légèreté. Et à un tout petit rire en pensant à leur visiteuse. Il avait envie d'appeler Margido pour le lui raconter, peut-être devrait-il se procurer un de ces téléphones portables, ce n'était pas plus compliqué qu'un simple fixe, d'après Torunn. Au lieu de raccrocher, on appuyait sur la touche rouge, et au lieu de décrocher, sur la verte. Il pourrait parler avec elle depuis la porcherie. Mais il se rappela soudain qu'il ne lui avait rien dit de cette histoire de rats. Et si un rat surgissait tout d'un coup, qu'il se mette à crier et se trahisse ?

Il regarda à nouveau par la lucarne. La porte de la remise était entrouverte, le père y était encore. Seraient-ils obligés de se cacher dans la porcherie et la remise une fois par semaine ? Il éclata de rire, et rigola de plus belle à l'idée qu'il était là en train de rigoler. Il alla chercher la bouteille avec le reste de snaps danois, qu'il avala pareillement d'un trait. Ça faisait du bien après tout ce qu'il venait de faire, et cette eau était excellente pour le mélange après coup. Ils avaient de la bonne eau à Neshov, personne ne pouvait dire le contraire. Il retourna à la lucarne et eut le souffle coupé. C'était elle, elle venait ici. Ici ! Personne n'entrait ici, sauf le vétérinaire et Torunn. D'un bond il fut à la porte et l'ouvrit brutalement.

– Alors quoi ?

– Mais voyons, qu'est-ce qui vous arrive ?

– Qu'est-ce que… qu'est-ce que vous voulez ?

– Téléphone pour vous. Une certaine Torunn.

– Dites-lui que je la rappellerai plus tard.

– Entendu. Mais vous pourriez être aimable au moins, alors que je me donne la peine de vous prévenir.

– Excusez-moi, je n'avais pas l'intention de… J'étais seulement un peu surpris.

– Bon, dit-elle en pinçant les lèvres.

Elle tourna sur ses talons et repartit. Elle s'était changée et portait maintenant une blouse bleue avec une rosette derrière le cou et sur les reins. Ses gros bras étiraient les manches courtes de son gilet. Arrivée au milieu de la cour, elle cria en se retournant dans sa direction :

– Vous ne mettez pas les mêmes vêtements à la porcherie et à la maison, j'espère !

– On n'a pas le droit, lança-t-il. Il y a des règles à suivre pour éviter la contamination, vous savez !

– Vous comprenez bien ce que je veux dire, répliqua-t-elle. Ne faites pas l'innocent !

Il alla chercher une des bières qu'il avait mises à dégeler devant la couveuse, et l'ouvrit. Ça ne faisait même pas une heure que cette aide familiale était là et elle l'avait déjà fait s'excuser et engueulé pour sa tenue à la porcherie. Jamais il n'entrait à la maison avec sa combinaison, mais il n'était pas trop regardant pour le reste, et l'odeur s'imprégnait jusque dans les sous-vêtements.

À Fosen, ils changent sûrement de slip quand ils se sont occupés des bêtes, pensa-t-il, je vois tout à fait le tableau. C'est bien une femme ! Sa mère aussi le récriminait pour l'odeur des porcs.

– Et merde, c'est l'odeur qui me permet de vivre ! s'écria-t-il.

Il tapa sur la paillasse du plat de la main. Puis il vida la bouteille d'un long trait, rota sans retenue et regagna la lucarne. La porte de la remise était entrebâillée, le père avait dû entendre leur conversation et se régaler. Il devait être gelé là-dedans, sans même de quoi boire.

– Maison de retraite. Je t'en ficherai des maisons de retraite, moi ! Nom de Dieu, je refuse de voir pareille furie s'éterniser ici…

Il ouvrit brusquement la porte de la porcherie, marcha d'un pas décidé vers la remise, y entra en coup de vent, sentit l'ivresse lui peser comme de l'acier sur la langue. Le père était assis sur le tas de bois et une peur bleue se lisait sur son visage au moment où Tor surgit dans la pénombre.

– C'est seulement moi, dit Tor.

– Dieu merci !

– On sait à qui la faute.

– Oui.

– Pourquoi est-ce que tu te caches là-dedans ?

– Elle m'a dit d'aller prendre une douche, murmura le père.

– Mais ce n'est pas ça que tu voulais ? Aller en maison, exactement pour qu'on te dise ça ?

– Non, je ne veux pas.

– Qu'est-ce que tu ne veux pas ?

– Je… Je n'en sais rien.

Soudain Tor éclata de rire, le père fit un sourire de travers, stupéfait, les yeux rivés sur lui, tout en soufflant sur ses doigts. Il était pris de fou rire, obligé de se tenir les côtes, bien incapable de se rappeler la dernière occasion où il avait aussi bien ri, si jamais il y en avait eu une. Mais tout ça était si ridicule, le père sur le tas de bois, lui-même dans la porcherie, la bonne femme de Fosen dans la cuisine qui se lamentait au-dessus d'un vulgaire évier bas.

– On rentre, déclara-t-il enfin en s'essuyant les yeux. On rentre et on lui dit que ce n'est pas elle qui porte la culotte ici. Cette… cette…

– Marit Bonseth, dit le père.

– Cette Marit Bonseth n'a qu'à bien se tenir !

– Tu as bu un coup ?

– Non. Viens ! On rentre.

– Il nous faut du bois.

– Je m'en charge, dit Tor. Pousse-toi !

C'est à la troisième bûche que la hache dérapa et ressortit en biais en heurtant le tas de bois, avant de se planter profondément dans sa cuisse. Elle y resta fichée plusieurs longues secondes puis tomba sur le dallage, la lame ensanglantée.

Il baissa la tête et contempla, bouche bée, le sang jaillir de son pantalon. Le père tournait le dos et ramassait le bois fendu de la bûche précédente qu'il déposait dans la bassine.

– Je… je…

Le père se retourna et fixa des yeux sa cuisse, puis son visage, leurs regards se croisèrent.

– La porcherie, dit Tor.

C'était tout ce à quoi il pensait. La porcherie. Pas la cuisse.

– Je vais la chercher ! fit le père d'une voix stridente.

Il se fraya un chemin et sortit de la remise, en longues enjambées mal assurées.

– Au secours ! cria-t-il avant même d'avoir passé la porte. Au secours ! Marit Bonseth !

Tor s'écroula par terre, tenta d'arracher l'étoffe du pantalon, n'y parvint pas, perdit un peu connaissance. Quand il reprit ses esprits, ils étaient tous les deux penchés au-dessus de lui, elle avait des torchons de cuisine à la main.

Il leva les yeux vers elle sans rien dire, la vit déchirer les torchons en bandelettes, comme s'ils étaient en papier. Puis elle déchira la jambe du pantalon et fit un garrot de part et d'autre de la blessure. Il évita de regarder. Puis elle noua un autre torchon qu'elle serra autour de toute la cuisse.

– Allez, en route ! dit-elle en se redressant.

– En route ? Pour aller où ?

– À l'hôpital.

– Mais on ne peut pas seulement… ? Vous n'allez pas…

– C'est bien trop profond. Relevez-vous maintenant ! Je vous emmène, vous comprenez.

– Non ! Je ne peux pas quitter la porcherie !

Elle lui agrippa le bras et commença à tirer.

– NON, je vous ai dit !

– Tu dois y aller, Tor, fit le père.

– Toi, tu ne bouges pas d'ici, dit-il.

– Bon.

– Et il faut que… Téléphone à Margido ! Non… téléphone…

– Debout maintenant ! cria-t-elle. Vous ne pouvez pas rester comme ça ! Vous saignez comme un cochon ! C'est entaillé jusqu'à l'os !

Il la laissa le relever, tout tournait, il prit le père par l'épaule.

– Il faut que tu téléphones à Røstad, demande-lui de trouver un remplaçant pour ce soir ! Après je m'arrangerai moi-même. Tu as compris ?

– Oui, répondit le père.

– Je n'ai jamais eu de remplaçant, dit Tor.

Il regarda Marit Bonseth droit dans les yeux. Leurs deux visages n'étaient qu'à quelques centimètres l'un de l'autre, elle le tirait vers la voiture en le soutenant un peu.

– Jamais de la vie ! reprit-il. Je me suis toujours débrouillé seul.

– Vous empestez l'alcool.

Elle ouvrit la portière de la voiture, le poussa à l'intérieur et referma derrière lui. Il baissa aussitôt la vitre, la panique était en train de s'emparer de lui, surpassant la douleur et le choc. Tandis que Marit Bonseth courait chercher son sac, il fit signe au père, resté debout les bras ballants à la porte de la remise.

– Viens ici ! Allez, viens ! Dépêche-toi !

Le père s'approcha aussitôt, péniblement, comme s'il venait d'être ressuscité d'entre les morts.

– Quoi ?

Il murmura, tout en zieutant vers l'appentis :

– Va à la porcherie et entre dans la buanderie ! Enlève les bouteilles vides qui sont là. Deux bouteilles d'alcool et une de bière. Mets-les…

Il ne pouvait pas lui demander de les lâcher dans les vieux cabinets dehors, le père entendrait s'entrechoquer le verre.

– Mets-les tout au fond du placard du dessous !

– Tu as dit que tu n'avais pas…

– Fais ce que je te dis ! Dans l'allée centrale de la porcherie, il y a aussi des bières qui ne sont pas ouvertes. Mets-les aussi dans le placard, au même endroit. Et pas un mot à Røstad ou au remplaçant à propos des rats ! D'accord ?

Le père hocha la tête.

– Et tu ne téléphones pas à Margido !

– Non.

– Demain je serai à nouveau sur pied. On n'a pas besoin de l'embêter avec ça.

– Non.

Marit Bonseth était revenue, elle prit place dans la voiture, dut rouvrir la portière parce qu'un pan de son manteau était resté coincé.

– Fermez la vitre ! ordonna-t-elle. Il fera beaucoup trop froid quand on va rouler. Vous transpirez ? Ou vous êtes gelé ? Il se peut que vous ayez eu un choc, en fait.

– Je vais très bien. Vous pouvez démarrer, dit-il en remontant la vitre.

Elle prit la route. Rapide et résolue dans les virages. Il regarda droit devant lui un moment, puis observa le torchon de cuisine à carreaux autour de sa cuisse. Le sang perlait au milieu du tissu et coulait sur le revêtement du siège. C'était du skaï, mais il était poreux et le sang s'infiltrerait dans le rembourrage. Il tourna la tête dans sa direction, elle répondit rapidement à son regard.

– Ça va ? demanda-t-elle.

– Je n'ai jamais eu de remplaçant avant, dit-il. C'est vrai, je n'invente pas.

– Il faut bien une première fois.

Ses mains sur le volant étaient maculées de sang jusque sous les ongles.

– Excusez le dérangement ! déclara-t-il. Ça va salir le siège.

– Ça ira, ne vous en faites pas !

– Et je n'ai pas bu, ajouta-t-il.

– Je suis d'une famille de paysans et je ne suis pas née de la dernière pluie. Mais je n'ai pas l'intention de mentionner ça à qui que ce soit. Car je suis employée chez vous, après tout. Et ça pourrait être pire.

Il aurait pu lui opposer un tas d'arguments, mais il choisit de se taire. Il ferma les yeux et essaya d'éviter de penser aux rats et aux bouteilles vides.

Il trouva le bar le plus proche, commanda un double expresso, une bouteille d'eau gazeuse et une petite ciabatta avec du salami, de la feta et des olives noires. L'homme derrière le comptoir était jeune et basané, ventre à bière au-dessous d'un T-shirt noir moulant, sans motif sur la poitrine, mais affichant uniquement la marque Levi's sur une manche. Un jean serré, des doigts longs et fins qui avaient l'air solides, comme ceux d'un pianiste. Pas un anneau, ni au doigt ni à l'oreille, tout son être paraissait propre et pur. Erlend se sentit aussitôt un peu mieux en le voyant, mais il poussa malgré tout un soupir volontairement profond lorsque la beauté apporta le plat et la boisson sur un plateau noir circulaire, et qu'il posa le tout devant lui, y compris le ticket de caisse. Il adorait ces tabliers arrivant au genou qu'utilisaient les serveurs branchés, dont le derrière dépassait comme un petit pain à la cannelle bien levé.

– Quel soupir ! Est-ce que le monde est en train de s'écrouler ? Sans que je m'en sois aperçu, ici derrière les stores.

– Oui, effectivement, répondit Erlend.

Il prit le ticket de caisse et fit semblant de l'examiner.

– Dans quel état est-ce que vous seriez, vous, si un banal 24 février de merde, vous appreniez que votre idiot de grand frère, dans une ferme sinistre là-haut en Norvège, se coupe la jambe, et qu'en plus il laisse les rats envahir l'endroit ? Et que peut-être aussi, pour couronner le tout, il est devenu alcoolique parce que vous lui avez offert une bouteille de Gammel Dansk à Noël ?

– La pilule est dure à avaler, hein ?

Erlend s'empressa de lever les yeux vers lui. Flirtait-il ? L'homme croisa son sourire. Non, malheureusement, il souriait sans équivoque. Encore une chose à ajouter sur la liste des causes de profonde dépression.

– Vous pouvez le dire, extrêmement dure à avaler.

Erlend goûta l'expresso.

– Alors ceci est votre dernier repas avant de vous transformer en joueur de flûte de Hamelin ?

– Vous êtes fou ? Je ne m'en vais pas là-bas !

– Vous devriez pourtant. On n'attrape pas les rats avec une seule jambe.

– J'ai un autre frère. Là-haut. Il s'en occupe. Mais bon sang, pourquoi me gâche-t-il ma journée en me racontant tout ça ? Merde alors !

– Je crois que vous aurez bien besoin d'un cognac pour arroser cet expresso. Je vais en chercher un. Cadeau de la maison.

– Mais il n'est que deux heures, dit Erlend.

– Il est sûrement neuf heures du soir quelque part.

– À Shanghai.

– C'est vrai ?

– Oui, j'en suis absolument persuadé. Alors j'accepte volontiers. Et puisque j'ai pris un double expresso, il vaut mieux que vous m'apportiez un double cognac. J'en paierai naturellement la moitié.

Je veux dire… un sur les deux. D'ailleurs je peux vous en offrir un aussi, si vous me tenez compagnie.

– Je termine mon service maintenant.

– Vous voyez. C'est parfait. Dépêchez-vous !

Discuter avec un parfait inconnu, voilà qui lui convenait très bien. C'était comme appeler un numéro SOS où des voix sans visage étaient de garde et vous empêchaient de vous suicider, d'avorter précipitamment ou de massacrer vos proches à la hache. À bien y réfléchir, il entrait dans les trois catégories, encore que, en guise d'avortement, il s'agissait en fait d'empêcher une conception précipitée.

– Alors vous venez de Norvège ?

– Non, je suis venu de Norvège. Mais maintenant je vis ici. Et je m'appelle Erlend.

– Et moi Jorges. D'Algérie, via la France pendant de nombreuses années, Paris. Vous connaissez Paris ? demanda-t-il.

Il avait tendu la main pour le saluer, son toucher correspondait exactement à son apparence, une main robuste et chaude, capable d'être terriblement résolue. Elle aurait pu jouer les *Danses hongroises* de Brahms au lever du jour si elle avait voulu.

– On m'a servi du béluga avarié dans un restaurant des Halles un jour, dit Erlend.

Il retira sa main uniquement grâce à sa détermination monogame.

– C'est tout ce que j'associe à Paris, continua-t-il. La cuvette des toilettes et les motifs du carrelage dans la salle de bains de l'hôtel. C'était dans les tons noir, écru et vert chou. Je suis plus quelqu'un de New York ou de Londres. Je ne sais pas pourquoi, mais les Français me fatiguent énormément. Ils crient, ils gesticulent, ils me font penser aux gens de Bergen, mais ça ne vous dira pas grand-chose, et puis il n'y a rien derrière leurs cris, si vous voyez ce que j'entends par là. Ne vous offusquez pas pour ça ! Mais vous parlez presque parfaitement danois, Jorges.

– Merci. Et je suis hétéro.

– J'avais remarqué tout de suite, malheureusement. Mais je flirte toujours un peu, c'est dans ma nature. Ne vous offusquez pas pour ça non plus ! Dommage que vous ayez enlevé ce tablier, d'ailleurs, il vous allait à ravir.

– Je suis libre après deux heures.

– Mais il vous va bien. Portez-le jour et nuit ! Même au lit. Tablier et rien d'autre.

Jorges se mit à rire et ses dents étaient si blanches qu'il aurait dû offrir des lunettes pour éclipses de soleil à tous ceux à qui il était donné de les voir. Son palais était rose et strié, comme celui d'un chat.

– C'est vous qui flirtez maintenant, s'écria Erlend en ravalant sa salive.

– Je ris !

– Ça revient au même, si vous riez la bouche ouverte de cette façon.

– D'accord ! Je ne rirai plus. Alors comme ça, votre frère a perdu une jambe ? C'est plutôt dramatique. On l'a retrouvée ? La jambe ?

– Il ne s'est pas amputé, mais seulement entaillé jusqu'à l'os. Il a été hospitalisé hier et ils le gardent. Il leur fait une crise parce qu'il doit y rester plusieurs jours, il veut rentrer s'occuper de ses porcs, il élève des porcs.

– Il y en a sûrement d'autres qui peuvent s'en occuper à sa place ?

– Bien sûr, mais ça ne lui plaît pas. Les porcs, c'est tout ce qu'il a.

– Et ses frères.

– Euh… oui. Une autre pilule dure à avaler. Du passé. Qu'il ne faut pas remuer trop souvent. À la vôtre, mon beau jeune homme !

– À la vôtre !

Il prit un réel plaisir à voir la bouche de Jorges s'allonger vers le bord du verre. Ses cheveux frisés, noirs et luisants, donnaient l'impression d'être laqués, seule une boucle s'enroulait autour d'un de ses lobes d'oreille.

– Il me semble aussi qu'il est atteint d'un alcoolisme galopant, si j'en crois votre histoire de snaps du soir de Noël, dit Jorges en posant son verre.

– Mon père a cafté. Oui, en fait, ce n'est pas mon père, mais il a vendu la mèche à mon frère.

– Ce n'est pas votre père ?

– Non, mon demi-frère. Et il a vendu la mèche à mon frère, qui a fait le tour de la porcherie et qui a découvert des bouteilles vides dans les placards. Et dehors, dans les cabinets.

– Alors il boit dans la porcherie ? C'est bizarre, non ? On fait ça en Norvège ?

– Il ne pouvait pas boire à la maison, à cause de ma mère.

– Elle aussi est votre demi-frère, je suppose ?

– Non. Mais à la ferme, quand on boit, il ne faut pas être vu. Un point c'est tout.

– Je vais chercher davantage de cognac.

– Très volontiers. Mais dans ce cas-là, mettez votre tablier ! Après tout, c'est presque comme si vous étiez au boulot.

Il se renversa en arrière. Il n'avait pas touché à son assiette, la ciabatta paraissait sèche, les tranches de salami qui dépassaient étaient foncées, luisantes et recroquevillées sur les bords. En fait il rentrait à l'appartement quand Margido avait appelé. Et Margido était tellement hors de lui qu'il n'était pas question de plaisanter à propos de la Saint-Sylvestre, de son rencard ou de quoi que ce soit. La vitrine d'une papeterie de Nørrebro était maintenant harmonieusement décorée de papier japonais fabriqué à la main, de pinceaux de calligraphie et de signes japonais qu'il avait fait agrandir et imprimer en rouge et en noir sur du papier de riz en toile de fond. Une simple orchidée blanche était le seul décor en dehors des produits exposés et de la toile de fond. C'était une toute petite vitrine, il n'y avait pas beaucoup de place, mais ils voulaient qu'elle dénote une grande qualité, et qui appelait-on alors, sinon Erlend Neshov ? Tout autre aurait surchargé la vitrine jusqu'au mauvais goût, précisément parce qu'elle était petite.

– Tenez, un nouveau double ! dit Jorges. Mais pourquoi ne mangez-vous pas ?

– Ça a l'air sec.

– Désolé. Faite à neuf heures ce matin.

– Je vois ça.

– À mon avis, vous devriez aller voir votre frère. On ne badine pas avec les jambes coupées, les rats et les alcooliques.

– Mais qu'est-ce que je ferais là-bas ? J'ai une trouille bleue de ces énormes porcs. Ce sont des carnassiers, à ce qu'il m'a dit, et je ne supporte pas leur odeur. D'ailleurs j'y étais à Noël, ça suffit largement. Mais Krumme me dirait peut-être exactement la même chose que vous, que je devrais y aller, alors il ne faut pas que je lui en parle.

– Krumme. Votre compagnon ?

– Oui.

– On ne cache pas des choses aussi graves à son compagnon, Erlend. Ça ne se fait pas.

– Il m'en a bien caché, lui.

Jorges le regarda d'un air interrogateur.

– Notamment, qu'il voulait qu'on ait un enfant, déclara Erlend.

Il soupira. Voilà qui était dit, à un parfait inconnu. Il fixa des yeux son cognac, qui serait bientôt dans son ventre, une bien agréable pensée. Et il y en aurait d'autres. L'alcool était vraiment le moyen le plus approprié pour parvenir à l'oubli et à l'indifférence, il comprenait parfaitement que Tor ait eu envie d'en boire un peu, et Margido devait sans doute grandement exagérer, les bouteilles dans les cabinets pouvaient s'y trouver depuis des années. Il avait bien envie de passer commande d'une grosse livraison pour Neshov, que les camionnettes tape-à-l'œil des Vins et Spiritueux apporteraient jusqu'à la porcherie, les caisses empilées les unes sur les autres donneraient à réfléchir à Margido.

– Krumme est d'avis qu'on doit passer au niveau supérieur, parce qu'il a failli se faire écraser et qu'il se demande ce qu'il va faire du restant de ses jours.

– Vous êtes ensemble depuis longtemps ? demanda Jorges.

– Douze ans.

– Et vous ne voulez pas ? Avoir un enfant ?

– Non.

– Vous l'aimez ?

– Énormément.

– Et vous lui êtes fidèle, Erlend ?

– Il n'y a pas homme plus fidèle de ce côté-ci de la lune. Krumme est pareil.

– Et il veut que vous ayez un enfant.

– Oui. C'est ce qu'il a dit.

– Mais, Erlend, c'est une formidable déclaration d'amour !

– Quoi ? Qu'est-ce que vous entendez par là ?

– Ce que je dis. Souhaiter un enfant, que vous ayez un enfant, c'est la plus grande déclaration d'amour qui soit. La confiance absolue.

Il sentit que ses larmes allaient couler d'une seconde à l'autre. Il appuya ses doigts sur ses paupières, Jorges lui prit le poignet.

– J'ai fait pleurer un étranger. Pardon ! murmura-t-il.

– Mon Dieu, mon Dieu, mon Dieu ! Oh, excusez-moi ! Mon Dieu, les gens doivent nous dévisager…

– La salle est déserte. L'heure du déjeuner est passée depuis longtemps. Ne vous en faites pas !

– Mon Dieu, mon Dieu… Ne lâchez pas ma main ! Pourquoi est-ce que je pleure ? Ne lâchez pas… que diable !

– Dieu et le diable dans la même phrase, c'est aussi typiquement norvégien ?

Il se mit à rire au lieu de pleurer, retira sa main, prit la serviette, s'essuya délicatement les yeux pour que le Kajal ne poisse pas, se moucha et croisa le regard de Jorges.

– Merci ! dit-il.

– Parce que je vous ai fait pleurer ? demanda Jorges.

– Oui. Vous avez dit une chose à laquelle je n'avais pas songé. Pas songé de cette manière.

– Mais qu'est-ce qu'il en pense, lui, Krumme ? Qu'est-ce qu'il dit ? Et pourquoi refusez-vous, si vous êtes ensemble depuis douze ans ?

– Une assemblée de dix sages ne pourraient répondre à autant de questions. Et je n'ai pas d'autre instruction que l'école primaire norvégienne.

– Essayez ! dit Jorges. Je vais chercher la bouteille entière. Ou plutôt… ce qui reste de cognac.

Une heure plus tard il prit un taxi pour se rendre au journal de Krumme. Dans l'ascenseur, il scruta son visage dans le miroir. Il avait encore les yeux rouges et pas de Clear Eyes à portée de main, mais il s'en fichait complètement. Son cœur battait comme un marteau-piqueur, jusque dans son larynx, il eut une envie folle de fumer une cigarette, mais il n'en avait pas sur lui.

Il salua les bimbos à la réception sans ralentir le pas, tandis qu'elles lui criaient :

– Vous devez écrire votre nom ! Et vous avez un rendez-vous, au moins ?

Il ne venait jamais ici. Presque jamais. La dernière fois remontait à deux ans, lorsqu'un groupe d'activistes pour la protection des animaux s'en était pris à lui alors qu'il travaillait dans la vitrine d'un magasin de fourrures. À l'aide d'une bombe, ils l'avaient aspergé d'une peinture rouge de Noël, tout comme les mannequins et les manteaux, et même les colliers de perles extrêmement précieux que la bijouterie A. Dragsted avait consenti à leur prêter. Tout, absolument tout, avait été maculé de peinture rouge. Il s'était rué au journal de Krumme, afin qu'ils proposent la peine de mort pour les activistes dans leur éditorial, rien de moins, mais Krumme l'avait calmé et ramené à la maison, et lui avait frotté les cheveux et la figure au white-spirit. Ensuite il avait empesté le solvant pendant des semaines.

Mais s'il ne venait presque jamais ici, ce n'était pas parce que Krumme, d'une manière ou d'une autre, avait honte de lui, ou qu'il taisait le fait qu'il vivait avec un homme, c'était parce que Krumme tenait à cloisonner hermétiquement son travail et sa vie privée. Il avait horreur de ne pas être libre quand lui l'était, et il ne fréquentait aucun collègue en privé.

Erlend se faisait facilement des amis et invitait sur un coup de tête des gens qu'il aimait, c'est pourquoi Krumme avait décidé qu'il n'était pas utile de fraterniser avec quiconque sur son lieu de travail. Erlend respectait tout à fait sa décision, il rencontrait des gens passionnants partout et n'avait pas besoin des journalistes de *BT*. Jorges était déjà invité à son quarantième anniversaire, même s'il avait menti en disant qu'il allait avoir trente-cinq ans.

– Écrire mon nom ? Je viens voir… Carl Thomsen.

– Il est en réunion. Vous avez un rendez-vous ?

– On s'en fout, il faut que je le trouve ! Où est-ce que je dois écrire mon nom ? Zut ! Passez-moi un crayon !

– Nous avons des règles de sécurité…

– Oui, mais moi, j'ai un rendez-vous !

– On va vérifier auprès de ses secrétaires. Asseyez-vous en attendant !

Il resta debout. La secrétaire de Krumme le connaissait et, vingt secondes plus tard, il était assis dans le bureau désordonné de Krumme, inspirant les odeurs de papier, de poussière et de cigare. Trois grands écrans d'ordinateur étaient allumés sur la table de travail, parmi des tirages papier éparpillés partout. Un grand buste de Brahms en plâtre blanc surveillait la pagaille. Il avait une chaîne stéréo, un téléviseur, et un ensemble canapé et fauteuils en cuir blanc qu'Erlend avait choisi lui-même. Il se rendit alors compte que le blanc était une erreur, l'encre d'imprimerie et les jeans l'avaient complètement décoloré. Il achèterait plusieurs flacons de nettoyant pour le cuir et les donnerait à emporter à Krumme.

Il fouilla sur la table de travail jusqu'à ce qu'il trouve une boîte de Romeo y Julieta et en alluma un.

Il était au beau milieu d'une quinte de toux peu seyante lorsque Krumme entra, en compagnie d'une très belle femme, grimpée sur des talons plus hauts que la Tour Ronde et arborant des tétons qu'on aurait pu recycler en au moins cinq combinaisons imperméables en silicone extra-fin.

– C'est toi ? Toi ici ? s'écria Krumme en souriant. Quelqu'un a été méchant avec toi ?

– Oui, ce cigare, déclara-t-il en toussant une bonne et dernière fois. Tu n'as pas de banales cigarettes ? J'ai besoin d'une pause tabac.

– Moi, j'en ai, dit la femme.

Elle sortit un paquet de Marlboro de la poche de sa veste et lui en proposa une.

– Passez dans mon bureau après, Carl, ajouta-t-elle. On terminera.

Ils restèrent en tête à tête. Erlend s'installa sur le canapé.

– Ferme la porte, Krumme !

– Mais qu'est-ce qu'il y a ? demanda Krumme.

Il referma la porte du pied et en perdit presque l'équilibre.

– Je te demande pardon, Krumme. Je ne pensais qu'à cette cheminée, alors que toi... Et je t'aime pourtant, tu sais. Néanmoins...

Pendant la course en taxi, il avait soigneusement réfléchi à ce qu'il allait dire, mais là tout s'emmêlait. Il jeta la cigarette qu'il n'avait pas allumée sur la table.

– On a parlé de cheminée ? Quand ça ? dit Krumme.

– Non, de l'enfant !

– L'enfant ? murmura Krumme en s'asseyant à côté de lui.

Erlend lui prit la main et la serra, ferma les yeux et tourna la tête, se concentra pour se rappeler sa conversation avec Jorges et les mots qu'il avait prévus dans le taxi :

– Je croyais que cet enfant était un désir égoïste, que tu n'étais pas satisfait de la vie qu'on mène. Je me suis trompé. Je comprends que c'était… que c'est… une déclaration d'amour. Une preuve de confiance. Vis-à-vis de moi. J'ai été égoïste. La pensée d'avoir un enfant m'a flanqué la trouille, je le reconnais. Je ne sais pas si j'ai quelque chose à donner à un enfant. Si j'ai quelque chose à faire passer. Mais j'ai aussi pensé au grand-père Tallak, oui, je l'ai toujours appelé comme ça et je ne peux pas m'en empêcher… Et je me suis dit qu'il m'a énormément apporté. On avait beau vivre dans une bulle de mensonges, il m'a donné beaucoup d'amour, justement parce qu'il savait qu'il était mon père, même si moi, je l'ignorais. Peut-être qu'un peu de cet amour peut servir à quelque chose de sensé. En tout cas, je ne dis pas oui, mais je dis qu'on va pouvoir en parler sans que je devienne hystérique…

Il ouvrit les yeux et se retourna vers Krumme, qui pleurait, immobile, laissant couler ses larmes. Il serra très fort la main d'Erlend.

– Tu le penses vraiment ? murmura-t-il.

– Mon cher Krumme adoré, je pense sincèrement ce que je dis. Que l'idée me donne la trouille, mais qu'on peut en discuter, peut-être avec Lizzi et Jytte. Être seuls avec un enfant qui n'a pas de mère, que l'enfant soit uniquement le nôtre vingt-quatre heures sur vingt-quatre, je n'aime absolument pas cette éventualité, mais j'aimerais bien savoir ce que Jytte et Lizzi en pensent. Tu as parlé avec elles, Krumme ? Sans que je…

– Bien sûr que non. Ce n'est pas le genre de choses dont on parle avec d'autres, avant que…

– Non. Évidemment, coupa Erlend.

– Elles m'ont seulement dit qu'elles-mêmes ont envie d'avoir un enfant, et j'ai répondu que je le comprenais bien. Mais elles peuvent se procurer du sperme n'importe où.

– On pourrait peut-être les inviter à dîner un soir, suggéra Erlend.

– Oui, c'est ça. Ce soir ?

– Dès ce soir ? Euh… oui, d'accord.

– Ah, Erlend, mon petit mulot adoré !

Ils s'étreignirent chaleureusement.

– Quoi qu'il advienne, ça ira, murmura Krumme. Maintenant je sais que tu as osé y réfléchir. Ça ira, quelle que soit notre décision. Puisqu'on la prendra ensemble.

Erlend hocha la tête. Ce n'était pas le moment de lui faire part des autres nouvelles, la jambe coupée, les rats et la boisson en catimini dans les cabinets de dehors, même s'il devait bien finir par le lui apprendre. Mais il lui suffisait grandement d'être heureux, il sentait le bonheur brûler en lui, physiquement, et si fort qu'il dominait même sa plus grande angoisse d'avoir un enfant. Quoi qu'il arrive. Il n'était pas dit que Jytte et Lizzi les considèrent comme des pères parfaitement acceptables. Mais au moins ils auraient essayé.

– Si on faisait l'amour ? murmura-t-il.

– Je crois que tu es fou ! dit Krumme qui le repoussa en éclatant de rire. Sous le regard de Brahms ? Son cœur ne supportera pas. File, maintenant ! Je fais des courses en rentrant et toi, tu téléphones aux filles pour les inviter. J'ai des tonnes de choses à régler ici.

– Avec les tétons en silicone ?

– Oui, entre autres. Rien de nouveau sinon ? Tout s'est bien passé pour la vitrine de la papeterie ?

– Tout s'est bien passé pour la vitrine. À part ça, quelques petites nouvelles du Nord, mais je te raconterai plus tard. Et puis je vais t'acheter du nettoyant pour le cuir, ce canapé en a un grand besoin ! À plus tard, chéri !

Il embrassa Krumme sur le front et s'en alla. Il regarda les bimbos à la réception d'un air condescendant en passant devant elles. Sur le chemin du retour, il entra dans une agence de voyages et fit le plein de brochures sur les destinations les plus exotiques qu'il pût trouver.

Il avait le sentiment que c'était urgent, que c'était une question d'heures si jamais ils voulaient voir la Muraille de Chine ou la Grande Barrière de corail, soudain frappé par la vision cauchemardesque de devoir rester cloîtré dans l'appartement pendant dix-huit longues années, avec un enfant qui ne voudrait jamais apprendre à aller sur le pot. Mais si Krumme restait cloîtré en sa compagnie, il y avait des chances pour qu'il tienne bon. Après avoir vu la Muraille de Chine ou la Grande Barrière de corail. Il ferait de ça une exigence minimum. Peut-être que Krumme plongerait dans les récifs.

Krumme en tenue de plongée, ce serait encore mieux que Krumme en manteau de cuir cintré.

Margido avait pitié de Tor et ne parvenait pas à s'offusquer spécialement du flot continu de jurons qu'il avait lâché entre le moment où il l'avait assis dans la voiture devant l'hôpital Saint-Olav, et celui où il l'avait soutenu pour traverser l'appentis et la cuisine de Neshov et l'installer dans un fauteuil du salon, la jambe posée sur un tabouret. Il avait parfaitement le droit de s'indigner du fait que les médecins lui avaient fait un grand nombre de points de suture et bandé la jambe de l'aine jusqu'au milieu du mollet, si bien qu'il lui était impossible de plier le genou. Les médecins l'avaient averti qu'il faudrait attendre cinq ou six semaines avant qu'on lui ôte définitivement plâtre et bandage.

Heureusement, Tor ignorait que le pot-aux-roses des bouteilles avait été découvert, Margido et le vieux s'étaient mis d'accord pour ne rien lui dire. De toute façon Tor serait incapable de se déplacer jusque dans la porcherie, pour commencer, et d'ailleurs tous les placards avaient été fouillés. Outre les bouteilles vides, il y avait les bières que le vieux avait trouvées devant une des loges et mises dans le placard de la buanderie avec les autres. Il les avait montrées à Margido.

– Il fait froid dehors ? demanda Tor en s'agrippant aux bras du fauteuil.

– Moins cinq, répondit le père.

Il était assis dans l'autre fauteuil, tout au bord du siège, les cheveux ébouriffés et se tournant les pouces à une cadence époustouflante. La table basse était encombrée de tasses, de journaux, de lunettes et d'une loupe, d'assiettes pleines de miettes. Un paquet de raisins secs était ouvert du mauvais côté.

– Comment est-il ? dit Tor.

– Le remplaçant ?

– Oui. Qui d'autre ?

– Je n'ai pas… Il se débrouille tout seul. Mais les rats…

– Pourquoi donc as-tu mentionné ces foutus rats ? Qu'est-ce que je t'avais dit avant de partir, hein ? Qu'est-ce que je t'avais dit ?

– Il les a vus lui-même. Ou bien… il les a entendus. Je crois, dit le père en baissant la tête.

– Il les a vus, dit Margido. J'ai discuté avec lui. Ce Røstad m'a téléphoné. Le vétérinaire.

– Je sais bien qui est Røstad, dit Tor. Mais c'est le bordel ici maintenant !

– C'est vrai, rétorqua Margido. Mais la Sécurité sociale couvre les frais du remplaçant. Tu y as droit. Et l'entreprise de dératisation est déjà passée. Tu devras régler toi-même. Ils sont venus aujourd'hui. Ils ont percé certains murs et déposé un nouveau poison çà et là. Mais ils ont dit qu'il y en avait beaucoup. Énormément.

– Nom de Dieu… !

– Ne t'en fais pas ! dit Margido. Tout va bien se passer. Il faut seulement que le temps fasse son œuvre. Et tu as du pain sur la planche avec la comptabilité, mais tu vas avoir davantage de temps et ça t'évitera de penser à la porcherie. Je vais préparer un peu de café.

– Éviter de penser à la porcherie ? Ne pas m'en faire ? Mais tu ne comprends rien ! Si les rats portent préjudice à mes porcs… et si l'abattoir n'accepte pas de…

– Le remplaçant, qui d'ailleurs s'appelle Kai Roger Sivertsen, m'a dit que tant que la porcherie et le silo sont bien isolés et fermés, il n'y a pas de danger. C'est ce que ce Røstad m'a dit aussi, expliqua Margido.

– Et Marit Bonseth viendra un jour sur deux, fit rapidement le père.

– Qu'est-ce que tu dis ? Un jour sur deux ?

– C'est moi qui ai arrangé ça, dit Margido.

– Mon Dieu… ! s'exclama Tor.

– Elle fera vos courses, préparera à manger pour deux jours et t'aidera pour les vêtements et ce genre de choses. Tu ne monteras pas l'escalier, je t'ai apporté un lit de camp que j'ai acheté à Ikea et tu feras ta toilette dans la cuisine. C'est plus embêtant pour les cabinets. J'ai apporté… un seau hygiénique.

– C'est le seau que j'ai vu derrière, dans la voiture ?

– Oui. Il est tout neuf. Je vais mettre une sorte de produit dans le fond et ça ne devrait pas sentir, à ce qu'ils m'ont dit. Je le range dans la penderie du couloir.

– Tu as vraiment pensé à tout, fit Tor sèchement.

– Je n'ai plus qu'à descendre un drap, la couette, la brosse à dents, les serviettes… et tout sera prêt. Mais d'abord le café, dit-il.

– Ça va être infernal ! lança Tor.

Il secoua la tête, puis regarda le père.

– C'est le bazar ici ! ajouta-t-il. Tu ne pourrais pas ranger un peu, toi aussi ? On éviterait peut-être l'aide familiale comme ça !

Le père resta assis sans bouger, les yeux baissés, il ne répondit pas. Ses pouces tournaient frénétiquement.

Le lit de Tor n'avait pas l'air particulièrement propre. Margido jeta un coup d'œil tout autour de la chambre, ça faisait des années qu'il n'y était pas entré. Il n'y avait rien sur la table de chevet, hormis un vieux réveil surmonté de deux demi-clochettes, contre lesquelles battait un petit bout de métal quand il sonnait. Et il fallait remonter la sonnerie à la main. Il imagina Tor, en caleçon long blanc, assis au bord du lit en train de le faire, dans un profond silence uniquement rompu par le bruit de la clé qu'il tournait à fond au dos du réveil. Une grande penderie vert clair encastrée dans le mur, un tapis, des rideaux bleus, un verre près du mur, un radiateur électrique accroché juste au-dessous du rebord de la fenêtre et parsemé de taches de rouille, du fait des gouttes de pluie qui pénétraient par la fenêtre ouverte quand le vent soufflait de l'ouest. Des moutons de poussière le long des plinthes, un vieux bout de sparadrap arraché qui traînait par terre à côté du verre. Il ouvrit le tiroir de la table de chevet. Sous une brochure de l'Association des éleveurs de porcs norvégiens, qu'il poussa sur le côté, il découvrit un livre, le prit dans ses mains et resta interloqué en l'examinant quelques secondes, avant de l'ouvrir à la dernière page. 10 novembre 1969. Il se dépêcha de le remettre à sa place, changea la taie d'oreiller et l'enveloppe de couette, puis trouva un drap propre, des serviettes, des gants de toilette et des caleçons. Dans la salle de bains, deux brosses à dents dépassaient d'un gobelet en plastique jaune. Du haut de l'escalier, où il s'éclaircit d'abord la voix pour qu'elle porte normalement, il cria :

– À qui est la brosse à dents rouge ?
– C'est la mienne, répondit Tor.

Chez lui, dans son appartement, les ouvriers s'activaient, il n'avait pas dû attendre plus d'une semaine le commencement des travaux, il n'y en avait pas beaucoup qui pouvaient se permettre d'entreprendre ce genre de rénovation juste après Noël. Dans deux heures, il avait un service funèbre à la chapelle de la Reconnaissance, les dames se chargeaient des candélabres et des fleurs, il les avait aidées à apporter le cercueil et à le poser sur le catafalque. Après quoi il était allé chercher les livrets à l'imprimerie, avant de passer par Saint-Olav prendre Tor pour le ramener à la ferme. Dieu merci, cette Marit Bonseth avait accepté de venir aussi souvent. Il était impossible de mettre en place une surveillance accrue en si peu de temps, elle avait donc elle-même pris l'initiative de se mettre en congé de maladie et offert à Margido de la payer directement. Il s'efforçait de ne pas penser à ce que cela avait d'immoral, sans toutefois y parvenir complètement. Mais c'était son idée à elle malgré tout, elle s'était proposée, et que pouvait-il faire ? Les budgets communaux étaient extrêmement serrés, bien des fois il avait fait la toilette du défunt chez des vieilles gens qui avaient vécu dans la misère, à la merci d'une aide ménagère ou d'une infirmière à domicile qui les couchait juste après le programme télévisé pour les enfants et qui ignorait le délabrement et le désespoir. C'étaient de simples gens, eux aussi, qui ne pouvaicnt pas tout faire. Marit Bonseth en était tout aussi consciente que lui, il devrait lui être éternellement reconnaissant d'avoir eu pitié d'eux et d'avoir pensé que ses allocations de maladie seraient un moyen détourné pour que Tor et le vieux obtiennent ce à quoi ils avaient droit en réalité. Les caisses de l'État avaient perçu suffisamment d'impôts de Neshov, et ils n'avaient guère grevé le budget public en dépenses de santé jusqu'à présent. Il s'efforça aussi de ne pas penser à tout l'argent qu'il avait puisé sur son propre compte, même si en son for intérieur il savait bien que ça ne posait pas de problème. Il n'avait jamais fait de dépenses excessives, son entreprise tournait bien, son appartement était payé depuis longtemps, tous ses comptes bancaires regorgeaient au point que chaque mois la banque lui téléphonait pour l'inciter à investir dans des actions ou des obligations. Mais cela lui avait toujours paru peu sûr et inquiétant, et maintenant il s'en félicitait. Son argent était accessible au lieu d'être bloqué d'une manière ou d'une autre. Il pouvait s'en servir en fonction de ses besoins.

Il parvint non sans mal à dresser le lit de camp dans le coin derrière la télé et commença à le faire.

– Ton antalgique et l'antibiotique sont sur le plan de travail. N'oublie pas que l'antidouleur est très fort, pas plus d'un comprimé trois fois par jour ! Il y en a cent dans la boîte, autrement dit pour un peu plus d'un mois, mais ça m'étonnerait que tu aies besoin d'en prendre aussi longtemps. Et Torunn va appeler ce soir. Elle sait que tu rentres à la maison aujourd'hui.

– Je m'en doute, dit Tor. Il n'était pourtant pas question que quiconque soit…

– C'est Margido qui a d'abord téléphoné ici, coupa le père. Sinon je n'aurais rien dit.

– Mais il a fallu absolument que tu lui racontes que j'avais une blessure à la jambe…

– Bon, ça suffit ! Tu as besoin d'aide, tu ne peux pas monter les marches, il faut que tu le comprennes.

En fait, si j'ai appelé, c'était pour dire que j'allais à Copenhague au début de la semaine prochaine, dit Margido.

– Tiens ! Pour quoi faire ? s'étonna Tor.

– Mais je n'irai pas. Je ne vais jamais à ce genre de salons d'habitude et…

– Salons ?

– On est invités, ici et là. Par ceux qui veulent nous vendre quelque chose. Ou qui veulent qu'on les recommande à nos clients. Mais je me suis toujours contenté des brochures qu'ils envoient.

– Des cercueils ?

– Et des pierres tombales. La pierre norvégienne taillée par les Danois, différentes formes de design, ce genre de choses. Ils payent une partie du voyage et du séjour.

– Je ne croyais pas ça de toi, Margido. Tu pars en empochant des pots-de-vin ? J'ai vu une émission là-dessus à la télé, dit Tor.

– Je ne touche pas de pots-de-vin. Et je décide moi-même à qui j'achète les cercueils et à quel fournisseur je fais appel pour les tombes. Mais de toute façon, je n'irai pas.

– Pourquoi ça ?

– Je ne peux quand même pas partir alors que tu…

– NOM DE DIEU, J'EN AI PLUS QUE RAS LE BOL !

– Tor, dit Margido. Reprends-toi !

– Un remplaçant, une aide familiale et tout le saint-frusquin ! Ça nous fera du bien d'être débarrassé de toi.

– Tor, voyons ! dit le père.

– Hein ? Qu'est-ce que tu as à dire, toi ? cria Tor avant d'enfouir soudain son visage dans ses mains.

Margido plia la couette en deux et défroissa l'enveloppe. Le silence régnait dans le salon. Le père se racla prudemment la gorge. Par bonheur Margido entendit alors grésiller dans la cuisine.

– Le café, dit-il. L'eau qui déborde.

– Du café, oui. Ça ne fera pas de mal, grogna Tor.

Il ôta les mains de son visage et se redressa dans son fauteuil.

– Et je réussirai bien à aller bientôt jusqu'à la porcherie, ajouta-t-il, pour voir un peu ce que fabrique ce remplaçant.

Dans la cuisine, Margido lança sa bombe tout en essuyant l'eau sur la cuisinière et en ajoutant le café en grains dans la bouilloire. Il ne savait pas trop combien il fallait en mettre, lui-même n'utilisait que du café moulu.

– J'ai un déambulateur à l'arrière de la voiture, prêté par le Centre médical et social. Tu pourras le garder jusqu'à ce que tu sois guéri.

Il l'avait mis derrière le seau hygiénique, de façon que Tor ne puisse pas l'apercevoir depuis le siège avant. Le silence s'amplifia dans le salon, le vieux n'osait même pas se racler la gorge.

– Déambulateur… ? dit Tor. Un déambulateur ? Ce dont se servent les vieux ?

– Tu pourras t'appuyer dessus. C'est beaucoup mieux que les béquilles, à ce qu'ils m'ont dit, répondit Margido.

Il porta l'eau avec le café de nouveau à ébullition.

– Je n'ai que cinquante-six ans, dit Tor.

– Tu circuleras plus facilement avec. Tu iras plus facilement à la porcherie aussi.

Il prêta l'oreille et attendit. Attendit une nouvelle salve de jurons et de refus.

– À une condition, fit Tor dans le salon.
– Laquelle ?
– Que tu ailles à Copenhague.
– En fait ce n'est pas exactement à Copenhague, mais dans une petite ville plus au nord qui s'appelle Frederiksværk, se hâta d'indiquer Margido.

Il regardait l'eau faire des bulles à travers la couche de grains de café.

– Tu es déjà allé à l'étranger ?
– Non.
– Tu leur diras bonjour, dit Tor.
– À qui ?
– Tu vas leur rendre visite, non ? Puisque tu seras au Danemark. Et apporte-moi ce déambulateur ! Que je voie un peu de quoi il a l'air. J'irai peut-être à la porcherie avant que vous ayez le temps de dire ouf ! Les porcs n'y comprendront rien.

Il gara la voiture devant la chapelle de la Reconnaissance et se passa un coup de peigne dans les cheveux, en se contorsionnant devant le rétroviseur. Il se réjouissait de cette inhumation. C'était un vieillard de plus de quatre-vingt-dix ans qui était décédé au bout de trois mois de maladie. Quatre enfants, d'innombrables petits-enfants et arrière-petits-enfants, c'était une nombreuse famille qui allait se réunir. De telles funérailles étaient un plaisir à côté des accidents, des cancers et des morts prématurées. Il était impatient d'entendre les paroles du pasteur, celles de Dieu, ce qu'elles comportaient d'éternel, le silence dans l'église, le son de l'orgue. Une petite-fille devait chanter toute seule « Le soleil du soir sourit joliment », ce serait beau. L'atmosphère de la chapelle lui ferait peut-être oublier tous ses autres soucis. Et il allait partir en voyage, il ne croyait plus que c'était possible. D'abord il avait eu envie d'aller à ce salon, et puis Tor s'était blessé. Mais en définitive il allait partir quand même.

Il aurait bien aimé que Torunn vienne. Ce serait invivable à Neshov, avec les deux ensemble dans le salon et Tor cloué sur son fauteuil, séparé de ses porcs. Ce remplaçant aurait dû venir un jour avant. Tor acceptait Torunn d'une façon toute particulière, parce qu'ils se retrouvaient tous les deux dans l'élevage des porcs, elle les aimait et le disait, elle faisait leur éloge. C'était elle qui aurait dû être là. Certes, il ne lui avait pas demandé de venir quand il lui avait téléphoné, il aurait fallu qu'elle y songe d'elle-même, en dépit de l'inquiétude qu'elle avait manifestée au bout du fil. Elle avait balayé cette histoire de bouteilles vides, affirmé que ce n'était forcément qu'un geste isolé, uniquement parce qu'il restait des bouteilles de leur séjour à Noël, il avait donc préféré ne pas parler des cabinets. Il avait regardé par le trou en éclairant avec une lampe de poche et compté au moins cinquante bouteilles de bière et bon nombre de demi-bouteilles d'aquavit, dont il ne connaissait pas certaines étiquettes. Elles atterrissaient là depuis des années sans doute.

Torunn avait surtout réagi à la blessure de son père et aux rats. Elle estimait qu'un remplaçant s'occuperait bien des porcs. Mais elle n'aimait pas du tout cette histoire de rats. Elle avait aussi mentionné le risque que l'abattoir refuse les porcs.

Mme Marstad sortit de la chapelle et se dirigea vers le corbillard. Il s'empressa de descendre de sa voiture et prit la sacoche contenant les livrets.

– Tout est en place ? demanda-t-il.

– Oui, oui. Ce sera un bel enterrement. Une mer de fleurs sans pareille. On a fait de notre mieux.

– Et il n'y a pas mieux, madame Marstad.

– Oh, merci, c'est… Mais comment va votre frère ?

– Maintenant il est dans son fauteuil à Neshov, à jurer comme un charretier.

Il inspira une rapide bouffée d'air et porta la main à sa bouche.

– Et ce n'est pas étonnant, continua-t-il. Tout bien considéré, ce n'est pas rigolo, pour un paysan, de rester couché sur un lit de camp dans son salon et de ne plus être maître de sa propre ferme.

– Mais sa fille ? Torunn ? Elle ira peut-être l'aider ?

– Je ne crois pas. Elle a suffisamment à faire de son côté, elle travaille à temps plein.

– Mais c'est sa fille, malgré tout. Vous avez beau être son frère, c'est plutôt à une fille de gérer ce genre de situation.

– Le monde n'est pas toujours comme il devrait être, madame Marstad. On en sait quelque chose. Mais au fait, j'irai quand même à Copenhague la semaine prochaine. Ou plus exactement… dans cette petite ville danoise. Il faut prendre le train à Copenhague pour s'y rendre.

– Ça vous fera du bien. De prendre un peu de distance.

– Je ne suis pas vraiment du genre à prendre de la distance quand les problèmes s'accumulent, mais mon frère a insisté pour que j'y aille. On fera donc comme on l'avait prévu au tout début, vous dirigerez simplement nos clients vers d'autres entreprises s'il s'agit d'un accident ou d'une fin tragique. Il faut vous épargner ça.

– Il n’y a que la mise en bière qui me tracasse un peu, dit Mme Marstad. Même si je dis qu’aucune de nous deux n’est en mesure de le faire, ils peuvent toujours changer d’avis et en vouloir une quand même.

– Alors vous exposerez tout simplement le corps dans la chapelle, avec des cierges, en silence. Et proposez-leur de dire le « Notre Père » ensemble… S’il y a quoi que ce soit, appelez-moi ! Et si vous n’êtes pas sûres de vous, dirigez-les vers d’autres !

– Ça ira sûrement. On va se débrouiller. En tout cas, on va avoir un bel enterrement aujourd’hui. La petite-fille est déjà en train de répéter avec l’organiste, elle chante superbement bien.

Ils entrèrent. La table de l’accueil était prête, avec nappe blanche, chandelier, photo encadrée, registre des condoléances et stylo à bille. Il sortit les livrets de sa sacoche et les posa à côté.

Mme Gabrielsen arrangeait les rubans imprimés sur les bouquets placés dans de grands vases. La nef était couverte de couronnes presque jusqu’à la moitié des bancs. Il contempla longuement l’énorme cœur de roses rouges juste devant le cercueil.

Il passa la main dans ses cheveux, vérifia que son nœud Windsor était bien en place. Il avait transpiré un peu en montant le lit de camp, mais il ne sentait pas la sueur. Il jeta un coup d’œil à sa montre. Dans vingt minutes, les cloches commenceraient à sonner.

– Maman, tu ne le penses pas vraiment. Réfléchis un peu ! J'ai trente-sept ans. Je ne peux pas, comme ça, tourner le dos à tout ce que j'ai construit au fil des…

– Qu'est-ce que ton âge a à voir là-dedans ? C'est n'importe quoi. Donne-moi un argument valable, quelque chose de sensé !

– Je veux… Comment te dire ? Vivre ma propre vie.

– Mais tu pourras ! En nous partageant le rez-de-chaussée et le premier étage, on aura deux appartements. Si tu ne vis pas ta propre vie sur ton niveau à toi, alors je n'y comprends plus rien. Mais on devra garder le grenier et la cave en commun, et tu n'y verras sûrement pas d'inconvénient si on ne fait que nous croiser rapidement dans l'escalier. Mon Dieu, Torunn, tu n'as qu'un petit appartement dans un immeuble de Stovner, et tu fais la fine bouche pour ça, la moitié d'une grande maison à Røa ! Sans autre coût pour toi que ta part de la remise en état.

– J'ai rencontré un homme. C'est peut-être une bonne raison, tu ne crois pas ?

Sa mère s'effondra sur le sofa et se mit à pleurer. De longs sanglots réguliers. Son vernis à ongles était écaillé, elle était en simples collants et veste de flanelle mi-longue vert fluo. En fait elle était en train de se préparer pour aller retrouver des amies, lorsque Torunn, en rentrant de son travail, était passée la voir pour lui être agréable, sans attendre un coup de fil suppliant et amer.

Elle souhaitait tellement normaliser leurs rapports, montrer à sa mère qu'elle faisait partie de son univers quotidien. Mais ça tournait au drame quoi qu'il arrive. Comme maintenant : les plans d'un architecte que sa mère avait pensé lui présenter le week-end suivant en l'invitant à dîner, mais qu'elle n'avait pas pu s'empêcher de lui dévoiler dès à présent.

– Mais tu n'allais pas quelque part, maman ? Il est déjà huit heures.

– Un homme, hein ? Tu vas... C'est sérieux ? Torunn, c'est sérieux ?

– Peut-être.

– Mais la moitié de cette maison représente cent vingt mètres carrés. Ça ne suffit pas pour un homme ? N'importe quel homme ?

– Pas n'importe lequel.

– Non, tu as raison. Pas Gunnar, par exemple.

Sa mère ne pleurait plus. Au lieu de cela, elle dévisageait Torunn de ses yeux rougis.

– Alors tu ne veux pas ? ajouta-t-elle.

– Il me semble que ce ne serait pas très judicieux que, toutes les deux, on...

– On est mère et fille. Où est le mal ?

– Mais Gunnar veut que la maison soit vendue. J'ai comme l'impression que c'est une idée que tu as eue pour...

Son portable se mit à sonner. *Le Bon, la Brute et le Truand.*

– Je vais prendre la communication dans l'escalier, dit-elle en sortant précipitamment.

– Oui, je comprends qui c'est ! lui cria sa mère. Tu ne te précipites pas sur ton téléphone aussi vite que ça quand tu vois que c'est moi qui appelle !

Ils étaient convenus qu'elle viendrait vers neuf heures. Il a peut-être besoin de moi pour faire quelques courses en route, eut-elle le temps de se dire avant d'appuyer sur la touche.

– Salut ! lança-t-elle gaiement. Je te manque si horriblement ?

Il ne répondit pas à la question, mais il y avait un empêchement pour ce soir, ce n'était plus possible, le ton de sa voix paraissait étrange et précipité.

– Pas possible ? Que je vienne, tu veux dire ? Pour moi, tout baigne, sauf que ma mère est hystérique, dit-elle en conservant un ton enjoué.

Il avait de la visite, c'était un peu délicat, il valait mieux qu'elle ne vienne pas.

– Mais quelle sorte de visite ?

C'était un peu difficile à expliquer par téléphone.

– Je peux venir plus tard. Une fois que tes visiteurs seront repartis. Ça ne me dérange pas, en fait, j'ai une petite lessive à faire.

Non, il valait mieux qu'ils se voient demain.

– D'accord. Ça va être triste pour toi, tout seul sous la couette, hein ? dit-elle en riant.

Elle réalisa tout à coup qu'elle ne savait pas où elle allait chercher la force de rire.

Il rappellerait, dit-il en raccrochant.

Elle poussa un profond soupir et parcourut des yeux les toits des maisons du quartier. La neige avait commencé à tomber, quelques légers flocons. Elle sentit un frémissement au creux de l'estomac, ce n'était pas une envie de pleurer, mais autre chose. Une angoisse, peut-être.

Dans le salon, sa mère buvait un grand cognac, assise sur le sofa.

– Tu en veux, ma chérie ?

– Je conduis. Tu sais bien.

– Prends un taxi pour rentrer ! Je te l'offre. À moins que tu t'en ailles ailleurs ?

– Peut-être.

Elle alla chercher une bouteille d'eau gazeuse dans le frigo. Quand elle revint, sa mère avait déjà bu tout son cognac et, debout, s'en versait une nouvelle rasade.

– Tu as envie de te soûler ou quoi ? Tu ne devais pas sortir ? Soit dit entre nous, ça fait plutôt bizarre de te voir déambuler en collants.

– J'ai décommandé pendant que tu discutais avec ton amoureux.

Elle se laissa tomber sur le sofa en velours d'un vert mat, garni de coussins rose saumon et noirs. Elle avait l'air perdu ; maigre, ridée et pâle. Ses genoux sous le nylon ressemblaient à des petites faces de singe aplaties. Elle se mit à les taper l'un contre l'autre, sans arrêt, tout en fourrant ses mains sous ses cuisses, le regard vague, comme une jeune fille en train de bouder.

– Mais pourquoi, maman ? Tu as des amies formidables et tu ne veux pas être avec elles ?

– Je veux être avec ma fille, mais elle, apparemment, elle ne veut pas ! dit sa mère en la fusillant soudain du regard.

– Je suis passée te voir, pourtant. Non ? dit-elle. Tu as tellement changé ! Tu ne serais jamais restée dans cette tenue avant. Tu étais toujours celle qui régnait en maître sur tout et qui n'était presque jamais disponible si je vous invitais, toi et Gunnar, à quoi que ce soit.

– Tu l'as dit. Moi et Gunnar. Mais maintenant il n'y a plus que moi, et ce n'est pas aussi passionnant.

– Maman…

– Tu le vois sans doute souvent ? lui demanda-t-elle, les yeux rivés sur elle.

– Gunnar ? Non, absolument pas…

– Elle s'appelle Marie. J'ai mené ma petite enquête. Elle a une grande maison à Blommenholm, c'est là qu'ils habitent. Tu y es déjà allée ?

– Non !

– Je ne te crois pas. Et si Gunnar te proposait la moitié de cette maison-là, tu n'hésiterais sûrement pas, je parie.

– Je crois que je vais m'en aller, puisque tu as décidé de boire et d'être désagréable. Avant, tu pouvais rester une heure devant un petit cognac.

– J'étais avec Gunnar et un petit cognac.

– J'ai toujours pensé que tu étais forte, maman. Mais là… tu te laisses complètement aller…

– Et à qui la faute ? Tu veux bien me le dire ?

– Ce n'est en tout cas pas celle de Gunnar si tu n'en finis pas de t'apitoyer sur ton propre sort.

– Et qui le fera, si je ne le fais pas ? Est-ce que tu me plains, toi ? Est-ce que Gunnar me plaint ?

– Mais maman… je ne comprends pas. Tu veux que les gens te plaignent ? C'est ça que tu veux ? Est-ce que ce n'est pas un peu… pénible ?

– Une certaine compassion n'aurait pas été de trop…

– Mais tu en as eu, et en quantité ! Maintenant je vais te dire une chose : si tu te comportes aussi de cette façon-là avec tes amies, tu vas les perdre. Les unes après les autres. Les pleurnichards, c'est ce dont les gens ont le plus horreur. Personne n'a envie de rester avec des pleurnichards.

– Va-t'en ! Va-t'en immédiatement !

Sa mère accourut en titubant dans l'entrée, alors que Torunn était debout sur une jambe et remontait la fermeture Éclair d'une de ses bottines.

– Torunn ! Ne pars pas !

– Je dois y aller.

– Chez cet homme ?

– Peut-être. Ou à la maison téléphoner à mon père. Il ne se lamente pas, lui, il jure et tempête, et finalement c'est mieux !

– À cause de sa jambe ?

– Pas à cause de sa jambe, mais pour tout ce qu'il est incapable de faire à cause de sa jambe.

– L'enfant pendu aux jupons de sa mère…

– Il ne l'est plus. Elle est morte, non ?

– Fils à sa mère un jour, fils à sa mère toujours. Et puis cette jambe va se cicatriser. Pour un mari, en revanche, rien à faire.

– Mais c'est embêtant pour lui, en tout cas.

– Tu as sans doute songé à retourner à ses côtés, je suppose, dit la mère.

– L'idée m'a effleuré l'esprit, oui. D'y aller. Mais je donne plusieurs cours en ce moment. Je ne peux pas me libérer.

Sa mère s'appuya contre le mur et inspira.

– C'est vrai, Torunn ? Tu as effectivement envisagé d'y aller ? Alors que tu y étais tout récemment, à Noël ? Et que j'ai besoin de toi ici ?

– Il a davantage besoin de moi que toi.

– Hein ? Qu'est-ce que tu racontes ? s'écria sa mère.

Elle avait dans la voix une pointe d'hystérie que Torunn ne lui avait encore jamais entendue auparavant.

– C'est pourtant moi qui ai pris la responsabilité de t'élever ! continua-t-elle. Il s'en foutait, lui. Complètement ! Et le voilà qui revient quand tu as presque quarante ans et qui t'attire avec une grand-mère agonisante que tu n'as jamais vue. Et soudain tu es prête à aller t'occuper de ses cochons, uniquement parce qu'il s'est blessé à la jambe ?! Pendant que moi, je suis complètement désemparée, sur les décombres de toute ma vie ?! Est-ce que tu te rends compte de l'affront que tu me fais, après tout ce que je t'ai donné ? Hein ? Est-ce que tu te rends compte toi-même de ce que tu es en train de dire ?

– À demain ! Je t'appellerai, dit Torunn en se dépêchant de sortir.

En dépit d'une quantité non négligeable de cognac dans le sang, sa mère était encore consciente qu'elle ne pouvait pas courir après elle en collants. C'était un beau quartier, où on ne déballait pas ses sentiments à la vue et au su de tout le monde. Sa mère ne dépassa pas l'embrasure de la porte. Elle ne fit aucun geste de la main lorsque Torunn agita la sienne derrière la vitre de la voiture.

Elle mit R.E.M. à fond, si fort que ça craquait dans les haut-parleurs. Elle tapait du plat de la main sur le volant tout en conduisant. Devrait-elle appeler Gunnar et le supplier de se remettre avec sa mère, simplement pour qu'elle-même puisse avoir la paix ? Pourrait-elle se rendre directement chez Christer maintenant, et transformer sa colère en fructueuse énergie ? Se jeter sur lui à peine arrivée dans l'entrée et le surprendre au plus haut point ? Une voiture la doubla et se rabattit pratiquement sur son capot, elle klaxonna violemment puis bloqua le klaxon jusqu'à ce que la voiture commence à ralentir et qu'un passager à l'arrière la menace du poing. Alors elle se ressaisit, déboîta sur la file de gauche et accéléra, les fuyant tous.

Tous. Sauf Christer.

Ce n'étaient pas les cours qui la retenaient de partir, mais Christer. Elle avait plein d'amis, dans l'univers canin, capables d'intervenir et de la remplacer au pied levé, même pour le cours des chiots. Là ils pratiquaient le contact du regard, l'arrêt brusque du jeu et l'attente devant la gamelle, ils s'exerçaient avec sérieux et fermeté, et il y avait des hauts et des bas. Elle était fière d'eux. Seul Néron était l'exception qui confirmait la règle, même si en réalité il ne cherchait qu'à s'affirmer. Si la famille le gardait plus longtemps, il s'avérerait impossible de lui trouver une place ailleurs et il faudrait l'euthanasier. Elle avait même songé à le prendre elle-même en pension une quinzaine de jours, afin de le forcer à ne pas être aussi sûr de lui. Mais sans le concours de la famille, c'était peine perdue.

Elle entra dans l'appartement et ferma la porte à clé. C'était sombre chez Margrete, elle n'était pas là. Que venait-elle de dire à sa mère au sujet de ses amies ? C'était toujours plus facile de donner des conseils aux autres. Si ça cassait avec Christer, oserait-elle aller chercher du réconfort auprès de Margrete, alors qu'elle n'avait presque plus de contacts avec elle… ?

Elle remplit de linge la machine à laver et la mit en marche, passa un petit coup d'aspirateur, se fit une tasse de café, s'assit devant l'ordinateur pour payer des factures en ligne, rangea la cuisine, nettoya la cuvette des toilettes, alla dans la véranda et regarda la neige tomber, examina les cymes gelées dans la jardinière, rentra au salon.

À onze heures elle quitta l'appartement, ferma à clé derrière elle et prit l'ascenseur pour descendre au garage en sous-sol.

Dans les derniers virages avant d'arriver au chalet, elle aperçut des traces de roues dans la neige fraîche, celle d'une petite voiture. Derrière le chalet il n'y avait que son Land Cruiser, la visite était finie. La neige assourdissait tous les bruits, elle se gara à côté de sa voiture, coupa le moteur et attendit en silence pour voir s'il l'avait entendue malgré tout. Les fenêtres du salon étaient éclairées, une lueur vacillante indiquait que le feu flambait dans la cheminée. Les chiens se mirent à aboyer. Zut. Ils n'étaient pas dupes malgré la neige. Elle s'empressa de sortir de la voiture et fila dans leur direction.

– Chut ! C'est seulement moi ! Du calme maintenant. Du calme…

– HOLÀ ! IL Y A QUELQU'UN ?

– C'est moi.

– Torunn ?

Il fit demi-tour et la précéda dans l'entrée. Il n'avait jamais fait ça avant, il l'accueillait toujours sur le pas de la porte.

– Je n'aurais pas dû venir, dit-elle dans son dos. Je sais. Mais j'ai eu peur. Tu étais tellement… bizarre au téléphone quand tu m'as appelée.

– Parce que je ne voulais pas te parler. Je voulais seulement t'avertir. De ne pas venir.

Son dos était large et légèrement voûté, couvert d'un chandail gris. Il s'assit à la grande table, elle vit aussitôt qu'ils avaient été deux et que l'autre était une femme. Elle ne savait pas pourquoi, la façon dont la serviette avait été repliée à côté de l'assiette qui n'était pas celle de Christer. Joliment pliée, avec beaucoup dc soin.

– Elle est enceinte, dit-il.

– Qui ça ?

– Assieds-toi. Tu as envie de quelque chose ?

Dire que ça devait arriver, pensa-t-elle.

– De l'eau, répondit-elle. Froide.

Il se leva. Elle l'entendit faire couler l'eau une éternité dans la cuisine. Ce n'était pas nécessaire, elle le savait bien, ici l'eau était froide dès qu'on tournait le robinet. Il apporta le verre, le posa devant elle et croisa son regard.

– Qui ça ?

– J'étais avec elle à une course de traîneaux fin novembre, alors ne crois pas que… Sur les hauteurs de Ringebufjell. Un seul et unique soir. Et puis…

– Elle est tombée enceinte.

– Oui.

– Et elle te dit ça seulement maintenant ? Fin février ? Elle doit le savoir depuis un sacré bout de temps.

– Oui.

– Mais Christer… dit-elle.

Elle tendit la main par-dessus la table pour prendre la sienne. Mais il se déroba, croisa les bras sur sa poitrine et se pencha en arrière sur sa chaise, fixant les flammes des yeux.

– J'avais dit qu'on pourrait discuter demain, dit-il. Et tu es venue quand même. Je trouve ça vraiment un peu…

– Mais on s'aime ! Et tu dois me dire ce qui se passe !

Il la regarda en face, posa les coudes sur la table et déclara :

– Elle ne voulait pas le dire avant qu'il ne soit trop tard pour se faire avorter. Elle veut un enfant. Elle n'en veut pas un spécialement de moi, mais elle en veut un. Et elle est venue m'en avertir. Je ne savais pas vraiment comment je devais réagir, mais elle m'a dit de ne pas m'en faire, que c'était sa propre responsabilité. Eh, bon Dieu ! Les bonnes femmes s'imaginent que… simplement parce qu'elles ont un utérus, qu'elles peuvent disposer de la vie. « Ne pas s'en faire »… et « ma responsabilité »… Du pipeau !

– Qu'est-ce que tu veux dire par là ? Ça me semble raisonnable, non ?

– Il est évident que je veux en prendre la responsabilité ! Je lui ai dit qu'il fallait qu'elle me déclare comme étant le père, nom de Dieu !

– Tu as dit ça, Christer ?

– Bien sûr. Je veux l'épauler.

– L'épauler… pendant la grossesse et plus tard ?

– C'est mon enfant, Torunn ! Qu'elle porte ! Bien sûr que je veux l'aider pour que tout se passe bien ! Et connaître l'enfant, être un père pour lui… ou elle.

Elle but son eau, sentit la fraîcheur dévaler le long du larynx et des poumons jusque dans son estomac. Il avait les joues rouges, il était si beau. Il n'avait pas son regard de loup, il avait les yeux tout ronds et brillants. Elle se leva.

– Je m'en vais maintenant. Ç'a été… bien, Christer.

– Assieds-toi ! Idiote ! Il ne s'agit pas de nous, dit-il.

Mais l'expression de son corps ne collait pas avec ses paroles, car il restait sans bouger, sans la prendre dans ses bras, sans montrer qu'il la désirait. Il restait assis en pensant qu'il allait être père, et c'était tout.

– Non ? Il ne s'agit pas de nous ? Adieu, Christer. Et bonne chance ! Tu feras sûrement un bon père.

Il ne l'accompagna pas dehors, n'alla même pas à la fenêtre la regarder partir.

Personne ne se rabattit juste devant elle sur sa file, la route était presque déserte. L'essuie-glace gauche était usé au milieu et laissait un voile de neige s'étaler juste à l'endroit où elle regardait la chaussée.

Elle n'éclata pas en sanglots avant d'être chez elle, toute nue devant le miroir, sa brosse à dents dans la bouche. Elle brossait machinalement, la mousse blanche lui dégouttait du menton. Ce fut la vue de ses épaules dans la glace qui déclencha ses pleurs. Elles étaient frêles et pâles. Esseulées, il n'y avait pas de mains qui les tenaient, pas de mains qui les caressaient ou les serraient. Et c'étaient ses épaules, c'était ça, ses épaules. Elles allaient se couvrir d'une chemise de nuit et s'enfoncer sous un duvet froid. Elle se réveillerait le lendemain matin sans aucun bonheur à attendre, toujours avec ses frêles épaules, ses épaules blanches.

Il dut se retenir pour ne pas rugir, il répondit seulement :

– Non merci, je me débrouillerai tout seul.

– Ah, j'aimerais bien voir ça ! s'écria Marit Bonseth. Comment voulez-vous y arriver, Tor Neshov ?

Et de fait, il n'avait pas encore essayé de changer de caleçon. C'était déjà suffisamment pénible de le baisser quand il faisait l'effort de s'asseoir sur le seau hygiénique, alors qu'est-ce que ce serait de l'enlever complètement.

– Je me débrouillerai, dit-il.

– J'ai été aide-soignante à l'hôpital pendant des années avant de travailler à domicile. J'ai vu des zizis de vieux des milliers de fois. Et nettoyé tout autant de derrières.

Le père se racla la gorge dans le salon, Tor devint tout rouge et ne parvint ni à se racler la gorge, ni à avaler sa salive. Il se contorsionna sur la chaise de cuisine, écarta le rideau et regarda longtemps et attentivement le thermomètre extérieur. Lorsqu'il lâcha le rideau, il ne se souvenait même pas de la température qu'il faisait dehors. Heureusement, Marit Bonseth s'était retournée face au plan de travail, elle coupait des légumes comme si elle était payée pour le faire, et c'était le cas. Par chance aussi, la radio était allumée.

– Vous pouvez monter un peu le son ? demanda-t-il.

– Ah bon, vous vous intéressez aux infos en langue same ?

Il ne daigna pas répondre, il étudia à nouveau le thermomètre. À l'hôpital, c'était différent. Quand les femmes allaient et venaient en uniforme, il était plus normal qu'elles vous commandent, on n'avait qu'à fermer les yeux et se laisser faire. Mais quand, dans votre propre cuisine, une bonne femme commençait à vous parler de zizis et de derrières comme si c'était la routine… Il y avait des limites. Il sentit monter sa colère, mais se reprit encore une fois, par égard pour Margido qui devait partir au Danemark le lendemain. Marit Bonseth et lui se téléphonaient sûrement, ce n'était pas la peine de trop l'inquiéter.

– Quand j'aurai fini ça, vous aurez de la soupe pour deux jours, dit-elle.

Merci.

Il entendit que le père se tenait devant une fenêtre du salon, qu'il changeait de pied d'appui régulièrement, ses chaussons frottaient sur le plancher. Il ne restait jamais tranquille lorsqu'il était debout, il lui fallait toujours plus ou moins piétiner sur place, c'était agaçant à voir et à entendre. De cette fenêtre-là, on apercevait un bout de la route, tout en bas de l'allée d'érables, là où la boîte aux lettres était fixée sur un poteau. Et la voiture des postes était facilement reconnaissable. Ils l'attendaient tous les deux. *La Nation* de la veille devait aussi être dans la boîte, ils auraient ainsi chacun un journal aujourd'hui et il couperait aux soupirs appuyés et aux raclements de gorge du père en train de tourner lentement les pages pour repérer les articles qu'il lirait ensuite dans le détail.

– La voilà ! retentit la voix du père.

– Bon, dit Tor. Peut-être que Marit Bonseth…

– Arrêtez donc de m'appeler par mon nom de famille ! s'écria-t-elle sans se retourner. Ça a l'air complètement idiot. Je vais faire la même chose pour vous jusqu'à temps que vous arrêtiez.

– Madame Bonseth, dit-il.

– Marit ! rétorqua-t-elle.

– On n'a pas l'habitude.

– L'habitude de quoi ?

Elle se retourna. L'eau dégoulinait de ses mains.

– Pourriez-vous aller chercher le courrier ?

Il la regarda dans les yeux. Zizi de vieux ou pas, il voulait les journaux tout de suite.

– Bien sûr, répondit-elle. Mais que Tormod Neshov soit incapable d'aller jusqu'à la boîte aux lettres alors qu'il sait s'occuper du bois, voilà qui me dépasse.

Pendant un court instant, le père ne bougea pas d'un iota. Tor n'entendait même plus ses chaussons frotter contre le plancher. Mais soudain il arriva à pas feutrés, se faufila entre eux deux sans dire un mot et disparut dans l'entrée. Il referma avec soin la porte de la cuisine derrière lui. Malgré le charabia same à la radio, Tor l'entendit enfiler non sans mal son manteau et ses chaussures. Au bout d'un bon moment il passa lentement devant la fenêtre de la cuisine. Et après ce qui lui parut une éternité, il fut de retour. Il s'escrima longuement dans l'entrée, puis il ouvrit la porte, posa un journal et deux enveloppes à fenêtre sur la table devant Tor, et se dirigea vers le salon, l'autre journal à la main. Ses joues avaient pris des couleurs.

– Ça vous fait du bien une promenade comme ça. Tous les jours, dit-elle sans se retourner.

Personne ne lui répondit. Tor regarda la date.

– C'est celui d'aujourd'hui, lança-t-il tout haut. Je veux lire celui d'hier d'abord. Sinon on n'y comprend rien.

Le père revint avec son exemplaire et fit l'échange.

– Et s'il était du même avis ? dit-elle en versant dans la marmite fumante le tas qu'elle avait fait sur la planche à découper. Avez-vous pensé à ça, Tor Neshov ?

Il retrouva une sorte de calme lorsqu'il eut son journal devant lui sur la table. Il jeta un nouveau coup d'œil au thermomètre, il faisait plus cinq. Il avait plu pendant la nuit, la neige avait commencé à fondre, à la radio ils annonçaient un redoux durable, et il en était bien reconnaissant. Il aurait hésité à demander à un remplaçant de déneiger, or un paysan se devait de dégager la neige de ses propres chemins. Mais celui-ci avait l'air correct, et il était parfaitement informé, puisque Tor lui avait dessiné toute la porcherie sur une feuille de papier à lettres, avec les loges, les truies et tout le reste, et débité toutes les dates qu'il avait en tête. Le remplaçant avait noté celles de l'apport en vitamines et des vaccinations, l'âge des porcelets, ainsi que la quantité et le type d'alimentation. Mais avant de sevrer de nouvelles portées, il fallait qu'il se soit suffisamment familiarisé avec la porcherie et son fonctionnement. Et il n'y aurait pas de nouvelles naissances avant le 1er avril. Røstad viendrait voir un de ces jours si tout était en ordre dans la porcherie. Mais les porcs allaient bien, affirmait le remplaçant, pas de diarrhée chez les petits, ni de stress anormal chez les truies.

C'était l'histoire des rats qui lui volait son sommeil. Il feuilleta le journal sans en retenir grand-chose, car à partir du moment où il pensait aux rats, son calme le quittait, même s'il savait bien qu'ils lui auraient posé exactement le même problème s'il avait eu ses deux jambes valides. L'entreprise de dératisation cherchait les nids dorénavant, ils devaient revenir le lendemain avec une sonde munie d'une caméra vidéo capable de s'infiltrer un peu partout. Ils avaient parlé de gaz, mais il se demandait comment ils allaient pouvoir isoler la porcherie. Il n'aimait pas l'idée du gaz, la porcherie était vieille, ils ne réussiraient jamais à la rendre parfaitement étanche.

Il pensa au temps où sa mère n'était pas encore malade. Où tout allait comme sur des roulettes. Pas d'aide familiale, pas de remplaçant, pas de rats, les journées se ressemblaient toutes. Mais d'un autre côté, c'était bien qu'ils se parlent à nouveau, entre frères, et que Torunn soit venue ici. Il avait essayé de l'appeler la veille au soir, mais elle n'avait pas répondu.

– Un peu de café, peut-être ? demanda Marit Bonseth.

– Ce n'est pas de refus, dit-il.

Il la regarda rassembler les épluchures de légumes dans un seau et nettoyer la paillasse. Ses larges fesses au-dessous du nœud du tablier, ses gros mollets solidement plantés dans ses sandales brunes sur le tapis synthétique bariolé. Elle était gentille au fond.

– Ce n'est pas de refus, répéta-t-il.

– Où est-ce que je jette ça ? Vous avez un tas de compost quelque part ?

– Non, jetez ça n'importe où ! Ça disparaîtra.

– Au milieu de la cour, par exemple ?

– Non, quand même pas ! Mais… du côté de la remise. Là-bas, par-derrière.

Il la suivit des yeux dans la cour, la vit émietter quelques tranches de pain dans la mangeoire aux oiseaux. Elle venait avec sa propre voiture maintenant, une petite voiture rouge qu'il reconnaissait déjà au bruit. Ça faisait quand même du bien de la regarder, de savoir qu'elle allait revenir faire du café. Et lorsqu'elle rentra, il lui dit :

– Dans le coffre de l'entrée, il y a tout un tas de tabliers qui appartenaient à ma mère. Des beaux. Personne n'en a l'usage ici, vous n'avez qu'à les prendre. Pas seulement pour… vous en servir ici, mais pour les garder.

Quand Marit Bonseth repartit, il avala deux cachets de paracétamol avec un verre d'eau. Sa cuisse commençait à lui lancer, mais il n'avait pas voulu se plaindre en sa présence. Et il refusait de prendre le puissant antidouleur que Margido était allé chercher avec l'ordonnance de l'hôpital. Ça lui donnait des vertiges, une sorte d'ivresse mais désagréable, pas comme celle qu'il ressentait après avoir bu une bière. Le père se reposait à l'étage, le remplaçant arriverait d'ici une heure ou deux. Il retourna péniblement s'asseoir à la table et contempla le déambulateur, qui n'était pas si mal que ça. Il se sentait plus sûr de lui en traînant sa jambe raide. Il passa doucement la main sur sa cuisse, sur la surface dure sous le tissu du pantalon. Dans quelques jours il devrait aller à l'hôpital faire changer son bandage. Il n'aurait qu'à appeler un taxi, la Sécurité sociale paierait les deux trajets, mais cela l'effrayait réellement. Il fermerait les yeux tout le temps. Il avait peur des odeurs, il savait que les plaies couvertes sentaient fort.

Un profond désespoir l'envahit tout à coup, c'était à en pleurer, c'était insupportable. Cinq ou six semaines. Il se redressa à grand-peine, mais une fois debout il ne sut pas où aller. Si seulement il avait pu se rendre à la porcherie.

Peut-être devrait-il essayer ?

Il ne parviendrait pas à enfiler sa combinaison, mais il pourrait peut-être se protéger autrement ? Il s'appuya sur le déambulateur et réfléchit. La douleur s'apaisait. Un imper. Oui, ça ferait l'affaire. Envelopper chaque jambe d'une veste et en nouer une autre au-dessus, mais en avait-il autant ? Il se souvint alors du très vieux tablier de boucher encore pendu dans la buanderie. Ce serait parfait. Avec un imper ! Il avança jusqu'au frigo et en examina le contenu. Il prit cinq tranches de mouton séché et une boîte de pâté de foie presque vide et les fourra dans sa poche. Puis il mit le cap sur la cour. Il prit l'imper dans l'entrée et le posa sur le déambulateur.

Il lui fallut du temps. Dire que sa propre cour de ferme lui faisait l'effet d'un véritable plateau à traverser. Ses bras tremblaient et la sueur lui coulait quand il s'enferma dans la buanderie. L'odeur des porcs et leur façon d'attendre en silence le firent sourire. Ils ne l'avaient pas vu depuis quatre jours. Il noua le tablier de boucher et passa l'imper par-dessus. Il eut aussitôt extrêmement chaud, mais c'était la seule solution. Les porcs comptaient davantage que son propre bien-être. S'agrippant avec force au déambulateur, il gagna péniblement la porte et entra.

– Je crois bien que vous vous êtes posé des questions ! Mais j'ai été tellement bête que j'ai failli me couper la jambe !

Il éclata d'un rire si fort que les murs de pierre en renvoyèrent l'écho, et il eut presque l'impression que les porcs riaient aussi de lui. Ils se serraient bruyamment dans les loges le long de l'allée centrale, et il se penchait sur son déambulateur pour caresser tous ceux qu'il atteignait au passage en rejoignant Siri.

Elle piétinait et grognait de plaisir à son approche, et quel ne fut pas son soulagement quand il put enfin lui donner les gourmandises. Le morceau de pâté de foie lui valut une expression de pur bonheur dans le regard, s'imagina-t-il.

– Ma bonne fille... ma bonne fille à moi. Ce n'est pas pareil avec des étrangers dans la porcherie, hein ? sans doute pas. Et ils vont bien, les petits que tu as dans le ventre ? Tu portes deux bonnes reproductrices, tu sais. Dolly et Diana.

Les autres truies eurent aussi droit à une caresse derrière l'oreille, et tous les groins humides se tendaient avec enthousiasme vers ses mains. Mais comme il lui en coûtait de rester debout ! Sa jambe valide tremblait sous l'effort, la sueur coulait le long de sa colonne vertébrale.

– Il n'y aura rien à manger avant encore un bout de temps. Et vous le savez bien, car vous connaissez l'heure. Si quelqu'un connaît l'heure, c'est bien vous ! Et ne vous inquiétez pas pour le tablier de boucher, on n'abat personne ce soir !

Après une dernière caresse à Siri, il s'en retourna à grand-peine dans la buanderie, réussit à s'asseoir sur le vieux tabouret de traite qui était là, et se débarrassa de son accoutrement. La pièce tourna autour de lui, il s'adossa au mur et le froid contre son dos et sa nuque lui fit du bien. Il y avait encore quelques bières dans le placard, mais il se rappela soudain qu'avec l'antidouleur ce n'était pas vraiment recommandé. Il valait mieux les garder, peut-être en donner une au père aussi, pour le remercier de les avoir dissimulées et évité ainsi que Margido ou d'autres ne viennent fouiner par là.

Il se redressa devant son déambulateur. Il ne pouvait pas rester là alors que le remplaçant allait venir, ça ferait mauvais effet, comme s'il n'avait pas confiance en lui. En outre il avait une envie pressante. Il aurait volontiers utilisé les cabinets de dehors, il y réfléchit un peu mais arriva à la conclusion qu'il devrait d'abord trouver un balai pour pousser les bouteilles vides dans un coin du trou, et rien qu'à cette pensée il transpira de plus belle. Non, ce serait encore le seau hygiénique.

Il était si épuisé qu'il fut carrément pris de nausées lorsqu'il abaissa enfin ses fesses sur le rebord du seau en plastique dans la penderie de l'entrée. Margido l'avait vidée de tous les vieux vêtements. Il devait laisser la porte ouverte pour garder le déambulateur à sa portée.

Il ferma les yeux et se détendit. Il avait vu Siri dans la porcherie, ce soir il dormirait comme une souche. Et ça faisait du bien de se soulager, Marit Bonseth était bonne cuisinière, il allait grossir avec cette vie de repos et de bonne chère. Aujourd'hui elle avait dit qu'elle ferait un gâteau la prochaine fois qu'elle viendrait.

Il entendit alors le bruit d'une voiture. Il tendit l'oreille. Ce n'était pas celle de Marit Bonseth. Ni celle du remplaçant non plus, car il avait un gros modèle ronflant monté sur des roues énormes. Røstad ? Non, il aurait d'abord téléphoné. Ce n'était pas non plus celle de Margido. Une voiture étrangère. Et il était là sur le trône, à la vue de tout le monde, si quelqu'un entrait sans frapper.

Il tira avec empressement sur le papier hygiénique, le rouleau lui échappa des mains et roula sous sa jambe raide appuyée par terre tel un poteau en direction du mur d'en face. Il se contorsionna pour le rattraper et tomba. Tomba sur le côté en entraînant le seau, tout se renversa, une matière froide et grasse se répandit sous lui et autour de lui, il tenta d'agripper le déambulateur mais sa mauvaise jambe lui en barrait l'accès. Il se souleva sur un coude, hors de la matière puante, et il était dans cette position lorsque la porte s'ouvrit et qu'il allait mourir de honte. Il ferma les yeux, entendit quelqu'un pousser un cri, interloqué. Il ouvrit les yeux.

– Toi ?

– Mon Dieu ! dit Torunn. Mais qu'est-ce que tu fabriques ?

Il se ressaisit, se regarda tel qu'elle le voyait et cria :

– SORS IMMÉDIATEMENT !

Il commença à se retourner, voulut tirer la porte vers lui, mais le déambulateur l'en empêchait. Il dérapait chaque fois qu'il essayait de se redresser avec ses mains et son genou valide.

– SORS, je t'ai dit !

– Mais il faut que je t'aide à...

Elle avança de quelques pas dans l'entrée, mais pas assez près pour marcher dedans.

– SORS ET APPELLE MARIT BONSETH ! C'est elle qui doit venir. Pas toi !

Elle s'éclipsa, mais la porte resta grande ouverte. Elle lui cria :

– Mais je n'ai pas son numéro !

Il entendit à sa voix qu'elle était au bord des larmes, mais il ne pouvait pas s'en soucier pour l'instant. Il avait besoin d'aide pour sortir de cette situation.

– Appelle les renseignements alors !

– Mais pourquoi… ? Qu'est-ce qui se passe ? demanda le père.

Il était tout en haut de l'escalier et regardait en bas, les yeux ronds, la bouche ouverte et rétractée, sans ses deux dentiers. Ses cheveux étaient en bataille.

– Va te coucher ! Ça ne te concerne pas !

– De la merde partout, hein ? Tu es tombé ?

– Oui, BON DIEU, tu vois bien que je suis TOMBÉ ! Va te coucher, je te dis !

Le père disparut, il entendit Torunn sous l'appentis qui disait :

– Non, je n'ai pas besoin de noter son numéro, mettez-moi directement en relation !

– Ah là là, qu'est-ce qu'on ne ferait pas pour de l'argent ? dit Erlend.

Il était assis, la tête d'un mannequin sur les genoux et sa lampe de travail à côté de lui. À l'aide d'un feutre à pointe fine, il traçait des points noirs très rapprochés sur les mâchoires du mannequin. En même temps il avait Torunn dans son oreille gauche via l'oreillette de son portable.

Il se sentait ridicule en train de dessiner une barbe de plusieurs jours sur du plastique. Il avait expliqué pourquoi à Torunn, lui avait décrit par le menu l'idée de la vitrine aux cambrioleurs, et raconté que le propriétaire de la bijouterie brûlait d'impatience parce qu'il y avait de grandes chances que ça fasse l'objet d'un article dans *BT*. Ce serait de la publicité gratuite de taille. Mais Torunn n'avait pas l'air de s'y intéresser et répondait seulement par oui et par non.

Elle était à Neshov depuis deux jours, et en avait fait la surprise. Lorsqu'il lui demanda comment ça allait, elle répondit évasivement que son arrivée avait été plutôt chaotique, mais elle n'avait pas envie de donner de détails.

– Il se déplace un peu ?

Oui, effectivement, avec un déambulateur. Aujourd'hui elle l'avait emmené à l'hôpital pour qu'on lui change son bandage. Ça n'avait pas été une mince affaire, parce qu'avec sa jambe raide il avait dû s'asseoir en travers sur la banquette arrière. Là, il était en train de se reposer. Elle espérait qu'il serait de meilleure humeur à son réveil.

– Il monte se coucher à l'étage, alors ?

Non, il dormait sur un lit de camp dans le salon et il avait un seau hygiénique dans l'entrée. Ensuite elle préféra ne plus parler de son père, mais des rats. L'entreprise de dératisation avait repéré quantité de nids, et ils étaient en train d'isoler les murs avec du plastique et de la mousse pour pouvoir les gazer.

– Le fils des terres sauvages est donc rayé des listes ?

Christer ? Oui. Il téléphonait constamment, mais elle ne prenait pas ses appels. Elle ne lisait pas non plus le flot de SMS dont il l'inondait, elle les supprimait sans les lire.

– Et tu n'es pas impressionnée, Torunn ? Par une telle cour ? Il aura beau être papa autant qu'il veut, on dirait le véritable amour.

Oh, il aurait tellement aimé raconter à Torunn ce qui se tramait entre lui, Krumme et les filles, mais il avait promis à Krumme. Promis. Qu'ils ne devaient en discuter que tous les quatre ensemble, même s'il aurait bien voulu en avertir tout un chacun, uniquement pour rassembler le plus grand nombre de points de vue possible. Toutefois il comprenait bien les arguments de Krumme : il leur appartenait à eux seuls de choisir, et ils devaient prendre leur décision exclusivement à partir de ce qu'ils ressentaient eux-mêmes. Après le premier dîner avec Jytte et Lizzi, ils étaient désormais tous en train de cogiter.

Krumme avait servi un carré de porc rôti sur un lit de chou frisé, absolument divin, qu'ils avaient mangé accompagné de vin rouge en abondance, tout en passant en revue différents scénarios de rapports familiaux, vie commune et responsabilité. Erlend avait été infiniment soulagé du fait que les trois autres aussi avaient des scrupules, il avait cru être le seul à être réticent et à insister sur les problèmes. Mais Krumme et les filles examinaient les difficultés sous tous les angles. Que se passerait-il s'ils se séparaient ? Que se passerait-il si l'un d'eux venait à mourir ? Qui serait le père ? Laquelle des deux femmes porterait l'enfant ? Jytte affirmait que Krumme était un bel homme, mis à part son physique tout rond uniquement dû à un excès de graisse, et Krumme avait exhibé avec enthousiasme une photo de jeunesse un peu froissée. Là il était vraiment beau, selon Erlend. Mais Krumme faisait aussi valoir qu'Erlend était citoyen norvégien, ce qui donnerait par la suite à l'enfant la possibilité de choisir plus facilement sa nationalité. Erlend avait alors suggéré qu'ils mélangent leurs élixirs dans une tasse, de sorte que nul ne saurait qui était le père, mais aucun des trois autres ne voulait envisager sérieusement cette possibilité. Personnellement, il trouvait que c'était une excellente idée. Il imaginait carrément ses spermatozoïdes faisant la course avec ceux de Krumme, une course folle, inouïe, afin que le meilleur gagne. Ils laisseraient faire la biologie, pour ainsi dire. Les trois s'étaient contentés de rire.

Ah, si seulement il avait pu raconter tout ça à Torunn ! Mais ce soir-là Krumme et lui allaient dîner chez les filles et encore aborder la question. Et il s'en réjouissait. Il attribuait maintenant sa panique du début aux idées fausses qu'il s'était faites en pensant qu'il serait seul responsable. Or ce n'était pas le cas, ils étaient quatre ! Deux fois plus que des parents habituels. Ils pourraient quand même voyager et avoir des tas de loisirs, c'était génial. Il ne serait pas le seul à avoir la responsabilité de l'enfant. Et lui qui avait des réductions sur les articles Benetton, entre autres, il se voyait déjà en train d'acheter les habits les plus chics et d'aménager de la chambre d'enfant aussi bien chez eux que chez les filles. Il supposait qu'il le ferait aussi chez elles, puisque en fait ce serait peut-être lui le père, si tout cela aboutissait.

– Tu pourrais peut-être parler à Christer une seule fois ? Uniquement pour savoir ce qu'il a à dire ? Il est possible que cette future maman n'entre plus en ligne de compte, déclara-t-il.

Il ne s'agissait pas de ça, mais de sa réaction le soir où elle était allée chez lui, comme elle le lui avait déjà expliqué. En outre elle commençait lentement à réaliser qu'il n'aurait pas été le bon type d'homme pour elle malgré tout. Il avait tellement d'opinions bizarres.

– Sur quoi donc ?

– L'homosexualité entre autres, dit-elle.

Il garda le silence, faillit se lever comme pour aller chercher quelque chose. Il ne fallait pas que Torunn parte en guerre pour lui, en tout cas pas contre un type qui avait besoin de coucher sur des peaux de renne à la belle étoile pour ressentir sa masculinité, c'était un combat perdu d'avance.

– Il y en a beaucoup qui ont des opinions bizarres, tu sais, Torunn !

Il parlait d'une voix qui, lui semblait-il, dénotait la décontraction et presque l'indifférence.

– On doit simplement s'y habituer, continua-t-il. Mais on n'a évidemment pas envie de les fréquenter. Non, oublie ce que j'ai dit ! Je ne voulais pas présenter la chose comme ça, comme si c'était une raison pour… Tu as ta propre vie, ma petite nièce.

Il n'avait pas à s'en faire, elle comprenait bien ce qu'il voulait dire, et d'ailleurs elle s'était fait exactement la même réflexion, il n'était pas si simple d'être très proche de quelqu'un ayant de pareils préjugés.

– Et s'il débarque à Neshov ? Comme Krumme quand la mère est décédée ?

Jamais de la vie, il ne pouvait pas quitter ses chiens.

– Pourtant toi, tu as tout quitté…

C'était différent, affirma-t-elle. Le pire, c'était le comportement de sa mère, elle n'avait plus les pieds sur terre. Torunn avait installé une sonnerie spéciale pour ses appels sur son portable. Abba, *Mamma mia, here I go again…*

Il éclata de rire, résultat : un trait au lieu d'un point.

– Mais ton boulot ? Tu n'as pas des tas de cours et tout ça ?

Elle était en congé de maladie. Elle avait obtenu de son médecin qu'il la déclare surmenée et déprimée.

– Déprimée ? Tu t'es mise à chialer et à faire toute une scène devant un médecin ? s'écria-t-il.

Il dessinait ses points en cadence du côté de l'oreille du mannequin. Si quelqu'un entrait dans le local aux accessoires et le découvrait avec une tête sur les genoux… Même en plastique.

Oui, elle avait pleuré. Et ses larmes lui étaient venues naturellement, répondit-elle.

– Alors tu étais drôlement amoureuse de lui…

Oui, effectivement. Et avec sa mère en plus, qui ne remontait pas la pente, tout ça avait été trop pour elle.

– Oh, Torunn, ma pauvre petite nièce…

Elle sanglota, il eut l'impression qu'il était lui aussi au bord des larmes. C'était quand même injuste qu'elle soit si malheureuse alors qu'il avait peine à contenir son bonheur et ses secrets. Il fit une pause dans la réalisation de la barbe.

– Ne pleure pas ! Tu aurais plutôt dû venir ici, tu sais. Krumme et moi, on t'aurait arraché ton chagrin d'amour. Et au lieu de ça tu vas à Neshov, et tu te retrouves au milieu des rats et de toute cette misère. Ce n'est pas bon pour toi !

Ils avaient besoin d'elle, déclara-t-elle, là-bas elle se rendait utile d'une autre façon qu'au travail, avec sa mère ou Christer. Et s'occuper des porcs, c'était une vraie thérapie.

– Je n'arrive pas à comprendre ça ! Ces porcs qui puent ! Tu sais qu'ils sont très dangereux ? Ce sont des carnassiers !

Il ne fallait pas en dire du mal, rétorqua-t-elle, ils étaient formidables, et il préféra ne pas la contredire étant donné qu'elle avait cessé de pleurer. Et elle avait une nouvelle à lui apprendre. Elle ne devrait peut-être pas le dire, mais Margido était au Danemark.

– QUOI !? s'exclama-t-il en lâchant son crayon-feutre.

Il était à un salon du cercueil quelque part. Ou quelque chose dans le genre. Peut-être des pierres tombales, elle ne se rappelait pas exactement. Le feutre roula sous la baignoire aux pieds de tortue.

– Salon du cercueil ? Bon sang, qu'est-ce que ça peut être ? J'imagine qu'ils s'habillent en robes noires, qu'ils dansent autour des cercueils ouverts et boivent du sang de veau avec une paille ! dit-il en riant.

Elle se mit à rire aussi. Bien sûr que c'était à Copenhague qu'elle aurait dû aller. En tout cas Margido risquait de le contacter, précisa-t-elle, uniquement pour qu'il soit préparé.

– C'est incroyable ! Je ne crois pas que Margido soit déjà allé plus loin que Røros. Mais évidemment, s'il téléphone, on l'invitera chez nous pour un bon petit dîner.

– Il en serait sûrement ravi, dit-elle.

Il se mit à quatre pattes pour récupérer le feutre. Il eut les genoux pleins de poussière et brossa fébrilement le tissu noir.

– Ravi, oui, tu parles ! Jamais rien n'indique si Margido est heureux, exception faite du coup de fil de la Saint-Sylvestre…

Il avait dû rêver ça, pensait-elle.

– Tu dis ça chaque fois ! Mais je n'ai pas rêvé ! En fait je crois que même mon imagination n'aurait pas pu produire une chose pareille ! Margido ivre qui m'appelle « petit frère » et clame qu'il a un rencard ?! Jamais de la vie !

Elle refusait pourtant de le croire, et il fallait qu'elle raccroche, le remplaçant venait d'arriver dans la cour.

– Tu ne t'occupes pas de tout toute seule, alors ?

Non, elle n'en avait pas le droit. Il fallait une formation et une homologation pour avoir l'entière responsabilité d'animaux d'élevage. En outre, le remplaçant touchait une rémunération publique, elle ne pouvait pas y prétendre, sans les approbations nécessaires.

– Oh là là, ça m'a l'air compliqué, j'ai déjà décroché. Mais il est sympa ? Il porte une combinaison dans la porcherie ?

Assez sympa, répondit-elle. Mais cinq ans de moins qu'elle, il s'appelait Kai Roger.

– Mon Dieu, quel prénom ! Typiquement norvégien pour un remplaçant. Mais ne t'en fais pas pour les cinq ans d'écart ! S'il est sympa, n'hésite pas une seconde ! Donne-lui l'expérience érotique de sa vie au milieu de la porcherie, devant un public de cochons médusés ! Et tu me raconteras les détails après, n'oublie pas de prendre des notes au fur et à mesure !

Elle ne savait même pas s'il était célibataire. Et puis elle n'était pas encore là-bas.

– Alors vas-y ! et illico !

C'était encore trop tôt, dit-elle, et puis elle avait beaucoup d'autres choses à faire. Mais elle était contente, à l'entendre, qu'il ait l'air d'être redevenu lui-même et qu'il ne se dispute plus avec Krumme.

– On ne s'est pas disputés, ma mignonne ! On a seulement entrechoqué les casseroles. Tout baigne, maintenant, n'y pense plus ! On est toujours aussi amoureux !

S'il y avait du grabuge entre Krumme et lui, en plus de tout le reste... Non, elle n'osait même pas l'imaginer !

– Ne te fais pas de bile ! Les tontons de Copenhague sont là, peinards, et s'adorent. Amuse-toi bien avec Kai Roger ! Au fait, dis-lui qu'il existe une loi concernant les prénoms. Il peut en changer et se faire appeler Cochonnet quand il veut !

Il vissa solidement la tête sur le torse du mannequin. Parfait. Une fois qu'ils seraient en place dans la vitrine, il finirait de les coiffer et de les habiller. Mais il était obligé de préparer le décor à l'agence, il n'y avait pas assez de place pour travailler dans la boutique. Il prit un bras et ouvrit le classeur avec les motifs qu'il avait emprunté au tatoueur de la rue Istedgade. Un tigre grimpant au niveau du bras et le prénom d'une femme entouré d'un cœur sur l'avant-bras, ça conviendrait bien pour un voleur. Il avait horreur des tatouages et trouvait ça complètement démodé. Il dessina avec un feutre bleu foncé, et repassa ensuite le trait avec un Q-tips trempé dans du white-spirit, afin de le rendre un peu flou et grossier, comme sur la peau réelle.

Agnete et Oscar étaient en train de confectionner les habits de prisonnier, et le cendrier avait été mis à sécher. Le propriétaire de la boutique ne voulait évidemment pas d'un cendrier puant dans sa vitrine. Ils avaient verni de vrais mégots pour en retenir l'odeur, et, à partir de mousse expansive qu'on injectait autour des fenêtres pour les isoler, façonné des petits tas de cendre qu'ils avaient peints en gris, puis ils avaient verni l'ensemble à la bombe. Le whisky était tout simplement une couche de peinture brune qu'ils avaient passée dans les verres et la bouteille. La peinture était déjà sèche. Ce serait absolument parfait. Le store sale et usé qu'ils allaient accrocher à l'arrière-plan, éclairé par-derrière, Oscar l'avait dégoté dans une entreprise de démolition.

Il souleva l'autre tête de brigand et recommença le tracé fastidieux des points sur les mâchoires imberbes, qui avaient peut-être, lors de leur utilisation précédente, lisses et rasées de près, pavané au-dessus des revers d'un costume Armani. Il se rappela soudain son idée des deux hommes en train de s'embrasser, il n'allait pas l'oublier. Peut-être pour une boutique de fringues à la mode tenue par un jeune commerçant courageux. Maintenant que tout allait bien entre Krumme et lui, son énergie et son imagination ne connaissaient plus de limites. Il en était parfois lui-même impressionné. De qui tenait-il ça ?

Jytte et Lizzi habitaient à Amager, presque au niveau du fort de Kastrup. Krumme et lui hélèrent un taxi dans la rue Niels Hemmingsensgade. Krumme apportait son propre tsatsiki dans un grand bocal, Erlend posa deux bouteilles de vin sur ses genoux.

– Je suis très impatient, déclara Krumme. C'est dur pour les nerfs, tout ça, je dois dire.

– On peut peut-être ouvrir une bouteille. Le chauffeur a sûrement un tire-bouchon, ça doit faire partie de l'équipement standard des taxis de Copenhague.

– Ne t'en fais pas ! On n'a pas fini d'en discuter.

– C'est bon signe. Qu'on soit toujours en état d'en parler.

La rue Amagerbrogade bouillonnait de vie et de lumières. Dans la journée, elle était poussiéreuse et sale, mais l'obscurité étendait son voile généreux sur les défauts qu'on voulait ignorer. J'aime cette ville, pensa Erlend, j'aime sa vivacité et sa façon de défier l'ennui, je me sens chez moi ici, et je vais peut-être y être père. Il prit la main de Krumme, la serra et la garda dans la sienne.

– À quoi penses-tu ? demanda Krumme tout bas.

– Au nettoyage de l'aquarium qui sera fait demain. On n'aura plus à regarder Tristan et Iseult au travers d'un voile d'algues quand on prend en toute simplicité un bain au champagne dans le jacuzzi.

– Idiot !

– Oui, ce n'est pas pour ça que tu veux un enfant avec moi ?

Ils pénétrèrent dans les quartiers résidentiels et le chauffeur de taxi trouva la rue Koreavej à l'aide de son plan.

Jytte sortit sur le perron et les embrassa tous les deux. Lizzi était dans la cuisine, ça sentait l'ail et la coriandre, et les vitres étaient couvertes de buée à l'intérieur. C'était toujours agréable de venir ici. Il y avait des livres et des plantes partout, le concept minimaliste n'avait pas cours dans cette maison. Erlend pensa aussitôt à la chambre d'enfant. Il aurait beau la décorer superbement, dès qu'il aurait le dos tourné elle serait sans doute encombrée de tout un tas d'objets colorés, moelleux ou suspendus.

– Deux choses, déclara Lizzi quand ils furent attablés devant un plat de pâtes indéfinissable.

Lizzi était belle et fraîche, un peu à la Liz Hurley, tandis que Jytte était tout l'opposé. Non pas masculine, mais râblée, c'était ainsi qu'il la définissait, râblée et ramassée, solide. Des poignets puissants, des doigts un peu boudinés. Jytte était belle aussi, à qui aurait-il pu dire qu'elle ressemblait ? Peut-être à Janet Jackson, sans la couleur de peau.

– Seulement deux ? s'étonna Krumme.

– À votre santé ! lança Jytte.

– À la vôtre ! La première concerne la maison, dit Lizzi.

– Que veux-tu dire ? demanda Erlend.

Il but une deuxième gorgée de vin, c'était parti.

– On devrait peut-être chercher une grande demeure, avec deux appartements séparés, bien sûr. Mais un jardin commun, malgré tout. Ça faciliterait les choses.

– Oh non ! fit Erlend.

– Moi non plus je n'aime pas l'idée, dit Jytte. J'adore cette maison.

– Et moi j'adore notre appartement, ajouta Erlend.

– Moi aussi, renchérit Krumme.

– Mais la terrasse, dit Lizzi. Ça fait une sacrée hauteur si on tombe.

– Il n'y a pas de danger, assura Erlend. Quand je ferai creuser les douves autour de ma vitrine, je demanderai aussi aux ouvriers de poser un grillage électrifié avec, tout en haut, des petits bouts de verre pilé. Vous voyez ? Le problème est résolu.

– Si on s'entend sur notre projet, déclara Krumme, l'enfant sera... petit un bon moment. On aura tout le temps de réfléchir alors à ce qu'on devra faire.

– C'est vrai, concéda Lizzi.

– Si on s'aperçoit que notre façon de vivre n'est pas pratique, on devra s'arranger pour ça aussi, reprit Krumme.

– On a une proposition, dit Jytte.

– Jytte... on devrait attendre d'être au café pour ça, interrompit Lizzi en souriant.

Elles étaient soudain devenues toutes rouges toutes les deux.

– Proposition de maison ? demanda Erlend.

– Non, dit Jytte. Bien plus important qu'une maison.

– Mais qu'est-ce que c'est alors ? Dites-le ! L'une d'entre vous est-elle déjà enceinte ? insista Erlend. Vous avez volé derrière notre dos le sperme d'un marin au long cours qui passait par hasard ?

– Non, fit Lizzi en riant.

– On s'est tellement demandé laquelle de nous deux porterait l'enfant, et lequel de vous deux serait le père, commença Jytte en prenant la main de Lizzi.

– Erlend, dit Krumme.

– Mélange dans une tasse à café, dit Erlend.

– On a une proposition, réitéra Jytte.

– Tu l'as déjà dit ! s'écria Erlend. Explique-nous !

Les yeux de Jytte s'embuèrent soudain de larmes, mais elle souriait :

– Les deux. Tous les quatre.

Il y eut un grand silence, on n'entendait que la musique jouée en sourdine par la radio de la cuisine, Erlend sut ensuite qu'il n'écouterait jamais plus *Rocket Man* d'Elton John sans penser à cet instant précis.

– Tous les quatre ?

C'était Krumme qui parvenait à parler le premier.

Jytte et Lizzi pleuraient, Jytte alla s'asseoir sur les genoux de Lizzi et faillit renverser une bouteille de vin au passage.

– Mais qu'est-ce que tu entends par là ? murmura Krumme qui, de son côté, avait pris la main d'Erlend.

– Exactement ce qu'elle a dit, déclara Lizzi. Jytte et moi, on veut toutes les deux avoir un enfant, alors vous pourrez être pères tous les deux. Vous n'aurez pas à choisir. Nous non plus. Voilà ce qu'on a réalisé tout à coup, en discutant pour savoir qui de nous… Pourquoi faire un choix ? On est deux femmes. Il n'est pas certain qu'on soit enceintes en même temps, ce serait sans doute trop beau, mais on peut essayer. Donc on a évidemment besoin de vous deux comme pères !

– Mon Dieu ! s'écria Krumme.

Ça se réalise, pensa Erlend, c'est du concret qui sort de tout ça, à partir de cette seconde même, c'est un fait.

– Seigneur Dieu ! reprit Krumme.

– Arrête, Krumme ! Il ne peut rien pour toi. C'est vraiment ce que vous souhaitez ? dit Erlend.

– Oui, dit Jytte.

– Quand bien même on sera usantes l'une pour l'autre, ajouta Lizzi. Deux femmes aux hormones bouleversées sous le même toit, si on est enceintes plus ou moins en même temps. Si vous voulez bien, hein ? Si on peut mener le projet à terme.

– On veut bien, dit Erlend.

Il sentit les bras de Krumme l'enlacer avant même de reprendre son souffle. Krumme enfouit son visage au creux de son cou, il pleurait et riait à la fois. Son verre était tombé, le vin s'imprégnait dans la nappe, la tache ressemblait à une rose rouge.

– Champagne ! cria Lizzi en reniflant. Je vais le chercher.

– Quand va-t-on faire ça ? demanda Krumme.

Il se moucha bruyamment avec sa serviette, tout en sachant qu'Erlend avait horreur de cette manie.

– On sera à la moitié de notre cycle dans à peu près une semaine, répondit Lizzi.

Elle se leva. Son mascara avait coulé jusqu'au bas de ses joues.

– Jytte et moi, ajouta-t-elle, on est cent pour cent sur la même longueur d'onde. Y compris dans ce domaine-là.

Elle courut à la cuisine et en revint avec une bouteille qui s'embuait.

– Tu appelles ça du champagne, Lizzi ? cria Erlend. Mais c'est du mousseux ! Je savais que j'aurais dû apporter quelques bouteilles de Bollinger !

– Tu réussiras bien à avaler un verre ou deux. Regardez ! Regardez comme mes mains tremblent ! dit-elle.

– Les nôtres aussi, remarqua Krumme. Bon sang, c'est sérieux !

– Du sang, il y en aura, dit Erlend.

Ils le dévisagèrent.

– Je veux dire… tout à la fin, au moment de l'accouchement. Je ne veux pas y assister.

– Moi si ! dit Krumme.

– Bon, alors moi aussi, se résigna Erlend. Sinon on me rappellera pendant cent ans tout ce que j'ai raté. Avec deux Valium, ça devrait le faire. Mais il faudra qu'on y soit tous les deux, Krumme et moi. Tout seul, je n'oserai pas. Ça signifie que, dans ce cas précis, vous ne devrez pas être complètement coordonnées.

– Mais comment va-t-on procéder ? s'enquit Krumme.

– Attends ! On trinque d'abord, dit Jytte.

Elle se leva et se tint droite, les joues en feu, le verre au bout de son bras tendu, telle une déesse de la liberté.

– Chers Erlend et Krumme, on vous aime tellement ! Et nous, on s'aime. Et vous, vous vous aimez aussi. Aucun enfant ne peut rêver de naître au milieu d'autant d'amour que celui qu'à nous quatre on peut lui offrir.

Ils se mirent tous debout et trinquèrent en silence. Erlend sentit trembler ses genoux. Je vais être père, pensa-t-il, on va être pères.

Jytte suggéra qu'ils se renseignent auprès d'un médecin pour savoir comment s'accordaient leurs groupes sanguins en fonction de qui féconderait qui. Le reste, ils s'en débrouilleraient eux-mêmes.

– Vous ne devez pas aller dans une de ces cliniques, alors ? demanda Erlend.

– Non, répondit Jytte. Ce n'est pas nécessaire. Il s'agit simplement d'envoyer la précieuse dose suffisamment loin. On y arrivera parfaitement nous-mêmes.

– Mais comment ? dit Erlend.

– Mon Dieu, fit Jytte. Tu en poses, des questions ! On utilise un tuyau en plastique et un entonnoir, ce n'est pas plus compliqué que ça.

– Alors pourquoi ce genre de clinique affiche-t-il toujours complet ? Si je peux me permettre...

– Parce qu'ils proposent des donneurs anonymes, qu'ils nettoient le sperme d'abord et qu'ils le déposent directement dans l'utérus, expliqua Lizzi. Mais chez nous, les spermatozoïdes devront parcourir eux-mêmes le dernier bout de chemin, tout naturellement. Et le plus robuste l'emportera. On ne veut pas aller dans une clinique, on veut que ce soit un bel instant, particulièrement chargé de sens pour nous. Et on veut que vous soyez là.

– Pas pour...

– Non, Erlend, pas pour regarder. Ni pour tenir l'entonnoir. Mais pour être présents. On pourra dîner ensemble après, passer une bonne soirée.

– Mais plus d'alcool pour vous à partir de ce moment-là ! dit Krumme en agitant l'index.

– Non, rétorqua Jytte. Et même pas à partir de demain ! Mon corps doit être absolument pur pour fabriquer un petit enfant.

– J'apporterai du vrai champagne, je pourrai boire pour vous deux, déclara Erlend.

– Pas par avance ! dit Lizzi.

– Hein ?

– Il vaut mieux que vous ne buviez ni café ni alcool la dernière semaine, reprit Lizzi.

– Seigneur ! s'écria Erlend. On exige de telles privations… ? Je comprends mieux pourquoi j'ai hésité un moment.

– Une semaine de torture pour vous, dit Jytte. Ensuite neuf mois de totale abstinence pour nous. Ce n'est pas une mauvaise affaire !

– Vu sous cet angle… reprit Erlend. Mais après que Krumme et moi, on aura fait notre boulot chacun dans notre tasse…

– On s'est procuré des récipients spéciaux, coupa Lizzi. Stériles.

– Ça alors ! fit Krumme. Vous étiez vraiment sûres qu'on accepterait.

– En fait, oui, dit Lizzi. À partir du moment où on peut être parents tous les quatre.

– C'est curieux, au fond, remarqua Erlend. D'abord j'étais effrayé à l'idée d'un bébé qui pisse tout le temps, et maintenant qu'il y en aura deux, cette idée n'a plus rien de révoltant. Mais si vous n'êtes pas enceintes ? Ou seulement une de vous deux ? Il y en a qui essayent pendant des années de…

– Je crois qu'on sera enceintes, dit Jytte. Toutes les deux. Vous savez que Lizzi et moi, on a chacune avorté après une relation avec des hommes, avant de nous rendre compte que… Mais en tout cas… Lizzi est tombée enceinte après un coït interrompu, et moi alors que j'avais un stérilet et que je me rinçais ! On est hyper fécondes !

– Bon, alors je crois qu'on va boire tout ce qu'il y a d'alcool dans cette maison, étant donné que vous en serez peut-être privées pendant neuf mois et nous pendant toute une semaine, conclut Erlend.

Lorsque, de retour chez eux vers trois heures du matin, Krumme et lui, d'un pas chancelant, se mirent au lit, Erlend murmura :

– Je suis sérieux pour cette histoire de douves, Krumme.

– Mon chéri, approche-toi !

– Et les crocodiles. Trois suffiront peut-être. Mais j'en envisage quatre.

– Je t'aime, Erlend. Grâce à toi, je suis l'homme le plus heureux du monde, tu sais ?

– Mmm ! Comme tu sens bon… Oui, je sais. C'est réciproque. Quand j'ai cru que tu n'étais pas satisfait de moi et de notre vie… plus rien n'avait de sens pour moi, Krumme. Je ne mettais même plus toute mon âme dans les vitrines, c'était horrible.

– J'ai été fier de toi aujourd'hui, quand tu as répondu « oui ». Avec une telle spontanéité. Ça m'a donné tellement… confiance. Tu comprends ?

– C'est sorti tout seul. Je voulais. Je veux. J'ai une réduction sur les vêtements pour enfants Benetton, je te l'ai dit ? Je me rappelle que ça m'a fait rire quand Poulsen me l'a appris, et que j'ai répondu que je ne voyais pas à quoi ça me servirait. C'était peut-être un signe ? C'était le jour où tu t'es fait renverser.

– Écoute, dit Krumme. Et si nous installions une vitrine directement sur le mur et sur toute la longueur du salon ? Avec éclairage et tout. À une bonne hauteur. Ça rendrait bien.

Erlend ferma les yeux et se l'imagina. Un flot de lumière courant horizontalement le long du mur, il pourrait disposer les figurines Swarovski par thèmes successifs, on les verrait beaucoup mieux une fois qu'elles seraient toutes à la hauteur des yeux, ce serait magnifique. Avec les dernières qui étaient arrivées par la poste, belles et intactes.

– Je t'aime, Krumme.

– Tu as reçu les nouvelles figurines ? Celles que tu as commandées ?

– Oui. Et tu… ? J'ai acheté une licorne.

– Je sais. Je l'ai vue.

– Ah bon ? s'écria Erlend.

Il se souleva sur un coude, scrutant de plus haut le visage familier de son compagnon. Il cherchait dans ses yeux des traces d'accusation.

– Je l'ai mise tout au fond. Pardonne-moi ! Seulement je… murmura-t-il.

– Je considère ça comme une déclaration d'amour, dit Krumme. Que tu ne pouvais pas t'en passer.

– C'est vrai d'ailleurs. Parce qu'elle est toi.

– Viens plus près, petit mulot ! Tout contre moi !

– En fait je ne peux pas approcher davantage.

– Alors éteins la lumière au moins !

Erlend l'attendrait sur le quai et il en était grandement soulagé. Quand il était arrivé pour prendre le train de Frederiksværk, la gare centrale grouillait de gens, de bruits, d'agitation, et il était difficile de s'orienter quand on était bousculé au milieu de cette cohue qui mettait tous les sens à vif.

– Mais te voilà ! s'écria Erlend.

Il était soudain devant lui, tout sourire. Ils se serrèrent les mains.

Ça faisait bizarre de voir Erlend dans cet élément étranger, tout en sachant que c'était là qu'il vivait et qu'il y était chez lui de bien des façons. En même temps, il était différent. Ses cheveux étaient plus courts qu'à Noël et plus noirs que jamais, si noirs, en fait, qu'ils avaient des reflets bleutés. Ses yeux paraissaient plus sombres que lorsqu'il était à Neshov, il avait dû les souligner en noir et colorer ses cils. C'était cela que Margido remarquait, lui qui maquillait des visages qu'on allait scruter de près, sur le fond blanc et éclairé d'un oreiller. Mais, comme d'habitude, Erlend était bien habillé. Soigné, jamais en vêtements criards pour jeunes, tels que les hommes d'une quarantaine d'années s'en affublaient souvent.

Margido se rendit compte de tout cela, en dépit de sa fatigue.

Il était épuisé à un point qu'il n'avait encore jamais ressenti, et surpris par tout ce qui était nouveau et inhabituel, alors qu'il n'était qu'au Danemark, pourtant tout proche. Ce qu'il mangeait n'avait pas le même goût, le lait au petit déjeuner, les tranches de pain garnies, des petites choses toutes simples qu'il aurait vraiment cru être partout les mêmes. Il y avait de l'alcool à tous les repas, même au petit déjeuner ils buvaient du snaps. Et tous les panneaux en danois, il n'y avait encore jamais prêté réellement attention et fut frappé de constater que ce qui était écrit avait l'air vieillot, comme du norvégien d'autrefois, ce qui d'une certaine façon était le cas. Mais c'était la langue parlée qui lui avait fait la plus forte impression. Le fait d'entendre du danois partout, du matin au soir, avec sa gamme de sons tout à fait différents, transformait aussi la réalité qui l'entourait. Il s'était même demandé l'effet qu'une culture foncièrement étrangère produirait sur lui, vu que la danoise le marquait déjà autant. S'il était allé… en Tunisie, en Chine, ou en Australie. Cela aurait été un bouleversement insupportable.

– Ç'aurait quand même été bête que je vienne au Danemark sans passer vous voir, dit-il.

– En effet. Ton avion est à quelle heure ?

– À neuf heures moins cinq ce soir. Vol direct pour Værnes.

– Oui, de Trondheim à Copenhague, ce n'est vraiment qu'un saut de puce. En tout cas tu as plusieurs heures devant toi. On va peut-être mettre tes bagages à la consigne et faire un peu de tourisme avant d'aller à la maison ? La Petite Sirène, Amalienborg et ce genre de choses ? Tivoli est fermé à cette époque de l'année.

– C'est gentil, Erlend, mais je suis crevé. J'ai eu un nombre incroyable de nouvelles impressions. M'asseoir dans un bon fauteuil, voilà en fait ce dont j'ai le plus envie.

– Pas de problème ! La Petite Sirène, c'est complètement surfait, de toute façon. Elle est minuscule et pleine de fientes de mouette.

– On va prendre un taxi alors. Tu sais sûrement où en trouver un.

– En danois on dit « taxa », Margido ! Mais nous, on habite place de Gråbrødretorv, c'est par là-bas. Ce serait ridicule de faire un si petit bout de chemin en taxi. Je peux porter ton sac ? Bizarre de te voir ici. Tu étais bien le dernier dont j'aurais cru avoir la visite. Tu m'étonneras toujours, Margido.

Il ignorait quoi répondre, et préféra ne rien dire. Il savait bien à quoi Erlend faisait allusion avec ce « toujours ». Pourvu qu'il ne se mette pas à en parler !

Il faisait gris et froid dehors, un vent glacial balayait l'asphalte. Il avait eu ce temps-là à Frederiksværk pendant les deux jours. Il s'était imaginé qu'il ferait meilleur au Danemark, et c'était l'inverse, il y faisait plus froid qu'à Trondheim. Il n'avait pas eu chaud dans le train et il était glacé jusqu'aux os, mais il ne voulait pas se plaindre. Il espérait retrouver la chaleur dans l'appartement.

Erlend avançait à grands pas, sans se soucier de la confusion qui régnait. Un musicien ambulant était installé juste devant l'entrée principale de la gare, avec sa guitare et son harmonica, il ne comprenait pas comment il pouvait rester sans bouger et jouer avec un froid pareil.

Tandis qu'ils remontaient ce qu'Erlend appelait Strøget, et qui devait être la rue piétonne de Copenhague, Erlend lui montra la Tour Ronde et l'église de la Trinité.

– Tu étais donc à un salon du cercueil, dit Erlend, d'après ce qu'on m'a raconté ?

– Il y avait des pierres tombales et des cercueils.

– Tu as beaucoup acheté, alors ?

– Non. Il y avait des équipements informatiques, avec possibilité de faire des tirages en couleurs, avec photos et textes. Mais je n'y connais rien en ordinateurs. Pour les cercueils j'ai un distributeur attitré, et on fait venir toutes les pierres d'Eide, dans la région de Møre. On ne peut pas changer comme ça.

– C'était sans doute des cercueils dernier cri. Radio, télé et Internet incorporés ?

– Pas exactement, non, répondit Margido.

Une odeur de beignets chauds s'échappait d'une voiturette, les vapeurs des bassines à frire se concentraient en nuages gris, une fillette tenait un curieux jouet au bout d'une ficelle et en faisait la réclame pour le vendre, elle avait l'air bleuie de froid et ne portait ni gants ni moufles, il ne put s'empêcher de penser à la Petite Fille aux allumettes. C'était une ville d'un million d'habitants, et de combien de situations désespérées ?

– Comment c'est, au fond, de travailler avec la mort, Margido ? Constamment ?

– C'est un… bon travail. Qui apporte des satisfactions. Des gens qui apprécient ce qu'on fait. Et toi ? Ça marche, les affaires ? C'est toi qui as décoré certaines de ces vitrines ?

Il fallait quand même qu'il ait la politesse de lui demander. Tout ce qu'il voyait, c'étaient des mannequins en rang d'oignons vêtus diversement, et des devantures où s'entassaient d'autres produits avec le prix sur des étiquettes, ça ne lui disait rien, ça ne le tentait pas.

– Pas ici précisément. Elles sont assommantes, ces vitrines. Tu vois quelque chose qui te fait envie ?

– Non.

– Exactement. Parce que ce ne sont pas les miennes. Surchargées et moches.

Il y avait un ascenseur pour monter à l'appartement. On aurait dit un ascenseur d'hôtel, avec miroirs sur trois côtés au-dessus d'une main courante en cuivre. Erlend dut composer un code sur un tableau avant qu'il ne se mette en marche.

– Ça, c'est de la sécurité au moins ! dit Margido.

– On possède tout l'étage supérieur et on n'a pas envie d'avoir tout à coup des importuns sur le pas de notre porte.

– Ascenseur personnel ?

– Ah… il dessert les voisins au passage…

Ni l'ascenseur ni la sécurité n'auraient pu le préparer à l'appartement lui-même. Il ôta ses chaussures, bien qu'Erlend lui ait dit que ce n'était pas la peine, et traversa en chaussettes des pièces dont il n'avait vu l'équivalent que dans les films. Il n'avait jamais pénétré dans un endroit pareil, même pas en allant faire les soins aux défunts à domicile. Le plus approchant à Trondheim serait le quartier de Nedre Elvehavn, mais il ne pensait pas qu'il puisse y avoir un appartement comme celui-là. Deux immenses salons en angle, l'un avec des portes coulissantes en verre donnant sur une vaste terrasse, cheminée, meubles raffinés en bois doré, verre et métal, énormes jarres avec des lys, art moderne sur les murs, une large vitrine éclairée, pleine de figurines en verre, sols en dallage et carrelage, ardoise et parquet. Il savait que Krumme et lui vivaient dans l'aisance, mais cela dépassait tout ce qu'il avait imaginé.

– Ce n'est pas exactement Neshov, dit Margido.

– Non, c'est le moins qu'on puisse dire. Du café ?

– Oui, je veux bien.

La cuisine aussi était immense. Dans un des salons il y avait une longue table avec pas moins d'une dizaine de chaises, ici dans la cuisine une plus petite avec deux chaises. Des mètres et des mètres de plan de travail étincelaient, en pierre polie marbrée de blanc et noir.

– De la larvikite, remarqua Margido.

Soulagé de découvrir quelque chose de familier, il en caressa la surface froide.

– Souvent utilisée pour les tombes, ajouta-t-il.

– Oui, ça s'appelle sûrement comme ça, dit Erlend.

Il appuya sur un bouton et plaça une petite tasse à café noire sous un bec verseur.

– Je fais un expresso, j'ai l'impression que tu en as besoin. Et j'ai acheté des viennoiseries. Krumme va bientôt arriver et préparer le dîner.

– Deux frigos ? s'étonna Margido en contemplant le double réfrigérateur en acier brossé, dont une des portes était en verre dépoli.

– Il faut ça. Un pour les aliments, et un pour les liquides.

– Mais vous n'êtes que deux ?

– On donne souvent des soirées. Et on aime avoir un peu de choix. Regarde ! dit Erlend en ouvrant celui en verre dépoli. Du champagne, du vin blanc, de l'eau gazeuse, des jus de fruits, du Coca, du lait, de la crème, des vinaigres, des sauces salade sans huile, de la bière et de l'eau minérale. Ça remplit tout un frigo, non ?

Margido s'assit délicatement sur une des chaises et observa Erlend, qui lui tournait le dos, en train de se faire une tasse de thé. Il prit ensuite un sucrier plein de sucre roux, puis sortit des gâteaux d'un sac en papier blanc et les disposa sur un plat en verre. Margido remarqua alors que deux lave-vaisselle étaient installés côte à côte au-dessous du plan de travail. Ils avaient aussi deux fours, l'un au-dessus de l'autre, à hauteur de poitrine.

– Vous avez tout en double ici, dit-il.

– Oui, c'est un peu ça, rétorqua Erlend.

Il pouffa de rire, ses épaules en furent secouées sous son pull noir à col roulé. Margido distinguait nettement ses omoplates saillantes. Son frère. À l'aise et détendu au milieu de ce luxe. Il s'en trouva presque encore plus épuisé qu'avant de venir ici, sans vraiment comprendre pourquoi. En tout cas il hésitait d'autant plus à déclarer ce qu'il s'était décidé à dire. Il regarda ses chaussettes avec soulagement, aucune n'était trouée après toute cette marche. Il les renvoya sous la table, Erlend avait maintenant des pantoufles aux pieds. Il essaya de se concentrer sur l'odeur du café, sur le fait qu'Erlend avait acheté des viennoiseries et s'était probablement libéré pour lui, il était le bienvenu.

– Deux lave-vaisselle, c'est parfait, reprit Erlend. En temps ordinaire, on prend ce qui est propre dans l'un et on met ce qui est sale dans l'autre, et lorsqu'on donne une réception, c'est super d'en avoir deux en action après coup. Quant aux fours, l'un sert pour les pommes de terre, les légumes et ainsi de suite, l'autre pour le plat principal, viande, poisson ou volaille. Ça fait que tout est prêt en même temps.

– Tout ça doit coûter une fortune.

– Krumme vient d'une horrible famille bourgeoise de Klampenborg, je ne les rencontre jamais, mais il les voit de temps en temps. Il a hérité d'une somme colossale à la mort de sa mère, et quand son père, qui est odieux, mordra la poussière, il y en aura encore davantage. Et on gagne bien notre vie aussi.

– Effectivement.

– On a acheté l'appartement douze millions il y a huit ans et on a dépensé six millions pour l'installer à notre goût. Tiens, sers-toi !

Erlend posa le café devant lui. Il but avec reconnaissance. Le sol était chauffé, il appuya la plante de ses pieds par terre et ferma les yeux juste une seconde.

– Fatigué ? demanda Erlend.

– Oui. Mais d'une autre façon que lorsque je suis débordé de travail.

– On prendra un taxi pour aller à Kastrup, je t'accompagnerai, comme ça la fin de ton voyage se passera bien.

– Tu n'es pas obligé. Mais c'est vrai que… ça serait appréciable.

– Tu n'es jamais allé à l'étranger avant ça, hein ?

Margido soupira.

– Non. Et ça fait beaucoup pour moi. Le voyage, la langue…

– Les pierres tombales et les cercueils.

– Oui, mais ça j'en ai l'habitude.

Ils se turent. Il vida sa tasse, elle était minuscule. Sans rien demander, Erlend se leva et en fit une autre. Il prit une inspiration, et sentit aussitôt son cœur battre plus vite maintenant qu'il s'était décidé.

– Je voudrais te demander pardon, Erlend, dit-il.

– Pour quoi ?

Pendant une fraction de seconde, Margido craignit qu'Erlend pense qu'il s'excusait pour le coup de fil de la Saint-Sylvestre, il aurait dû s'exprimer autrement. Il s'empressa d'ajouter :

– Pour la manière dont tu as été traité dans la famille. Je comprends bien que tu puisses être amer et en vouloir à… oui, aussi bien à Tor qu'à moi et… à maman.

À ce point-là de la conversation, il aurait déjà souhaité qu'elle soit terminée, qu'il puisse s'allonger quelque part, fermer les yeux en sachant que c'était fini.

– Je ne suis pas amer, dit Erlend.

Il posa une nouvelle tasse pleine devant lui, croisa son regard.

– Non, pas du tout, continua-t-il. J'étais découragé et je vous plaignais. Mais le jour où j'ai quitté Neshov, j'étais furieux. Je ne supportais plus d'être piétiné. Furieux, déçu et déchaîné, mais pas amer. Il n'y avait pas que vous à la ferme, il y avait tout le monde. Tout… tout Bynes, tout Trondheim. Il s'en est passé des choses, en vingt ans, mais quand…

– Oui. Il s'est passé beaucoup de choses.

– Quand tu m'as appelé le soir de la Saint-Sylvestre…

– Est-ce qu'on doit vraiment parler de ça ? dit Margido.

– Tu étais soûl ?

– Ça ne se reproduira plus.

Erlend éclata de rire, la bouche ouverte, la tête rejetée en arrière.

– J'en étais sûr ! Il fallait que tu sois soûl pour m'appeler « petit frère » !

Margido voulut porter la tasse à sa bouche pour boire, mais il sentit sa main trembler et y renonça.

– Excuse-moi, Margido ! Je ne dois pas me moquer de toi, ce n'est pas chic de ma part, dit Erlend.

– Krumme est un... brave homme, déclara Margido. Le pasteur Fosse a dit la même chose quand je l'ai rencontré il y a quelques semaines. Que vous étiez... paraissiez très sympathiques.

– Il a dit ça ? Et tu me demandes pardon ? Et en plus vous êtes chrétiens tous les deux ?

– Oui. C'est comme ça.

– Tu les as vus, toi ? Ensemble ? demanda Erlend.

Margido se força à soulever sa tasse à deux mains. Il voulait le goût du café dans sa bouche. Mais il n'était pas surpris qu'Erlend veuille en parler. Il n'était plus à Neshov, assis en face de Tor de l'autre côté de la table, qui soulevait le rideau et regardait la température extérieure si un sujet de conversation devenait épineux.

– Qui ça ? Tu veux dire... maman et...

– Oui, répondit Erlend.

Il se remit à observer les frigos, une des portes était percée d'un trou, surmonté d'un bouton où il était écrit : « Distributeur automatique de glaçons ».

– Oui. Je les ai vus.

– Tu as donc vu que maman et le grand-père Tallak...

– J'étais rentré un peu plus tôt de l'école ce jour-là, dit Margido. Je n'étais pas bien vieux.

– C'est si difficile à croire. Qu'on puisse aisément dissimuler... autant que ça.

– C'est simple en fait, reprit Margido en le regardant droit dans les yeux. Une exploitation familiale doit continuer d'exister. Et quand l'héritier est fils unique et n'aime pas les filles…

– Alors c'est son père qui règle la question.

– Oui.

– Mais il aurait suffi d'une fois, Margido. On est trois.

– C'était peut-être plus que par simple nécessité pour la ferme.

– Parce qu'ils s'aimaient, tu veux dire ?

– Je ne sais pas, dit Margido. Et maintenant ils sont morts tous les deux. On ne le saura jamais.

– J'essaye de m'imaginer… Maman et lui, dans le dos de grand-mère pendant des années, alors qu'elle était malade et clouée au lit là-haut dans sa chambre. Tu crois qu'elle s'est rendu compte de quelque chose ?

– Il faut sincèrement espérer que non.

– Mais maman et… grand-père Tallak ne t'ont pas remarqué ? Ils n'étaient pas au courant que tu le savais ?

– Non. Mais je l'ai dit à maman. Il y a sept ans. La dernière fois où j'étais là-bas avant… Noël dernier. J'ai dit qu'il y avait des limites à la façon dont ils traitaient le vieux. Que c'était lui qui était à plaindre, vu la façon dont elle s'était conduite. Ça s'est terminé par une dispute terrible, elle s'est mise dans une colère noire, m'a accusé de parler de choses auxquelles je ne connaissais rien du tout. Alors je suis parti, tout simplement, puisqu'elle refusait d'en discuter avec calme et bon sens.

– Tor l'appelle toujours « papa » ?

– Je crois bien. Tor préfère que tout reste pareil, autant que possible.

– Je l'aimais beaucoup, moi. Le grand-père Tallak.

– Je sais, Erlend.

Il porta la main à son visage, appuya le pouce et l'index sur ses yeux, le petit brin d'obscurité l'incitait au repos.

– C'est si loin, tout ça... Tu as des toilettes ? demanda-t-il en se levant.

– On en a deux, évidemment. Toilettes seules, et dans la salle de bains. Au fait, tu n'as pas vu la salle de bains !

La première chose qui accrocha son regard fut l'aquarium. Muet de stupéfaction, il laissa Erlend lui désigner les différents poissons. Une baignoire triangulaire, à peu près de la taille de sa propre salle de bains, occupait un coin, et des gicleurs étincelants étaient montés dans la porcelaine gris acier. Il y avait une cabine de douche dans l'autre coin. Deux lavabos encastrés dans une plaque de verre qui était rugueuse en dessous, des plantes vertes et des palmiers directement éclairés par des spots, une bergère blanche avec quelques vêtements posés sur l'accoudoir. Une bergère. Dans une salle de bains. C'est alors qu'il le remarqua, au fond de la pièce, avec des portes coulissantes en verre et les traditionnels bancs de bois à l'intérieur.

– Vous avez un sauna ? dit-il.

– Bah, ce sauna, on ne s'en sert jamais. Il n'y a que la femme de ménage qui y va, pour astiquer le poêle et les bancs.

– Je vais bientôt en avoir un. Il devrait être à peu près installé quand je vais rentrer. Pas avec un vrai poêle, mais...

– Nous, on prend des bains. Presque tous les jours, je crois. C'est moi qui avais insisté pour avoir ce sauna quand on a remis l'appartement à neuf.

Complètement stupide, vu qu'on ne l'utilise pas. Mais toi, tu peux y aller si tu veux ! Et te délasser un peu !

– Maintenant… ?

– Bien sûr ! J'allume le poêle et ce sera déjà bien chaud dans un quart d'heure. Je vais remplir le seau d'eau. On a aussi des peignoirs propres pour les invités, comme ça tu pourras finir de transpirer après ta douche, avant de te rhabiller. Tu peux dîner en peignoir, ça ne nous gêne pas, on le fait souvent. Et voilà le frigo !

Il y avait un tout petit réfrigérateur à côté de la bergère.

– Eau gazeuse. Quand on en a marre du champagne. N'hésite pas à te servir !

Il plia soigneusement ses vêtements et les posa sur la bergère, sa montre-bracelet par-dessus. C'était sa tenue de la journée qu'il avait mise ce matin, il n'avait plus rien de propre. Il sentit ses chaussettes et les lava avec du savon, puis il les étala sur le sol chauffé. On frappa à la porte, avait-il mis le verrou ? Il était tout nu.

– Oui ?

– Tu veux de la musique ? fit la voix d'Erlend. Je viens de me rappeler tout à coup qu'on a des haut-parleurs dans le sauna. Quel genre de musique s'accorde avec la transpiration, crois-tu ? Diana Ross ?

– Non merci, Erlend, j'aime bien le silence. Mais c'est gentil de me l'avoir proposé.

Il entra dans la chaleur et referma la porte derrière lui. Il versa de l'eau sur le poêle, s'assit et ferma les yeux. Il sentit immédiatement la sueur perler, s'évacuer de la peau. Il ouvrit les yeux et jeta un regard vide à travers le verre, il aperçut le peignoir blanc qu'il allait emprunter, et une grande serviette rayée noire et grise. Il referma les yeux.

La tête lui tournait quand il pénétra dans la cabine de douche. Il avait déjà vidé une bouteille d'eau gazeuse et se dit qu'il lui en faudrait une deuxième. Il laissa, pour finir, l'eau glacée lui inonder le corps, avant de se sécher avec soin et d'essuyer les traces de ses pieds et les éclaboussures par terre. De retour chez lui, il pourrait faire ça tous les jours. C'était comme si une nouvelle vie allait commencer.

Il y avait des miroirs partout ici, chez lui il ne disposait que de la petite glace au-dessus de l'étagère en verre où il posait sa brosse à dents. Il resta à se regarder. Il était corpulent. Mais pourquoi, au fond ? Il ne mangeait pas beaucoup. Mais il n'avait pas beaucoup d'activité physique non plus. Il se caressa le ventre, passa la main dans ses cheveux, se retourna, il y avait un nouveau miroir. Alors il observa les poissons qui nageaient paresseusement, sans but, les uns autour des autres, contempla la gigantesque baignoire où ils prenaient leurs bains, et tendit l'oreille. Tout était silencieux. Le peignoir était doux et épais. Mais allait-il devoir marcher pieds nus dans l'appartement ? Heureusement les chaussettes étaient sèches, il les enfila et alla chercher une seconde bouteille d'eau gazeuse. Tenant la vide et la nouvelle dans ses mains, il ouvrit la porte. Elle n'était pas verrouillée. Il entendit au loin un air de musique classique.

Krumme se retourna dès qu'il entra dans la cuisine, sourit et vint à sa rencontre en s'essuyant la main droite à un torchon.

– Bienvenue, Margido ! Il faisait bon et chaud là-dedans ? Dommage que vous ne puissiez rester que quelques heures !

Il serra la main de Krumme en disant :

– Il faut que je rentre. Le devoir m'appelle. Où est-ce que je mets cette bouteille vide ?

– Posez-la n'importe où ! Je fais de l'agneau avec du couscous, vous aimez ça ?

– Sûrement. Merci bien !

– Attendez d'avoir goûté avant de me remercier ! fit Krumme, le sourire aux lèvres.

– Où est Erlend ?

– Il est probablement au téléphone, dans le bureau.

– Ici, à l'appartement ?

– Oui, oui. Avez-vous envie d'un verre de vin avant le repas ?

– Non, merci, je ne bois pas.

– Nous non plus ! répliqua Krumme.

Il se retourna en riant vers ses casseroles sur la cuisinière. Ils n'avaient en tout cas qu'une seule cuisinière, mais en revanche elle fonctionnait au gaz et disposait, à droite, de ce qui ressemblait à un barbecue. Margido réagit soudain aux paroles de Krumme.

– Vous ne buvez pas ? demanda-t-il.

– Pas en ce moment, répondit Krumme. Ça, c'est de l'eau. À la vôtre !

Margido leva sa bouteille d'eau gazeuse dans sa direction. Il n'en demanderait pas plus. Krumme voulait parler de Bynes et raconta que Tor lui avait proposé de revenir l'été prochain, il avait dit que c'était magnifique à ce moment-là.

– La région de Bynes est toujours belle, confirma Margido. Mais l'été, c'est vraiment splendide. Bien entretenu partout. Les bâtiments de Neshov ne sont pas franchement représentatifs, mais la ferme est superbement située. Pour le panorama et le reste.

– Tout ce qu'il faut faire, c'est restaurer convenablement la ferme, dit Krumme. Et les champs autour ? Votre frère les cultive ?

– C'est la société Trønderkorn qui s'en occupe. Les meuniers. Ils y font du blé. Trønderkorn sème et moissonne. Tor épand le fumier et récupère la paille, pour les porcs. Comme ça il a une remise sur leurs aliments toute l'année. Pas autant que ceux qui se chargent de tout eux-mêmes et qui livrent leur blé tout moissonné. Mais une bonne remise tout de même.

– Ce n'est pas bête.

– Seule solution pour Tor, en tout cas. Depuis qu'il n'élève plus de vaches laitières.

– Vous vous y connaissez, Margido.

– C'est inévitable. Quand on est du coin. Je n'y suis pas beaucoup allé ces dernières années, mais Tor m'a mis au courant pour l'essentiel.

– Erlend ne sait pas grand-chose sur le blé et les vaches laitières, dit Krumme en riant à s'en tenir les côtes. Mais il m'a tout expliqué sur la pêche au filet. Il était doué pour ça, apparemment.

– Oui, ça le passionnait. Je m'en souviens.

– Neshov entouré de blés dorés, hein ? C'est comme ça en été. Ça rappellerait presque une ferme danoise, dit Krumme.

Il versa une pluie de semoule sur les côtelettes d'agneau rôties et enfourna le plat dans un des fours.

– Mais ce n'est pas aussi plat que par ici. J'ai aperçu la campagne danoise en allant à Frederiksværk.

– Ah oui, parlez-moi donc du dernier cri en matière de cercueils !

Margido entendait bien qu'il ne se moquait pas, qu'il semblait réellement intéressé, si bien qu'il lui présenta un peu toutes les dernières nouveautés, comment obtenir un beau motif décoratif dans des matériaux qui devaient être recyclables, et le fait d'ôter les éléments métalliques des cercueils avant de les descendre en terre. Le dernier cri, c'était les photos des défunts sur les pierres tombales, des photos gravées dans une matière qui résistait aussi bien au soleil qu'aux intempéries.

– Ce serait peut-être intéressant de faire un reportage là-dessus, constata Krumme. On y est tous confrontés, tôt ou tard.

– Je suis persuadé que les gens liraient ça, dit Margido. Car nous, on n'a pas le droit d'informer largement le public, pas avant un besoin ponctuel.

Lorsqu'un peu plus tard, après s'être rhabillé, Margido était assis en compagnie d'Erlend et de Krumme à un bout de la grande table, il ne put s'empêcher de demander :

– Tu fais partie de la ligue antialcoolique maintenant, Erlend ?

Erlend lui jeta un coup d'œil rapide, presque un peu effrayé, avant de répondre :

– Non, ça serait quand même aller un peu loin.

– On suit un… traitement, dit Krumme. Rien de plus.

– Pourquoi faut-il que tu en parles ? fit Erlend en regardant Krumme.

– Vous êtes malades ? s'enquit Margido, qui pensa aussitôt au sida.

– Non, pas du tout, répondit Krumme. On s'est fait vacciner contre la grippe, il y a beaucoup de grippe par ici en ce moment. Et il ne faut pas boire d'alcool les trois premiers jours après le vaccin.

– Voilà toute l'affaire ! conclut Erlend.

Dans l'avion qui le ramenait en Norvège, il songea au repas et à ce qu'ils avaient dit exactement. Le traitement qu'ils suivaient. Qui l'instant d'après s'était transformé en vaccination. Il y avait quelque chose qui ne collait pas, quelque chose qui… ne correspondait pas tout à fait à leurs propos.

Et si Erlend était tombé gravement malade, là, juste au moment où il l'avait retrouvé… ou, plus précisément, où ils avaient fait ensemble quelques pas dans la même direction. Pourtant ils ne donnaient pas du tout l'impression d'avoir un pied dans la tombe. Ils avaient l'air heureux, presque joyeux, et ne se comportaient pas du tout comme des gens ayant une épée de Damoclès au-dessus de leur tête.

Ils avaient mangé le gâteau au fromage blanc qu'Erlend avait fait lui-même pour le dessert. Lui, il avait bu un expresso, Krumme et Erlend du thé, en regardant le feu dans la cheminée. Erlend avait mis de la musique et sifflotait de temps en temps, et Krumme prétendit qu'il était en manque, ce qui expliquait pourquoi il ne tenait pas en place. En manque de quoi ? Erlend n'était tout de même pas si dépendant à l'alcool ? Il n'avait pas osé lui poser la question dans le taxi, ou plutôt ce « taxa », qui les conduisait à Kastrup. Il avait soudain eu peur de la réponse.

Cela sentait toujours les selles dans l'entrée, bien qu'elle fût là depuis plus de deux semaines. Il restait probablement un peu de matière fécale sous les lames du parquet. Elle l'avait pourtant lavé à grande eau plusieurs fois, en vain. Elle apporta dans la cuisine les sacs de provisions qu'elle venait de faire à la coopérative, et posa le journal devant son père qui attendait, assis à la table.

– Quel temps ! dit-il.

– Oui, tu peux le dire ! J'ai dû mettre les essuie-glaces sur la plus grande vitesse au retour, et pourtant je roulais tout doucement.

La pluie battante avait transformé la cour en une mer de boue, les champs étaient sombres et détrempés autour de la ferme, les arbres ressortaient comme des traits noirs sur le ciel gris, on était bientôt à la mi-mars, et la pluie avait succédé à plusieurs journées d'un soleil magnifique, au cours desquelles on se serait brièvement cru au printemps.

– La terre est encore gelée. L'eau va rester en surface. Ça va faire une sacrée gadoue.

Sa voix était dure. Il ne parlait pratiquement que lorsqu'il avait des propos négatifs à tenir.

Pourquoi ne s'en allait-elle pas ? Chargeait le coffre de sa voiture et reprenait la route. Téléphonait à Marit et lui demandait de se remettre en congé de maladie, pour revenir ici un jour sur deux. Mais elle avait l'impression d'être prise au piège. Elle songeait tous les jours à confronter son père à la façon dont il se comportait, et à lui dire que maintenant elle partait. Cependant elle laissait filer les jours, l'un après l'autre. C'était aussi une question de routine, elle en était prisonnière, pouvait s'y réfugier, se couper de sa propre vie. Elle commençait à comprendre comment les gens de cette ferme avaient vécu depuis des années, comment leur train-train quotidien avait rendu le reste du monde insignifiant. La journée était rythmée par les bêtes, l'heure, les émissions à la radio et à la télé, le retard du facteur, la pluie qui tombait ou non. Heureusement qu'il n'avait pas neigé depuis son arrivée, car elle ne pouvait pas prendre le tracteur et Kai Roger ne voulait pas s'en servir non plus, la cabine n'était pas aux normes. Il n'était pas question de le conduire, disait-il, l'assurance ne marcherait pas s'il arrivait quelque chose. Cela impliquait que son père devait payer davantage pour faire livrer les sacs d'aliments, ce dont il se plaignait rageusement. Et il n'y avait pas que ça. Tout allait de travers : la comptabilité sur laquelle il s'éreintait tous les soirs, la déclaration de revenus qu'il fallait rendre avant le 31 mars, Eidsmo qui voulait des porcs plus légers et plus jeunes à l'abattage parce qu'il y avait surproduction à l'échelle nationale, les factures de l'entreprise de dératisation qui s'ajoutaient à toutes celles qu'il recevait habituellement à cette époque-là, les nouvelles instructions du Service d'hygiène, le futur épandage dans les champs. Il rouspétait à propos de tout, sauf des repas qu'elle lui servait. C'était toujours bon, quoi qu'elle lui prépare. Il fallait bien qu'elle se contente de ça.

D'ici une quinzaine de jours on lui ôterait son bandage. Il avait cru qu'il serait en pleine forme du jour au lendemain. Jusqu'à ce que le médecin qui lui avait bandé la jambe la dernière fois lui apprenne qu'il devrait aller chez le kiné pour sa rééducation, ses muscles auraient fondu. Son père avait lancé une bordée de jurons au médecin, disant que du moment qu'il pourrait plier à nouveau le genou, tout irait bien. Mais le médecin lui avait fait comprendre qu'il aurait malheureusement beaucoup de mal à plier son genou pendant un bout de temps, c'était justement ce qu'il fallait rééduquer.

Elle avait appris à ignorer ce qu'il disait, à considérer que ce flot de paroles ne la concernait pas. Avec un peu de chance, elle resterait jusqu'à ce qu'il ait récupéré et repartirait avec la meilleure conscience du monde, parce qu'elle aurait tenu le coup.

Mais elle ne se faisait pas une joie de rentrer chez elle. Sa mère était terriblement vexée et téléphonait sans cesse pour qu'elle se sente coupable. Elle voulait vendre la maison et s'acheter « un appartement de merde », comme elle disait elle-même, et chacun baignerait alors dans son jus. Elle ne se rendait pas compte que la punition qu'elle tentait d'infliger à sa fille et à son mari, elle en subirait elle-même les pires effets. Elle était amère.

Exactement comme son père. Elle s'efforça d'être gentille et agréable. En vain. Elle s'efforça de garder le silence et ses distances. En vain. Elle s'efforça d'abonder dans son sens. Il y eut un léger mieux, mais elle n'était pas du genre à dire que tout allait mal, que les employés de la perception étaient des imbéciles qui ne comprenaient rien à la vie quotidienne des paysans, qu'au ministère de l'Agriculture il n'y avait que des bureaucrates obtus, et que Kai Roger n'était qu'un trouillard qui refusait de conduire son bon tracteur, uniquement sous prétexte que la cabine n'était plus aux normes à cause de la rouille.

Elle aimait bien Kai Roger. Il l'avait aidée à porter des seaux d'eau chaude depuis la buanderie, le jour de son arrivée où tout avait été épouvantable. Elle s'était sauvée d'Oslo et avait pleuré tout le long de la route jusqu'à Hamar, elle s'était imaginé que son père serait fou de joie et soulagé quand elle arriverait. Et il gisait là… Sans doute ne pourrait-il jamais lui pardonner de l'avoir vu dans cet état. Elle avait réussi à convaincre Marit de laisser tomber ce qu'elle faisait et de venir, cela avait pris moins d'une demi-heure, et pendant ce temps-là elle fumait dans la cour, il n'y avait pas un bruit dans la maison. Il attendait, couché dans ses excréments. Et Marit n'avait pas sourcillé, elle avait refermé la porte d'entrée derrière elle et ramené son père dans la cuisine en le soutenant. Puis elle était ressortie, avait salué Torunn convenablement et lui avait demandé si elle aurait le courage de nettoyer le parquet. Elle allait essayer, avait-elle répondu.

C'est alors que le Land Cruiser était arrivé dans la cour. En le voyant, elle avait vacillé, s'était agrippée au bras de Marit, avant de réaliser qu'il était plus foncé que le 4 × 4 de Christer, c'était celui du remplaçant. Elle avait dû expliquer que le seau hygiénique s'était renversé, l'odeur avait déjà envahi toute la cour, mais sans dire que son père s'était vautré là-dedans. Plus tard, il lui avait fait jurer que ni Margido, ni Erlend ne devraient apprendre ça, et elle avait accepté. Marit avait probablement été contrainte de faire une promesse semblable.

Elle avait rassemblé le plus gros avec un balai et trouvé un pack de six rouleaux de papier hygiénique dont elle s'était d'abord servie, avant de passer la serpillière. À deux reprises elle était allée vomir au coin de la maison. Kai Roger apportait l'eau. Elle n'osait pas regarder par la fenêtre de la cuisine, mais quand Marit était montée chercher des vêtements propres, elles avaient échangé quelques mots. Le bandage de son père était également souillé, avait dit Marit, ce n'était heureusement que superficiel. Mais il en fallait un propre. Aussi, dès que le parquet eut l'air convenable, qu'elle eut rincé le seau hygiénique à la buanderie avant de le remettre à sa place, elle avait été obligée d'aller à Trondheim trouver une pharmacie, pendant que Kai Roger se mettait au travail dans la porcherie.

Une fois son père allongé sur le lit de camp dans le salon, avec un antalgique, elle était tellement épuisée qu'elle en tremblait. Elle avait raccompagné Marit à sa voiture et elles avaient bavardé un bon moment. Elle avait dit qu'elle resterait quelque temps, qu'elle pourrait faire la lessive, la cuisine et les courses, s'occuper d'eux. Elle avait sans doute promis d'en faire trop, mais elle était si reconnaissante à cette femme d'avoir sauvé la situation au pied levé qu'elle avait fait preuve d'une générosité exagérée.

– J'ai acheté des viennoiseries, dit-elle.

Elle sortit aussitôt une assiette et la posa devant son père.

– Bon.

– Le café est sûrement encore chaud. Les outils et tout ça, c'est dans la remise ?

– Pour quoi faire ?

– Il faut que je vérifie les plinthes dans l'entrée.

– Les outils sont tous dans la remise, dit-il.

Il se redressa et ouvrit le journal en le tenant les bras tendus. Il avait besoin de lunettes mais ne voulait pas entendre parler d'ophtalmo, il trouvait que c'était trop cher. Elle achèterait des lunettes bon marché pour voir si ça lui irait.

Elle ne craignait pas de rencontrer des rats dans la remise. L'entreprise de dératisation avait fait du bon travail, y avait passé plusieurs jours et envoyé une facture de plus de onze mille couronnes. Pas même le soulagement d'être débarrassé d'un fléau pareil n'avait atténué la colère de son père en la recevant. Après avoir épanché sa bile et craché son venin, il avait péniblement traversé la cour avec son déambulateur et pénétré dans la porcherie. À son retour il était plus calme et il était allé s'allonger.

Elle aurait bien aimé parler des porcs avec lui, raconter ce qu'ils faisaient, évoquer les petites choses qui se passaient à la porcherie, mais il se contentait d'écouter sans répondre. Elle lui demanda s'ils lui manquaient, mais il ne répondit pas non plus. Et il en voulait à Margido de l'avoir mise au courant pour les rats. Il s'en était rendu compte parce qu'elle n'avait pas été surprise de voir l'entreprise de dératisation débouler dans la cour le lendemain de son arrivée. Il se demandait si Margido n'avait pas immédiatement mis une petite affiche à ce propos à la coopérative, de sorte que personne à Spongdal n'ignorait ce qu'abritaient les murs de la porcherie à Neshov.

Elle trouva un ciseau à bois et un marteau. Elle chercha longtemps avant de mettre la main sur des clous à tête d'homme. Elle garda ses bottes boueuses aux pieds en revenant dans l'entrée, qu'elle commença à vider de tout ce qui était posé par terre. Elle se rappelait jusqu'où la matière fécale avait coulé, et elle était bien contente de ne pas avoir à déplacer le gros coffre, ce n'était pas allé aussi loin. Elle décolla la première plinthe et, effectivement, découvrit un liseré brun humide le long du mur. Elle prit un seau et du savon, puis ôta ses bottes avant d'aller dans la cuisine chercher de l'eau.

– Qu'est-ce que tu fabriques ?

– Je nettoie dans l'entrée.

– Ça doit être propre, depuis le temps.

Peut-être était-il endurci par l'odeur des porcs. Le grand-père descendit alors l'escalier. Il passait dorénavant une bonne partie de la journée dans sa chambre.

– Très bien, dit-il. C'était une infection.

– Ça sera vraiment propre maintenant, rétorqua-t-elle. Il y a des viennoiseries dans la cuisine. Et du café chaud.

– Merci bien !

Il enjamba prudemment la plinthe posée à plat par terre, dont les clous dépassaient. La main sur la poignée de la porte, il ajouta :

– Peux tu me couper les cheveux ?

Elle se redressa.

– Te couper les cheveux ?

– Anna le faisait. À Tor aussi. Dans la cuisine. On a une paire de ciseaux spéciale pour ça.

– Je vais essayer de voir si je…

Il n'attendit pas la fin de la réponse, entra dans la cuisine et referma la porte. Elle n'y avait pas songé, mais c'était vrai. Les cheveux leur descendaient bien en dessous de leur col de chemise. Elle retira ses gants en caoutchouc, prit le paquet de cigarettes dans la poche de son imper et sortit sous l'appentis. La pluie martelait la neige fondante, chaque goutte creusait un petit trou aussitôt comblé de boue, avant qu'une nouvelle goutte ne tombe. Le bruit sur les toitures et les arbres rappelait celui d'un moteur tournant à plein régime. Néanmoins il avait un effet apaisant, elle aimait la pluie. Mais la pluie en ville, sur l'asphalte et la carrosserie des voitures, c'était autre chose que ça. Lorsque la terre dégèlerait, il faudrait fumer les champs. Si son père en était incapable, Kai Roger devrait emprunter un tracteur et le faire. Elle servait maintenant de tampon entre les deux, car si Kai Roger tenait tête à son père, il ne resterait pas longtemps, ce serait inutile. Et qui s'occuperait des porcs alors ? Si seulement elle ne l'avait pas vu dans cet état en arrivant, privé de toute dignité.

Elle éclata soudain en sanglots. Elle pleurait, reniflait, toussait, la morve coulait sur le filtre de sa cigarette, personne ne l'entendait avec le bruit de la pluie. À qui devrait-elle s'adresser ? Margido ? Il ne pourrait rien faire de toute façon, puisque Tor était fâché contre lui pour avoir vendu la mèche à propos des rats. S'il savait qu'ils étaient également au courant pour toutes les bouteilles vides ! Erlend, peut-être ? Mais que pourrait-il faire, lui ? Il lui dirait seulement de venir à Copenhague. De fuir. C'était facile à dire, pour lui.

Elle nettoya les loges dans la porcherie pendant que Kai Roger distribuait les aliments. Ils avaient trouvé leur propre rythme, et les porcs s'étaient habitués à eux. Kai Roger effectuait des remplacements dans deux autres fermes où on élevait aussi des porcs, mais sur une bien plus grande échelle.

– Si mon père ne peut pas épandre le fumier lui-même, pourrez-vous emprunter un tracteur ?

– Probablement. Sinon Trønderkorn pourra peut-être nous venir en aide. Vous devriez suivre une formation de remplaçant, et apprendre à conduire un tracteur vous-même. Vous êtes naturellement douée pour tenir une ferme !

Elle sourit.

– Merci pour le compliment, mais je ne crois pas.

– Vous ne savez pas combien de temps vous allez rester ? Vous n'avez pas encore décidé ?

– Non.

Elle aurait préféré ne pas aborder ce sujet-là avec Kai Roger, mais le découragement la poussa à demander :

– Cette ferme peut-elle vraiment être rentable ?

– Pas comme l'exploite votre père. Pas si on veut vivre comme tout le monde. Financièrement, j'entends. Ici, c'est l'âge de pierre. Ce n'est pas souvent qu'on voit d'anciennes caisses de dynamite transformées en couveuses…

– Le pauvre. Il fait de son mieux pour économiser. Ils n'ont plus la retraite de ma grand-mère non plus, seulement celle de mon grand-père. Et c'est moi qui paye toute la nourriture.

Elle appuya les mains sur l'extrémité du manche à balai, posa son menton dessus, observa un groupe de porcelets qui fouillaient la paille et la tourbe en grognant et en reniflant, tandis que leurs queues battaient l'air comme des petits fouets.

Kai Roger avança la brouette pleine de granulés devant une nouvelle loge.

– Ce sera à vous de prendre la suite, dit-il.

– Ne dites pas ça ! Je n'ai pas le courage d'y songer.

– Mais il n'y a que vous. Vous m'avez bien dit que ses frères n'avaient pas d'enfants et que vous êtes fille unique.

– C'est un peu plus compliqué que ça.

– Ce n'est pas compliqué. Vous êtes la seule.

– J'ai ma propre vie. À Oslo.
– On ne dirait pas, pour l'instant.
– Mon père peut continuer l'exploitation pendant encore plusieurs années.
– Et après ?
– Si on parlait d'autre chose ? dit-elle.
– Vous pourriez venir manger une pizza à Heimdal un soir, après la porcherie.
– C'est une invitation ? demanda-t-elle.
Elle rit un peu, se remit à balayer énergiquement dans l'allée centrale.
– Oui.
– Je porte une combinaison toute sale, et je me sens vannée.
– À ce point-là ?
– Je ne suis pas de bonne compagnie en ce moment. Pour personne.
– Il faut que vous sortiez un peu de la ferme, dit-il.
– Je fais les courses. Et je vais parfois en ville.
– Vous comprenez bien ce que je veux dire, Torunn.
– J'ai une bouteille de cognac dans ma chambre et un verre à eau. Je bois un verre de cognac de temps en temps, tout en contemplant le Korsfjord. Et je lis beaucoup. En ce moment je lis l'histoire d'un vétérinaire anglais, James Herriot. Vous avez entendu parler de lui ?
– Je crois. Mais vous pouvez faire tout ça même si vous venez manger une pizza avec moi.
– On verra.

Son père était dans son bureau quand elle rentra pour prendre une douche. Il était assis de travers sur sa chaise, de sorte que sa jambe reste bien tendue. Elle s'encadra dans la porte et l'observa, pensa qu'elle devrait le plaindre davantage qu'elle ne le faisait. Il leva les yeux, croisa son regard une seconde avant de les baisser à nouveau. Il lui manquait, celui qu'il avait été lui manquait, l'éleveur sans pareil, qui savait ce que pensait chacun de ses porcs et qui riait follement des opérations sur les hamsters et des gens qui avaient des putois comme animaux de compagnie.

– Ça avance, la déclaration de revenus ? demanda-t-elle.

– Non.

– Tu veux que je te raconte comment ça s'est passé à la porcherie ?

– Non. S'il n'y a rien à signaler.

– Il n'y a rien, dit-elle. À signaler. Je vais lire dans ma chambre quand j'aurai pris ma douche. Je peux t'aider à quelque chose d'abord ?

– Non.

– Tu n'as pas besoin de quoi que ce soit dans ta chambre ?

– De quoi j'aurais besoin ? dit-il.

Elle eut envie de lui demander s'il ne lui manquait pas un peu de lecture, en songeant au tiroir de sa table de chevet, mais elle rencontra son regard et renonça.

– Je ne sais pas, moi. Bonne nuit, alors.

Elle était assise sur le lit et regarda le rectangle blanc sur le papier peint où David Bowie avait été accroché. Elle versa un peu de cognac dans le verre en pyrex, but. Un jour il faudrait qu'elle pense à s'acheter une radio pour sa chambre, ce serait un peu plus agréable. Et demain elle commencerait à remettre de l'ordre dans la remise, à ranger les outils. Voilà ce qu'elle pourrait faire. Si la jambe de son père allait mieux, tout irait mieux.

– Celles-là, peut-être, dit-il en tenant le journal devant lui.

– C'est des verres de 1,5. Tu vois beaucoup mieux, n'est-ce pas ?

– Si seulement il y avait eu quelque chose d'intéressant à lire dans le journal. Mais pourquoi en as-tu acheté autant ? C'est de l'argent jeté par les fenêtres, pour celles dont on ne se servira pas.

Elle avait acheté une poche pleine de lunettes, au moins cinq paires. Elle avait dit qu'elle en avait pour moins d'un billet de cent. Mais il y en avait quand même bien pour cinq cents couronnes.

– Je rendrai celles dont vous n'aurez pas besoin, bien sûr.

Elle alla dans le salon en proposer une paire au vieux. Il en essaya plusieurs, à plusieurs reprises, et en laissa tomber une par terre avant d'être satisfait.

Elle avait encore acheté des viennoiseries. Elle en achetait tout le temps, il commençait à s'en lasser, même si ça avait un air de fête. Les biscuits aux flocons d'avoine de sa mère lui manquaient, mais toutes les boîtes étaient vides.

Il se mit à lire le journal, il y voyait bien, au fond, avec ces lunettes.

– Merci, dit-il quand elle revint.

Elle remit les trois paires restantes dans la poche.

– Et maintenant je vais être coiffeuse, déclara-t-elle en souriant.

– Coiffeuse ? Pourquoi ça ?

– Vous ressemblez tous les deux à des hippies !

Elle découpa un sac en plastique vide en guise de cape qu'elle lui passa sur les épaules, puis elle se servit des ciseaux que la mère avait gardés et qui coupaient à merveille.

– Tu ne t'es pas lavé les cheveux depuis longtemps, dit-elle. Sans doute pas depuis que tu t'es abîmé la jambe. Quelle tignasse !

– J'utilise le gant de toilette.

Pourquoi avait-elle la voix si gaie ? Quelle raison y avait-il d'être gai ? La pluie tombait à verse, ils étaient simplement à la ferme, et lui ne bougeait pas d'ici.

– Le gant de toilette dans les cheveux ? On les lavera après. Je vais m'en occuper.

La semaine précédente, elle avait fait du rangement dans la remise sans lui demander son avis, puis elle était revenue dans la cuisine et avait dit que c'était fini. Il ne retrouverait probablement rien du tout. Et un autre jour, il l'avait soudain aperçue depuis la fenêtre de la cuisine, elle était montée sur une échelle et débarrassait les gouttières des feuilles mortes à l'aide d'un manche à balai. Elle aurait quand même pu lui signaler, d'abord, que les gouttières étaient bouchées, il lui aurait dit qu'elles étaient sans doute pleines de feuilles mortes et qu'elle pourrait peut-être se donner la peine de les nettoyer, un manche à balai ferait bien l'affaire. Et maintenant il était assis la tête penchée en arrière au-dessus de l'évier, tandis qu'elle s'activait autour de lui, il avait l'impression d'être un pauvre idiot. Elle rinça, puis commença à lui sécher les cheveux avec une serviette.

– Je vais le faire moi-même, dit-il en lui arrachant la serviette des mains.

– N'oublie pas les oreilles !

– J'ai cinquante-six ans, je pense aux oreilles.

Ensuite le vieux subit le même traitement. Lui-même prit le déambulateur et le poussa devant lui jusque dans le bureau pour ne pas assister à ça. Le père y prenait plaisir, à ce qu'il vit avant de quitter la pièce. Il avait le sourire en s'asseyant sur la chaise au milieu de la cuisine et quand elle lui mit le même sac en plastique sur les épaules.

Il ferma les deux portes derrière lui et téléphona à Arne, de Trønderkorn. Arne lui demanda aussitôt comment sa jambe guérissait.

– Lentement. Je croyais être remis pour le 1er avril, le moment où j'aurai de nouvelles portées. Mais elle restera sans doute raide un bon bout de temps. Pas question de se passer d'aide. Quelle merde !

Non, les paysans ne pouvaient pas se permettre d'être malades longtemps, c'était bien connu, dit Arne. Mais il avait de la chance d'avoir Kai Roger comme remplaçant, il était doué et on pouvait lui faire confiance, et de la chance aussi que sa fille soit venue l'aider. Il ne fit pas de commentaires sur ce dernier point, mais passa commande de la quantité d'aliments que Kai Roger estimait nécessaire, selon les dires de Torunn.

– Livrée. Ce Kai Roger refuse de prendre mon tracteur, bon Dieu ! Tu parles d'un imbécile !

Arne ne trouvait pas ça bizarre, il avait vu l'engin, dit-il en rigolant.

– Au fait, pendant que j'y pense… Tu ne vas pas à notre boutique de Vins et Spiritueux dans l'immédiat ?

Non, mais il devait aller à City Sud plus tard dans la journée, et il pourrait passer au magasin là-bas, qu'est-ce qu'il voulait ?

– Deux demi-bouteilles d'aquavit. Mais les autres ici… Je n'ai pas envie qu'ils les voient. Tu ne pourrais pas me les apporter dans mon bureau ? Apporte aussi la facture pour les granulés de l'année dernière, pendant que tu y seras, comme ça tu économiseras un timbre.

Il l'avait envoyée depuis longtemps.

– Ah bon. Alors elle doit être ici dans le tas.

Mais Arne pouvait tout de même venir dans son bureau, ce n'était pas un problème. Il serait discret, tout le monde n'avait pas besoin de tout savoir.

– Non, c'est certain !

Ce soir-là, la télé tomba en panne. Torunn était à la porcherie. Le vieux avait beau appuyer sur le bouton, il ne se passait rien.

– Mais bon Dieu de bon Dieu !

– Ce n'est pas de ma faute, dit le vieux.

Tu n'arrêtes pas de regarder la télé ! C'est toi qui l'as usée. Je voulais seulement voir le journal et l'émission d'après !

– L'émission sur la nature, précisa le père.

Il continuait d'appuyer, mais l'écran demeurait vert foncé et muet.

– Bon Dieu…

Il se hissa derrière le déambulateur et clopina jusqu'au téléviseur. Une plante verte crevée trônait dessus, posée sur un napperon blanc au crochet. Il avait refusé que Marit Bonseth et Torunn jettent cette plante, mais il s'en empara avec le napperon et envoya valdinguer le tout, si bien que les particules de terre roulèrent dans toutes les directions, puis il donna un redoutable coup de poing sur l'appareil, tout en se tenant solidement au déambulateur de l'autre main.

– Essaie maintenant ! dit-il.

Le père, plié en deux devant le poste, alluma et éteignit plusieurs fois. Ses cheveux coupés et propres avaient l'air d'un duvet léger sur son crâne.

– Non, reprit-il. Rien.

Tor tapa encore, et l'appareil résonna. Le père appuya, ils attendirent, rien ne se passa.

– Il a quatorze ans, déclara le père.

– Alors c'est fini, plus de télé à la maison.

– Ah non !

– Non ? Tu as de l'argent pour en acheter un neuf, peut-être ?

– J'ai ma retraite.

– Mais non, cet argent va à la ferme, tu le sais bien. Il est retenu d'avance pour couvrir les frais.

– Peut-être que Torunn…

– Ce n'est pas toi qui décides ici, bon sang !

Ils avaient mis la radio à fond, lui était dans la cuisine et le père dans le salon. Torunn traversa la cour, tandis que le remplaçant démarrait cette voiture ridiculement grosse et descendait l'allée. Elle n'entra pas aussitôt dans la cuisine, elle monta directement à l'étage prendre une douche d'abord. De quoi avait-elle peur ? Se doucher de cette façon après chaque tour à la porcherie, alors qu'elle enfilait une combinaison et des bottes ! Comme si c'était gênant, un peu d'odeur de bons porcs bien portants.

Les porcs. Si eux n'avaient pas besoin de lui, que restait-il alors ? Il n'avait pas envie de l'entendre parler d'eux, il avait l'impression que ça le rongeait de l'intérieur quand elle en parlait comme si elle les connaissait mieux que lui, comme si c'étaient les siens.

Puisque c'était comme ça, autant qu'il passe la main. Qu'elle reprenne tout. Il n'allait pas se priver de le lui dire. En se penchant pour attraper *La Nation* d'aujourd'hui, il remarqua que le calendrier de la coop en était resté au mois de février, tout allait à vau-l'eau ici. Sa plaie le démangeait horriblement sous toutes les couches du bandage. Celui-ci était moins volumineux qu'au début, mais il l'empêchait tout pareil d'atteindre la plaie car se gratter aurait pu être pire que la douleur. Il n'avait jamais connu ça de toute sa vie. Il mit ses lunettes et lut sans retenir un seul mot. À la radio, une nouvelle émission venait de commencer, avec de la musique à tout casser.

– Change de station ! cria-t-il en direction du salon.

Mais le père ne réagit pas. Il apercevait ses genoux par l'entrebâillement de la porte, et ses coudes, à une hauteur qui lui indiquait qu'il était plongé dans un livre. Il devait bien comprendre qu'il était plus facile pour lui de venir dans la cuisine tourner le bouton, que pour lui-même de se déplacer avec le déambulateur pour atteindre le poste.

– On s'en fout de la guerre, change de station !

Ni les genoux ni les coudes ne bougèrent, il se dressa en geignant devant le déambulateur et avança jusqu'à la radio. Il tournait le bouton de recherche des stations comme un forcené, le son toujours à fond, quand Torunn entra, il sentit l'odeur de shampoing.

– Mon Dieu, quel vacarme ! s'écria-t-elle.

– Je change de station.

– Mais vous ne regardez pas la télé ? demanda-t-elle.

Elle se contorsionna derrière lui et tourna résolument le bouton du volume vers la gauche.

– En panne.

Elle alla dans le salon, il avait enfin trouvé une station avec de la musique normale, des hits suédois. Elle revint dans la cuisine les mains sur les hanches, il regarda furtivement son visage, ça n'augurait rien de bon.

– Dis-moi, tu as flanqué la plante par terre, comme ça ?

– Elle était crevée.

– Je sais. Je voulais la jeter. Mais pas par terre !

– Elle est tombée.

– Je n'en crois pas un mot ! C'est toi qui l'as balancée !

Il regagna la table non sans peine, il fallait qu'il se ressaisisse, qu'il ne dise pas des choses qu'il regretterait ensuite. Si seulement elle pouvait se taire !

– Et qui est-ce qui va devoir ramasser toute cette terre sèche, hein ?

Il ne répondit pas.

– J'en ai ras le bol ! dit-elle. Ras le bol de te voir toujours en train de FAIRE LA GUEULE, jamais un mot gentil ! Je peux m'en aller, tu sais !

– Eh bien va-t'en !

– Quoi ?

– Si tu crois que ça suffit de partir, tu ne comprends rien à rien. Alors tu n'as qu'à t'en aller.

– Comment ça ? Qu'est-ce que tu insinues ?

Le ton de sa voix ne lui disait rien qui vaille. Elle s'assit à la table juste en face de lui, éteignit aussitôt complètement la radio. Il avait les yeux fixés sur le journal, mais il avait oublié de mettre ses lunettes et il était incapable de lire un seul mot d'aussi près.

– Qu'est-ce que tu as voulu dire ? reprit-elle.

Elle lui prit son journal, le lui arracha carrément des mains.

– C'est aussi ta ferme, dit-il.

– La mienne ?

– Oui, qu'est-ce que tu crois ? Si je ne peux plus... m'en occuper. Ou bien tu penses qu'il faut la vendre ? Hein ? La ferme familiale. Vendre Neshov ? C'est ça que tu veux ?

– Je ne veux rien, répondit-elle.

Sa voix s'était radoucie, il avait repris le dessus.

– Je veux seulement un ton agréable ici, à la ferme, ajouta-t-elle.

Eh bien, si elle ne voulait pas aborder le sujet...

– La télé est tombée en panne, dit-il.

– Tu n'as qu'à prendre sur l'argent qu'Erlend et Krumme t'ont donné.

Elle repoussa le journal dans sa direction. Ça la laissait apparemment complètement indifférente. Ne comprenait-elle pas ce qu'un poste de télé représentait pour deux personnes qui ne sortaient pas ?

– Il n'y en a plus, rétorqua-t-il.

– L'argent d'Erlend ? fit la voix du vieux dans le salon.

– Occupe-toi de tes oignons ! cria-t-il.

– Il a reçu vingt mille couronnes pour la ferme, s'indigna Torunn.

– Il n'y en a plus. Les rats... ont tout bouffé, dit Tor.

– Les rats ont coûté un peu plus de onze mille. Et le reste ?

– Tout est parti. Røstad pour la castration, les points de suture, les vaccins et l'insémination, et puis Trønderkorn. J'attends aussi un règlement de la part d'Eidsmo. Mais c'est cher, un téléviseur.

– Tu peux en avoir un beau pour trois mille couronnes.

– On n'a pas trois mille couronnes.

– Je les ai peut-être, moi. On va voir. Je ne sais pas. On va voir.

Il s'installa dans son bureau, infiniment soulagé d'avoir appris à utiliser les mandats-poste. Sa mère et lui avaient passé toute une soirée à comprendre comment on faisait. Sinon, Torunn aurait dû aller à l'agence de la Fokus Bank à Heimdal à sa place, elle aurait eu un aperçu de tout ce qui était recettes et dépenses, et se serait rendu compte combien la situation était loin d'être brillante. Sans la retraite de sa mère, ils n'arrivaient plus à joindre les deux bouts, c'était ça le problème. Et il était impossible d'imaginer comment ils auraient réglé la facture des rats sans l'argent d'Erlend. Il songea avec horreur au jour où il avait monté l'escalier à reculons, avec beaucoup de difficulté, puis pénétré dans sa chambre pour récupérer l'argent liquide. Il ne voulait pas que quelqu'un fouille dans le tiroir de la table de chevet, il avait dû s'en charger lui-même pendant que le père se reposait et que Torunn faisait les courses. Il avait payé comptant l'entreprise de dératisation, et il lui restait à peu près mille couronnes, mais ni l'un ni l'autre n'avaient besoin de le savoir.

Il l'entendit tirer l'aspirateur dans le salon et le mettre en marche. Arne viendrait demain avec l'aquavit. Dieu merci, il avait de l'argent liquide pour le payer. Il contempla le tas d'enveloppes qui attendaient d'être ouvertes, pleines de chiffres qu'il fallait reporter à la bonne place dans des colonnes et des rubriques. L'aquavit serait le bienvenu. Torunn ne se doutait de rien.

Croyait-elle vraiment qu'il suffisait d'un ton agréable pour gérer une ferme ?

– C'était Torunn, dit Erlend.

– Je m'en doutais, dit Krumme. Quelque chose qui ne va pas ?

– Elle a besoin de trois mille couronnes, la télé de Neshov a rendu l'âme ce soir.

– Ils n'ont pas beaucoup d'argent de côté.

– Je lui ferai un virement demain. On ne peut pas le faire par Internet quand c'est pour l'étranger, sinon je l'aurais fait tout de suite.

– Comment va-t-elle à part ça ?

– Très mal ! Tor n'est apparemment pas à prendre avec des pincettes en ce moment. Aujourd'hui il lui a même dit que c'était son devoir d'être là, qu'elle devait rester sinon la ferme serait vendue. Elle avait l'air complètement découragée. Je lui ai dit qu'elle pouvait ranger la boîte de mouchoirs et venir ici à la place, mais là elle s'est presque mise en colère après moi…

– Et tu trouves ça bizarre ?

– Elle a un remplaçant ! Et il y avait une aide à domicile !

– Ce n'est pas si simple, Erlend. Elle se sent responsable.

– Oui, sans aucun doute.

Il se laissa tomber sur le sofa à côté de Krumme, contempla la tasse à café vide tout près du verre de cognac, et les flammes dans la cheminée qui s'enlaçaient comme de petits serpents jaunes, bleues aux extrémités. Krumme passa le bras autour de son épaule.

– Envoie-lui dix mille !

– J'y pensais aussi, dit Erlend.

Dans deux jours ils sauraient si Jytte et Lizzi, ou l'une d'elles, ou aucune d'elles, étaient enceintes. Leurs règles avaient pris du retard à toutes les deux, mais ça ne voulait rien dire, d'après elles, il était normal que l'excitation les retarde. Dans deux jours, ça en ferait quinze depuis le soir où Krumme et lui étaient debout face à face presque à se toucher dans la baignoire, rue Koreavej, le cœur battant, tenant chacun son récipient. Quand il pensait à ces milliers de fois, sûrement, par le passé, où il avait éjaculé en focalisant complètement sur son propre plaisir et celui de Krumme, ceci était tout autre chose. C'était un moment de dévotion, il avait eu les larmes aux yeux pendant l'orgasme. Un enfant. Son enfant. Jytte avait tracé un trait bleu au feutre sur son récipient, Lizzi aurait celui de Krumme. Les groupes sanguins autorisaient les deux combinaisons, donc ils pouvaient choisir eux-mêmes, avait dit le médecin. Et comme Lizzi était grande et Jytte petite, ils avaient décidé d'un commun accord que c'étaient Erlend et Jytte qui s'harmonisaient le mieux. Après leur avoir remis les récipients, ils s'étaient retirés dans le salon. Dans la chambre à coucher, où le grand événement aurait lieu, elles avaient allumé des bougies et brûlé de l'encens. Hanne Boel chantait à voix basse, Lizzi et Jytte, qui venaient de prendre une douche, attendaient en peignoir. Aucune des deux n'avait dit mot avant qu'elles ne s'enferment, tout était si étrange, presque irréel. Dans le salon, Krumme et lui étaient restés assis, main dans la main, presque une heure entière, avant que Jytte et Lizzi ne réapparaissent. Pendant un long moment il avait pensé se précipiter dans la chambre, dire qu'il avait changé d'avis. Néanmoins il fut infiniment soulagé lorsqu'elles étaient sorties toutes les deux, le sourire aux lèvres, en se tenant par la main. Krumme s'était levé d'un bond.

– Asseyez-vous bien tranquillement maintenant, avait-il dit. Je finis de préparer le dîner. Ne bougez pas ! Vous pouvez mettre les jambes en l'air !

Krumme et lui avaient tout apporté, une délicieuse soupe de lentilles avec des morceaux d'épaule de porc fumée et quantité de légumes, du pain naan et un carpaccio de saumon en entrée. La table était dressée, avec un gros bouquet de roses rouges au milieu. Erlend avait poussé un soupir de contentement en se versant son premier verre de vin.

– Enfin ! Quelle traversée du désert… ! À votre santé, cher Krumme et chères mères !

Depuis ce soir-là, tout était différent. Il rêvait énormément, et presque toujours de son enfance. Des visages, des voix, le plaisir de remonter l'allée d'érables menant à la ferme, les gravillons sous les semelles usées des sandales, les digitales pourpres, l'intense parfum de l'herbe et de la terre, le soleil filtrant à travers la cime des érables, les odeurs de nourriture et de poussière dans la cuisine, c'était toujours l'été quand il rêvait de Neshov, les mouches mortes collées sur le ruban anti-mouches qui pendait au plafond de la cuisine, le seau blanc contenant les épluchures de légumes rangé sous l'évier. Et il rêvait du grand-père Tallak dans la barque, quand il posait ses coudes sur ses genoux, les avirons dressés, dégoulinants d'eau, qui le temps d'un reflet se conjuguaient avec le reste du fjord, ses mèches de cheveux qui lui collaient au front, sa large carrure, ses avant-bras hâlés qui envoyaient d'énormes saumons par-dessus le plat-bord. Son père. Et quand ils descendaient à Gaulosen chercher du sable et du gravier pour faire du ciment, ou à Øysand pour patauger dans l'eau parce qu'Erlend suppliait d'y aller. Les bernard-l'hermite sans logis qu'ils attrapaient dans le seau, il rêvait de tout, il était épuisé quand il se réveillait, épuisé et troublé. Heureusement il pouvait en discuter avec Krumme, et Krumme comprenait, expliquait qu'il s'agissait pour lui d'être l'adulte face à l'enfant, qu'il n'était donc nullement curieux qu'il rêve de sa propre enfance. Pas même le formidable succès de la vitrine aux voleurs, qui avait eu droit à presque une page entière dans *BT*, avec une interview de lui-même et du bijoutier, n'avait réussi à refouler les pensées qui tournaient autour de tout ce qui allait peut-être arriver.

– Pauvre Torunn, dit-il en se levant. Si seulement elle pouvait venir pour mon anniversaire, le 10, ça la changerait de cette situation déplorable. À propos, j'ai invité un type sympa que tu ne connais pas. Hétéro. À manger les restes. Il s'appelle Jorges.

– Il décore des vitrines ?

– Non, il travaille dans un petit bar. Tu veux encore du café, au fait ?

– Oui, je veux bien. Et j'ai réfléchi à quelque chose, déclara Krumme.

– On ne fait rien d'autre que réfléchir. Et téléphoner à Lizzi et Jytte, bien sûr, pour savoir s'il y en a une qui a vomi son petit déjeuner ou qui a eu une envie folle de glace à la vanille avec des cornichons.

– Ce genre de réactions ne se produit pas si tôt. C'est quand même formidable qu'on parvienne à faire un test concluant déjà au bout de quinze jours.

– Les hormones se transforment. Tout est une question d'hormones quand il s'agit des femmes, Krumme, c'est pour ça qu'on est infiniment mieux ensemble, nous deux.

Erlend emporta les tasses dans la cuisine et les mit à tour de rôle sous le bec verseur de la machine à café, appuya sur le bouton, ajouta la quantité de sucre habituelle.

– Qu'est-ce que tu voulais dire, au fait ? cria-t-il en direction du salon. À quoi as-tu réfléchi ?

– On attend que tu reviennes t'asseoir. Du cognac ?

– Naturellement !

Dès que Krumme le lui eut proposé, Erlend rétorqua :

– Je refuse. C'est de la folie.

– Ne réagis pas qu'en suivant tes instincts, Erlend ! Discutons-en !

– Mais pourquoi ?

– Parce que c'est génial. Jytte et Lizzi vont adorer l'idée, et tout le monde en profitera, à commencer par Torunn qui se sent maintenant toute seule et contrainte.

– Ça va coûter des millions, dit Erlend.

– Sans doute deux. Peut-être trois. Maximum quatre. Je vais hériter par anticipation, j'en ai parlé avec mon père, ça ne pose absolument pas de problème.

– Tu as parlé avec ton père ? De ça ? Mais, Krumme…

– Pas de ça ! Mais de l'argent. La façon dont je le dépense lui est complètement égale, et il y en aura encore à venir après. Et ça n'aurait servi à rien d'en discuter avec toi avant que ce soit dans la poche, n'est-ce pas ? Tu es au moins d'accord avec ça, petit mulot ?

– Oui…

– On pourrait y aller quand on veut, Erlend. En été. Pense aux enfants ! Une ferme norvégienne, le fjord, les montagnes. Et ce serait aussi un solide investissement. Une base.

Krumme lui prit la main et la serra dans la sienne.

– Une base ? dit Erlend.

– Une base en Norvège.

– Mais je déteste la Norvège ! s'écria Erlend.

Il dégagea sa main, se leva et s'en fut jusqu'aux portes de la terrasse. Il se mit à contempler les toits de la ville, un tapis de lumières dans la nuit.

– Ce n'est pas vrai. Tu rêves de la Norvège et de Neshov toutes les nuits, murmura Krumme.

– Mais réhabiliter la ferme ? Quel est l'intérêt ? Réhabiliter Neshov ?

– Si Torunn veut bien. Tu dis toi-même qu'elle est partagée entre plusieurs sentiments. Telle qu'est la ferme actuellement, je le comprends aisément. Mais si on lui propose ça, alors elle aura le choix. Si elle dit non, ce sera sûrement vendu quand Tor ne pourra plus continuer. Même si on l'achète tous les deux, on ne peut pas être propriétaire d'une ferme et habiter au Danemark. Je me suis renseigné là-dessus. En Norvège on appelle ça l'obligation d'exploitation, on peut y échapper si on loue les terres et si on est l'héritier, mais on n'échappe pas à l'obligation de résidence. Pas en pleine zone d'activité agricole.

– Tu t'es renseigné sur tout ça ? Derrière mon dos ?

– La recherche constitue une bonne partie de mon métier, Erlend. Ça m'a pris moins d'une heure. Je voulais des données concrètes avant d'évoquer ce projet avec toi.

– La recherche, la recherche... grogna-t-il en se rasseyant sur le sofa.

Il but son verre de cognac d'un seul trait, se mit à tousser, le cognac lui remonta dans le nez, les larmes jaillirent.

– Mais réfléchissons un peu tout haut ! reprit Krumme.

Il alla dans la cuisine lui chercher une serviette.

– Cette maison est immense, avec des tas de pièces qui ne servent pas, continua-t-il.

– Cette maison s'appelle une longère, dit Erlend en se mouchant.

– Drôle de nom pour une habitation... En tout cas si on en arrangeait une partie pour nous-mêmes, il y aurait encore largement de la place pour Torunn, pour Tor et pour le vieux.

– Torunn doit être indépendante.

– Oui, et il y a la grange. Les porcs sont uniquement en bas.

– Dans la porcherie, dit Erlend.

– Arrête de chipoter sur les mots, espèce d'idiot ! Tu as du noir sur la joue, je vais te l'enlever. Approche-toi !

Il laissa Krumme cracher sur son index et le passer sur sa joue droite.

– Voilà ! dit Krumme. Bien sûr que Torunn doit être indépendante.

– Combien de temps devrait-on rester là-bas ? D'affilée ?

– Aussi longtemps qu'on en a envie. Une semaine. Un mois. Un jour. Jytte et Lizzi pourraient nous accompagner quand elles veulent. Tu sais qu'elles adorent la Norvège, elles y sont allées en hiver faire du ski. Elles adorent la Norvège.

– Tu te répètes. Oui, je sais qu'elles adorent la Norvège. Apparemment je suis le seul à ne pas l'aimer.

– Mais si, tu aimes ton pays. Il faut seulement que tu mettes tout le passé derrière toi.

– Mais c'est ce que j'ai fait ! C'est d'ailleurs pour cette raison que je suis ici !

– Tu comprends ce que je veux dire. Bynes est formidable. Neshov est formidable, quand on ne tient pas compte du délabrement.

– Tu as pensé réhabiliter aussi la porcherie ? Pour les porcs ?

– Il faudrait discuter de tout ça avec Torunn. Et Tor. Il serait incroyablement soulagé, à mon avis. Alors il n'aurait pas trimé en vain. Il y aurait un avenir. Et si Jytte est enceinte, l'enfant succédera à Torunn.

– Tu ne crois tout de même pas que j'ai éjaculé dans un récipient marqué d'un trait au feutre bleu pour concevoir un PAYSAN ?!

– Erlend, Erlend… Je t'aime, mais de temps en temps… Tu ne peux pas contrôler la vie des autres. Ton enfant acquerra par la suite son indépendance, et tu ne sais rien de ce qu'il voudra faire de sa vie. On espère avoir des alternatives, et pouvoir s'en servir. Tu n'en sais rien. Si la ferme est vendue, c'est fini. À ce moment-là la porte se referme, pour toujours.

– Mon Dieu ! dit-il en se cachant le visage dans ses mains.

– Bienvenue à la réalité ! s'écria Krumme.

Krumme prit la tête d'Erlend sur ses genoux, lui caressa les cheveux. Erlend ferma les yeux, essaya d'imaginer tout ça, Neshov ayant retrouvé sa splendeur passée, arriver à son appartement là-bas, remplir les placards de provisions et de boissons, voir par la fenêtre deux enfants en train de gambader avec des fleurs des champs dans les mains, du linge flottant au vent sur les fils, des fraises à la crème dans la cour. Il y avait une table là, autrefois, et des bancs, où était-elle, cette table, peut-être dans la grange ? Avec une nappe blanche en dentelle, Jytte et Lizzi sur des chaises longues, Krumme en short devant la cuisinière, les shorts ne lui allaient pas. Se promener sur la grève, se baigner à Øysand, attraper des bernard-l'hermite et des petits crabes, trouver des pierres polies, peut-être un séjour à l'arrière-saison, cueillir des baies d'argousier à Gaulosen, les faire macérer dans de l'alcool et du sucre pour avoir de la liqueur, ici, à Noël ? Deux enfants avec des fleurs des champs dans les mains…

– Tu voudrais un garçon ou une fille, Krumme ? demanda-t-il en ouvrant les yeux.

– Je ne sais pas. On n'en a pas encore parlé. Je n'ose pas vraiment, pas avant qu'on… pas avant que Lizzi et Jytte…

– Et toi qui tiens absolument à ce qu'on parle de tout.

– Un garçon, peut-être…

– Et si toutes les deux ont des jumeaux ?

– Erlend ! Mon Dieu ! Ne dis pas ça ! Je n'y ai carrément pas pensé !

Erlend éclata de rire, ne parvint pas à s'arrêter, dut se redresser pour ne pas étouffer, rit encore plus fort en voyant la mine de Krumme.

– Deux paires de jumeaux, mon Dieu ! murmura Krumme en prenant son verre de cognac.

– OK ! lança Erlend, redevenu grave. On lance l'idée.

– Quoi ?

– On lance l'idée. Auprès de Torunn en premier lieu.

– Tu parles sérieusement ?

– Oui. Ça ne prend pas plus de trois ou quatre heures pour aller là-bas. Ce serait l'équivalent d'une villa sur la côte du Jutland. Et si ça aide Torunn à s'en sortir…

– Pas par téléphone, dit Krumme. On fera ça en tête à tête. Pour l'instant, on attend les résultats de la rue Koreavej. Mais tu n'aurais pas dû me parler du risque d'avoir des jumeaux. Je ne vais sûrement pas en dormir de la nuit.

Il se réveilla au beau milieu d'un rêve dans un champ de fraisiers, il marchait parmi les sillons, guettant la présence des guêpes avec angoisse, personne n'était là pour s'occuper de lui, les plants croulaient sous les fruits mûrs, avec des fraises vertes tout près de la tige. Il se réveilla et resta immobile, Krumme ronflait à côté de lui, il songea à un amas de cellules qui se développaient peut-être dans le ventre de Jytte sans que nul ne le sache encore. Une fille. Si seulement ça pouvait être une fille. Il lui montrerait tout, l'emmènerait à bord de la barque, lui achèterait une petite canne à pêche, lui tresserait les cheveux pendant qu'elle serait assise à la table dans la cour, à l'ombre du grand arbre, il lui raconterait l'histoire du lutin de la ferme et elle croirait chacun de ses mots.

Il était à Neshov. En rêve il était à Neshov avec elle. Pas à Tivoli, pas au parc d'attractions de Dyrehavsbakken, pas à Illums Bolighus pour lui montrer sa dernière formidable décoration de vitrine.

Il s'assit dans le lit, les yeux grands ouverts dans l'obscurité. Elle était à Neshov, et lui, son père, était là, et cette pensée ne l'effrayait plus. Il lui montrerait toutes les maisons, lui parlerait de l'époque où ils construisaient le silo et qu'il était tombé dedans, on lui avait mis de l'acide formique sur la jambe et on l'avait emmené chez le médecin.

Le silo… Le silo !

– Krumme ! Réveille-toi !

– Quoi ?

– Tu ne devais pas dormir ! As-tu oublié ? Tu ne devais pas dormir parce qu'on allait avoir quatre enfants. Ou peut-être même des triplés ? Tous les deux ! Ça ferait six en tout ! Et avec toi, moi, Jytte et Lizzi, on ferait toute une équipe de foot. Il ne manquerait que le gardien de but !

– Calme-toi ! Je suis réveillé.

– Le silo, Krumme.

– À Neshov ? Eh bien quoi ?

– On peut habiter dedans. Il est vide. Il ne sert plus à rien. Pas pour un élevage de porcs. On peut aménager une demeure dans le silo, Krumme. Ou plutôt, dans les silos. Il y en a deux en fait, qui sont réunis.

Krumme alluma la lumière, se redressa. Quand il était à peine réveillé, il ressemblait à un bourdon ébouriffé.

– C'est possible ?

– Ils sont en béton. Évidemment il faut ouvrir des portes et des fenêtres çà et là, et les voir tels qu'ils sont maintenant, mais ce serait extraordinaire ! Des maisons toutes rondes. On a de quoi réaliser trois niveaux, à coup sûr. Et puis tu connais Kim Neufeldt, cet architecte en vogue, il est capable de dessiner ça merveilleusement bien ! Mais ce ne sera sans doute pas donné…

– Ce n'est pas grave. Ils mesurent combien, en fait ? De diamètre ?

– Laisse-moi réfléchir, dit Erlend.

Il remonta sa couette jusque sous son menton, il faisait très froid dans la pièce.

– Je dirais six, sept mètres de large, chacun, reprit-il, et l'aire de stockage est à peu près aussi longue. Et quelle est la formule pour calculer la superficie d'un cercle, Krumme, mon dictionnaire ambulant ?

– Pi r^2.

– Fais le calcul, alors !

– Il faut que j'aille dans le bureau chercher la calculatrice.

– Eh bien, vas-y vite !

Erlend resta assis dans le lit et imagina. Des murs arrondis, chaulés, un escalier en spirale qui reliait les deux étages, des meubles pour l'été dans les pastels clairs, des fleurs des champs dans tous les vases, des lits bateaux garnis de coussins dans le salon, une belle association de meubles anciens et high-tech, un lustre en cristal au-dessus de la table faite à partir d'une des vieilles portes et protégée par une épaisse plaque de verre.

– Presque quarante mètres carrés pour chaque silo, dit Krumme en se glissant à nouveau sous la couette. Et puis il y a cette… aire dont tu parles, en plus.

– On peut la transformer en passerelles de verre entre les pièces à chaque niveau ! Et là aussi on peut meubler. Un canapé d'observation, une véranda, un bar ?

– Pas un bar avec des enfants dans la maison, petit mulot.

– D'accord. Un bar à milk-shake, alors. Et puis chaque niveau sera rond… Disons entre soixante-dix et quatre-vingts mètres carrés. Ça fait donc deux cents mètres carrés en tout ! Ce sera comme d'habiter dans un moulin hollandais, Krumme. Tu te souviens du tout petit hôtel qui était un moulin à l'origine, avec seulement sept chambres ? On y avait logé quand tu devais faire ton reportage sur l'usage du haschisch comme tranquillisant dans les maisons de retraite en Hollande.

– Comment pourrais-je oublier ça ? Tu aidais les vieux à allumer leurs pipes, le photographe avait eu le plus grand mal à te tenir à l'écart pour prendre ses clichés. Mais c'est une idée géniale, Erlend. Et maintenant je suis complètement réveillé. Merci beaucoup !

Mais dix minutes plus tard, Krumme ronflait à nouveau sans la moindre fausse note. Lui-même continua à réfléchir au prénom que pourrait porter une fillette avec des petites nattes et un filet de pêche.

Après le dépôt de l'urne, il se rendit à Neshov. Il ne pouvait pas tenir compte du fait que Tor ne voulait pas lui parler au téléphone, qu'il n'était pas le bienvenu. Il avait mauvaise conscience de ne pas y être allé depuis longtemps. Mais quand Torunn était arrivée, il s'était relâché et avait laissé passer les jours. Ils n'étaient plus seuls, tous les deux. Il se souvenait de la première fois où il avait rencontré Torunn, à l'hôpital Saint-Olav, au chevet de sa mère. Il n'avait pas apprécié sa venue, aurait préféré la voir dans le bus la ramenant à l'aéroport. Mais elle avait du cran. Elle ne s'en laissait pas conter. Et le fait de considérer que Neshov était plus important que son travail à Oslo lui inspirait un véritable respect.

Il n'allait pas tarder à pleuvoir, des nuages menaçants s'amoncelaient du côté de Skaun. Il rétrograda et tourna pour remonter l'allée. Sur le siège du passager avant il y avait un sac en papier avec des viennoiseries. C'était pour se faire pardonner son absence. Mais il avait tout de même eu beaucoup de travail depuis qu'il était revenu du Danemark, Mme Marstad était en congé de maladie pour un tennis-elbow, un diagnostic complètement ridicule à son avis. Attraper un tennis-elbow en préparant et en déplaçant des défunts…

Tor était seul dans la cuisine, la cuisinière à bois était allumée, il était assis devant son journal.

– Tu mets des lunettes maintenant ? C'est bizarre, au fond, que tu aies pu t'en passer aussi longtemps.

– C'est toi ? dit Tor.

– Tu as bien vu ma voiture. Mais où est…

– Il se repose. Et Torunn est partie acheter un nouveau poste de télé. Pourquoi fallait-il que tu parles des rats à la moitié de la Norvège ?

– Je n'en ai pas parlé à la moitié de la Norvège. Seulement à ta fille. La télé est tombée en panne ?

– Elle avait quatorze ans.

– Alors on pouvait s'y attendre, elle a bien servi, j'ai l'impression. Et ta jambe, comment ça va ?

– Épouvantable. Ellc va être raide après ça.

– Pas définitivement, quand même ?

– Non. Mais bien trop longtemps. J'aurai une nouvelle portée dans une dizaine de jours, je vais la louper.

– Mais tu as un remplaçant ?

– Ouais, dit Tor.

Il se plongea dans le journal, fit semblant de se concentrer sur sa lecture.

– J'ai apporté des viennoiseries, je fais un peu de café.

– Je ne supporte plus les viennoiseries.

– Bon. Tu es de mauvaise humeur ?

Tor ne répondit pas, souffla par le nez, se replongea dans son journal.

Il vida la bouilloire à café dans l'évier et s'attendit à une nouvelle engueulade parce qu'il jetait du bon marc, mais Tor resta muet derrière ses lunettes.

– Je me suis offert un sauna, dit Margido en remplissant la bouilloire d'eau fraîche.
– Quoi ?
– Un sauna.
– Pourquoi ça ?
– C'est agréable.
– Tu es tombé sur la tête ? lança Tor.
Il posa la bouilloire sur la plaque électrique, qu'il alluma au plus fort.
– Je monte réveiller... papa.
– Il en a sûrement marre des viennoiseries, lui aussi. Qu'est-ce que les gens peuvent foutre d'un sauna ?

Il dormait. La chambre empestait, la fenêtre était fermée. Sa table de chevet et le parquet tout autour étaient encombrés de livres et de vieux journaux. Margido tira les rideaux et ouvrit la fenêtre, le vieux grimaça et fuit la lumière en reniflant.
– Tu dors au beau milieu de la journée, dit Margido. Le café chauffe.
– Oh !
– Tu peux descendre !
– Torunn est rentrée ?
– Non.
– J'attends que Torunn rentre.
– Pourquoi donc ?
– Non... je... Tor est fâché. Tout le temps fâché. Je n'en peux plus. C'est mieux quand Torunn est là.
– Elle est partie acheter une nouvelle télé, à ce que j'ai compris ?
– La vieille ne marche plus.
– Elle sera sûrement bientôt de retour. Tu peux descendre, maintenant. Remets ton dentier ! J'ai

apporté des viennoiseries. Tor a dit qu'il ne supportait plus les viennoiseries, tu pourras manger la sienne.

Elle arriva juste au moment où le café était prêt. Il sortit dans la cour et attendit qu'elle se soit garée. Un grand carton brun trônait à l'arrière de la voiture.

– Je peux le porter, proposa-t-il en souriant.

– Volontiers, répondit-elle sans croiser son regard.

Elle avait énormément changé depuis la dernière fois qu'il l'avait vue. Pâle, les yeux cernés.

– Je sais que ça fait longtemps que je ne suis pas venu, dit-il.

– Ça n'aurait rien donné de plus, de toute façon. Il t'en veut à cause de cette histoire de rats.

– Je m'en suis rendu compte, rétorqua-t-il en soulevant le carton.

– C'est presque le même poste que le précédent. Mais avec une télécommande. Erlend a viré de l'argent pour ça.

– Erlend ?

– Oui, je ne touche que mes allocations de maladie et je dois payer toutes mes factures d'Oslo, même si je n'y suis pas.

– Tu peux avoir la même somme que je versais à Marit.

– Non, ça va. On a la télé maintenant, en tout cas. Mais je n'ai aucune idée de la façon dont Tor gère les choses. Les finances et tout ça.

Le vieux s'approcha d'eux quand ils déballèrent le téléviseur. Il prit la télécommande, Torunn lui donna le paquet de piles.

– Tiens, occupe-toi de ça ! Il faut en mettre deux. Tout en bas, au dos.

Tor était assis dans la cuisine, le journal ouvert à la même page, les viennoiseries n'étaient pas entamées. Le pied du vieux poste que Torunn avait rapporté au magasin d'électroménager ne s'adaptait pas au nouveau. Torunn sortit le mettre dans la remise, tandis que Margido tirait la plus petite des trois tables gigognes en teck et posait l'apparcil dessus. Il brancha le cordon électrique et celui de l'antenne, puis il appuya sur le bouton. L'écran se réveilla aussitôt.

– Ça marche ! s'écria le vieux en souriant.

Il avait déjà les yeux rivés sur l'écran. Il était évident qu'il se rasait lui-même, les poils naissants étaient d'inégale longueur, un début de barbe lui poussait sous le menton, et l'une de ses pattes était plus longue que l'autre. Mais il avait les cheveux coupés depuis peu.

– C'est Torunn qui vous a coupé les cheveux ? demanda-t-il.

– Oui. Elle nous a acheté des lunettes aussi. Elle est gentille. Mais elle en a marre.

Il ne détachait pas ses yeux de l'écran pendant qu'il parlait.

– Qu'est-ce que tu as dit ? cria Tor.

– Maintenant on va voir si la télécommande fonctionne, dit Margido.

– Qu'est-ce que tu as dit ? cria Tor.

– Rien. On s'occupe de la télé ici ! lança Margido.

Il emporta le carton vide et le polystyrène derrière la grange, là où on brûlait les choses, il n'emprunta pas de bottes pour sortir et ne tarda pas à le regretter, la vieille neige mouillée s'infiltrait dans ses chaussures. Dans l'entrée ça sentait le seau hygiénique et ce produit turquoise qu'il avait mélangé à de l'eau et versé dans le fond le soir où il l'avait installé. Il fallait sans doute le vider assez fréquemment, et c'était sûrement le travail de Torunn, qui d'autre pourrait le faire ? Il n'y avait pas pensé, la voyait seulement devant les casseroles, la bouilloire à café et avec les porcs. Mais il y avait tant d'autres choses. Les coupes de cheveux. Le seau hygiénique. L'humeur de Tor. Non, il fallait qu'il vienne plus souvent, sinon elle ne tiendrait pas le coup. Il lui devait bien ça.

Dans la cuisine, les chaussures trempées, il dit qu'il devait repartir.

– Retrouver ton sauna ? répliqua Tor.

– Peut-être.

– Tu as un sauna ? dit Torunn.

Elle couvrait d'un film plastique l'assiette avec le reste de viennoiseries.

– Ça ferait du bien après la porcherie. Je te raccompagne dehors. Kai Roger va arriver d'une minute à l'autre, de toute façon.

Pourquoi avait-il mentionné ce sauna au fond ? Pourquoi mentionner ce gage de pur bien-être ? Pourquoi le mentionner ici, vu la situation actuelle ? C'était pire que ce qu'il avait imaginé. Il sortit ses clés en arrivant près de la voiture, Torunn le suivait, à quelques mètres derrière lui.

– C'est désespérant, il est désespérant, dit-elle.

– Je m'en rends compte. Il a toujours été sous la férule de sa mère, et maintenant il n'est plus encadré du tout. Et il ne peut plus aller voir ses porcs.

– C'est la raison, tu crois ?

Il se retourna vers elle, mais pas avant d'avoir ouvert la portière et de s'y cramponner, peut-être pour sentir qu'il s'en allait, loin de tout ça.

– Je fais simplement de mon mieux, dit-elle.

Elle leva un poing fermé et se frotta rudement les yeux, c'était horrible à voir, pourquoi ne portait-elle pas seulement sa main ouverte à ses yeux ? Il se rappela alors, avec un sentiment de déjà-vu, que sa mère faisait la même chose, qu'elle se cachait les yeux avec le poing quand elle était fatiguée et qu'elle n'avait pas envie de discuter, comme elle disait.

– Je ne sais pas exactement ce que je dois faire. En tout cas je viendrai ici plus souvent, j'aurai plus de temps la prochaine fois, j'essaierai de parler un peu avec lui. Et si c'est une question d'argent, Torunn…

– D'argent ? Oui, en voilà une affaire ! Va-t'en, maintenant ! Va retrouver ton sauna !

Elle se dirigea à grands pas vers la porcherie, ouvrit brutalement la porte et la referma derrière elle. Il tenait toujours la portière, regarda vers la fenêtre de la cuisine, Tor l'observait, par-dessus ses lunettes et le rideau, les cheveux courts et le visage inexpressif. Il lâcha le rideau qui se remit en place en tremblant, on n'apercevait plus que sa nuque, il baissait à nouveau la tête. Que pouvait-il faire ? Il n'était d'aucune utilité ici, sauf pour jeter un carton et du polystyrène derrière la grange, il ne savait même pas où trouver le kérosène pour y mettre le feu.

Le lendemain, elle s'acheta une petite radio de voyage à City Sud, davantage à boire, une cartouche de cigarettes et plusieurs livres. C'était heureux, en définitive, que son père ne parvienne pas à monter l'escalier. Quand elle était là-haut, elle se sentait d'une certaine manière en sécurité.

Elle alla voir un médecin pour qu'il lui prolonge son congé de maladie, puis elle téléphona à Sigurd de son portable en s'en retournant à la ferme, et lui expliqua la situation.

– On n'a pas le droit d'aller où que ce soit, en fait, quand on est en congé de maladie, mais le médecin devrait arranger ça, il est né dans une ferme et sait comment ça se passe. Mais c'est complètement dingue, Sigurd. Je n'arrive pas à m'en détacher.

Sigurd lui rappela qu'elle s'était détachée de Christer, un jour ou l'autre ça ferait pareil avec la ferme.

– Non, je ne peux pas m'enfuir. C'est impossible. Et mon grand-père... ou plutôt... non, mais... il a quatre-vingts ans. Et j'ai vraiment pitié de lui. Ils n'ont pas eu de chance tous les deux.

Sigurd comprenait bien que ce ne serait pas facile. Et Christer était venu à la clinique un jour, et avait demandé à la voir.

– Vraiment ? Qu'est-ce que vous avez dit ?

Heureusement, il était tombé sur Sigurd et pas sur un des autres, qui aurait dit la vérité. Sigurd lui avait raconté qu'elle était à l'étranger, qu'elle suivait des cours et qu'elle ne pouvait pas utiliser son téléphone, faute de réseau, mais il n'avait pas dit où elle était. Christer avait compris que Sigurd était au courant, puisqu'il ne l'informait pas complètement, et il l'avait prié de dire à Torunn qu'il n'y avait pas d'enfant, la fille avait avorté spontanément au quatrième mois.

– Ça ne change rien. Il m'a repoussée quand il a su qu'elle était enceinte. Ça m'a ouvert les yeux.

Sigurd comprenait, mais il fallait bien qu'il lui passe le message.

– En plus, j'ai compris qu'il n'était peut-être pas le bon genre pour moi, Sigurd. Il avait des opinions insensées sur diverses choses. Mais j'arrive dans la cour, le devoir m'appelle. En fait il faudrait que je change de pneus aussi, mais les pneus d'été sont à Oslo. Tant pis ! Mes pneus d'hiver sont tellement usés qu'ils pourront faire l'affaire pour l'été. Mais il n'est pas sûr que la police de la route soit du même avis.

Elle roulait avec des pneus à clous ? Alors elle pouvait démonter les pneux et faire sauter les clous avec un poinçon. La gomme des pneus à clous était plus dure que celle des pneus d'été, mais comme solution de fortune, ça irait.

– Merci pour le tuyau ! Ça m'enlève une épine du pied. Je peux faire ça, bien sûr. Je commençais à croire que j'allais être obligée de laisser ma voiture de côté et de conduire la vieille Volvo de mon père, sans direction assistée.

Elle était de bonne humeur en descendant dans la cuisine, après avoir déballé la radio, les livres et les stimulants. Elle avait pensé devoir acheter des pneus neufs et des jantes, et il s'agissait tout bonnement d'ôter les clous avec un poinçon. Et à Oslo, Christer se retrouvait sans elle ni la future mère, c'était bien fait pour lui. À bien y réfléchir, elle se réjouissait davantage du malheur de cet idiot là qu'elle ne souffrait du mal d'amour. Elle lui souhaitait de rester seul face à ses ordinateurs, ses pendules et son homophobie, et, à sa grande surprise, cette joie maligne lui donnait un sursaut d'énergie.

Elle prit les sacs de provisions restés dans l'entrée. Son père était assis exactement à la même place qu'à son départ, mais elle ne pouvait pas s'en agacer, chaque soir il était dans son bureau et se donnait du mal, le pauvre, et il n'avait pas d'autre endroit où aller, hormis sur le seau hygiénique. À ce moment-là il criait immanquablement qu'il y était, afin que personne n'ouvre la moindre porte et ne le découvre, derrière le déambulateur, à la vue de tout le monde.

Le grand-père était dans le salon.

– Qu'est-ce que tu regardes ? demanda-t-elle.

– *Reportages de Norvège*. Une rediffusion.

– Des boulettes de poisson pour le dîner, ça te fait envie ?

– Avec du curry dans la sauce, comme le faisait la mère ?

– Évidemment. Du curry et des crevettes, et des pommes de terre et des carottes comme légumes.

– Des crevettes ? s'étonna-t-il.

– Oui. Des crevettes, dit-elle.

Elle s'attendait à ce qu'il fasse un commentaire sur le prix mais il ne dit rien, se rappelant sans doute que c'était elle qui payait et lui qui touchait un pourcentage avec sa carte de la coop, car c'était celle qu'elle présentait, elle n'en avait pas elle-même. Elle ne put s'empêcher d'ajouter :

– Plus il y a de crevettes, plus il y a de pourcentage sur ta carte.

– Qu'est-ce que tu veux dire par là ?

– Rien. Regarde le beau soleil ! Il fait plus sept. Tu pourrais t'asseoir un peu dehors ? Je t'installerai une chaise avec une couverture. À l'abri au soleil, devant la remise.

– Non. Je ne veux pas que tout le monde me voie assis à ne rien faire comme un rentier.

– Personne ne te verra à cet endroit-là.

– Je ne veux pas.

– Bon.

Elle était en train de verser de l'eau sur les pommes de terre dans l'évier, lorsqu'elle s'en rendit compte.

– Il y a une drôle d'odeur ici, dit-elle.

Personne ne répondit.

Elle mit le nez dans l'évier, sentit attentivement.

– Ça sent l'urine ! reprit-elle.

Elle regarda son père, il ne leva pas les yeux de son journal.

– Dis-moi, tu pisses dans l'évier ?

– Oui, dit le grand-père depuis le salon.

– TA GUEULE ! hurla le père.

– Mais bon sang, on est dans une cuisine ! Tu ne fais quand même pas…

– Tous les jours, dit le grand-père.

– Non mais ça ne va pas ! s'écria-t-elle.

Elle reposa brutalement la casserole sur la paillasse. Son père s'humecta les lèvres plusieurs fois, croisa son regard.

– Non seulement tu sens fort parce que tu ne te laves pas correctement, mais par-dessus le marché tu pisses dans l'évier, au beau milieu de la cuisine ? J'habite ici, moi aussi, pour l'instant, figure-toi ! Et ça, je n'accepte pas ! Cochon !

– Ça te fait moins à vider. Du seau hygiénique.

– Mais tu ne peux pas aller pisser dehors ? Ce n'est quand même pas difficile de tourner le coin de la maison avec ton déambulateur, il n'y a plus ni verglas ni neige.

– C'est ma maison. Mon évier.

– Tiens donc ! Il me semble pourtant qu'il n'y a pas bien longtemps, tu disais que c'était aussi ma ferme ! Dont je ne veux pas.

– Tu n'en veux pas ? dit-il.

– Pas précisément aujourd'hui, s'empressa-t-elle d'ajouter. Maintenant je fais à manger, et toi, tu arrêtes de pisser dans l'évier. L'incident est clos.

– Donc tu n'en veux pas. Mais alors... ça ne sert à rien. Il n'y a plus de raison qui tienne. J'envoie tout le troupeau à l'abattoir, tous sans exception, je ferme boutique. Je téléphone à Eidsmo immédiatement.

Il commença à se lever, chercha appui sur le déambulateur.

– Arrête tes bêtises ! Assieds-toi ! ordonna-t-elle.

Elle se mit à éplucher les pommes de terre, lui tournant ainsi le dos, mais du coin de l'œil elle apercevait le grand-père dans le salon, il était assis face à l'entrebâillement de la porte, ses nouvelles lunettes lançaient des reflets.

– Il faut que ça serve à quelque chose. Et si tu ne veux pas reprendre, alors...

– Mais je ne peux pas prendre la décision simplement comme ça, dit-elle.

– Tu as trente-sept ans. Il y a des gamins de cinq ans dans ce pays qui savent déjà qu'ils devront reprendre la ferme de leurs parents.

– Mon Dieu ! Et avant, alors ? Quand ta mère vivait et que tu gérais l'exploitation ? Moi j'étais à Oslo et n'avais pas la moindre idée de ce qui se passait ici. C'était pour quoi, alors ? C'était pour qui ? Ne me dis pas que c'était pour moi !

– Maman vivait, elle était ici. Ça servait à quelque chose d'une certaine manière.

– C'était ta mère ! Elle était vieille !

– Je ne trouvais pas.

Elle se coupa avec l'épluche-légumes, mais elle s'en fichait, l'eau lavait le sang, elle continua à éplucher.

– S'il n'y avait pas eu cette histoire de jambe… Jamais de la vie tu n'aurais exigé de moi que je…

– Je croyais que tu voulais bien. Depuis Noël et la mort de maman.

– Mais je n'en sais rien, je te dis ! Pas maintenant en tout cas. Peut-être par la suite.

– Il faut que je sache si tu acceptes, si ça sert à quelque chose. Sinon ce n'est pas la peine. Ça ne tourne pas comme il faudrait. Tu dois songer à ça. Tu es l'héritière.

– L'héritière. Ah ! et qu'est-ce que je suis censée faire, hein ? Vendre mon appartement à Oslo et investir ici, c'est ça ? Maintenant ?

– Oui.

– Mais tu es devenu complètement cinglé ? lança-t-elle en se retournant vers lui. Tu es constamment d'une humeur exécrable, tu pisses dans l'évier de la cuisine, et moi je devrais… Oublie ça !

– Oublier ça ?

– Oui. Oublie ça !
– Bon. J'oublie ça.

Elle s'entoura le doigt d'un sparadrap, fit bouillir les pommes de terre, prépara la sauce blanche, ajouta les crevettes et les épices. Personne ne dit plus rien, elle aurait préféré monter dans sa chambre et pleurer. Elle était l'héritière, tout à coup elle était l'héritière. Non pas dans dix ans, quand son père prendrait sa retraite, mais dès à présent. D'une ferme qui était en train de couler, à cause d'une mauvaise gestion et d'un manque d'entretien.

Ils dînèrent en silence. Son père ne mangea pas beaucoup et ne fit aucun commentaire pour dire si c'était bon. Le grand-père mangea de bon appétit. C'était désagréable d'être à côté d'eux sans parler, de ne pas savoir où porter son regard, ce fut d'abord sur le couteau et la fourchette, puis, par-dessus le rideau, sur les oiseaux qui vivaient des jours de prospérité. C'étaient sans doute les seuls à la ferme, outre les porcs, qui se réjouissaient de chaque nouvelle journée et croyaient que le monde était comme d'habitude.

Son père mit le dernier morceau de pomme de terre dans sa bouche, lâcha les couverts sur l'assiette et se leva à l'aide du déambulateur. Elle espéra qu'il n'allait pas sur le seau hygiénique dans l'entrée, elle en aurait eu la nausée. Mais il alla dans le salon et claqua la porte derrière lui. Elle croisa le regard du grand-père.

– Bon, dit-il.

Après la vaisselle, elle monta dans sa chambre. Le grand-père était déjà allongé dans la sienne. Elle alluma la radio tout bas, ouvrit la fenêtre et fuma une cigarette, le menton posé sur sa main, admirant le paysage. Les arbres allaient bientôt verdir, le mois d'avril approchait, les champs allaient enfler et pousser, il y aurait toute une vie sur la grève. Si seulement ça n'avait pas été aussi soudain, peut-être aurait-elle... Elle avait besoin de temps pour faire une formation d'agricultrice, ou bien elle pourrait commencer à s'occuper des chiens. Une école canine. Ou une pension pour chiens dans la porcherie, ce serait parfait. Avec de grands préaux dans le terrain derrière la grange, si elle le remblayait et le gravillonnait d'abord. Ils n'étaient qu'à vingt minutes du centre de Trondheim, et encore plus près de Heimdal. Et elle était libre comme l'air.

C'était possible.

Mais il fallait que son père guérisse d'abord. Redevienne lui-même. Si tant est qu'il le redeviendrait. Il n'y avait rien à faire en l'état actuel des choses.

Avant d'aller à la porcherie, elle descendit dans la cuisine pour leur faire du café. La porte du salon était toujours fermée, le grand-père était assis à la table et avait l'air désemparé.

– Il y a sans doute aussi quelque chose d'amusant à la radio, dit-elle. Je fais du café.

– C'est fermé à clé, déclara-t-il.

– Il a fermé à clé ?

Elle s'approcha de la porte et essaya de tourner la poignée.

– Ouvre ! Il y a quelqu'un ici qui veut voir le journal télévisé. Et le café va être prêt.

Au bout d'un long moment il ouvrit et regagna son lit de camp en clopinant, s'y laissa tomber. Le grand-père alla promptement s'installer dans son fauteuil et s'empara de la télécommande.

– Tu veux aussi ton café là-bas, papa ?

Il ne répondit pas. Il s'était couché sur le côté, le visage contre le mur. Elle mit deux tasses pleines sur un plateau, la soucoupe avec les morceaux de sucre, et une tablette de chocolat au lait qu'elle cassa en plusieurs carrés, avant de porter le tout jusque sur la table du salon.

– Je vais à la porcherie maintenant, dit-elle.

Elle emporta sa propre tasse et une tablette entière de chocolat, et elle était assise sur le tabouret dans la buanderie quand Kai Roger arriva.

– Tiens ! Il y a un déplacement de troupes ?

– Il veut que je reprenne. Il m'a demandé une réponse aujourd'hui.

– C'est bien ce que j'avais dit. Vous êtes la suivante.

– Mais pourquoi justement maintenant ?

– Il n'a plus d'entrain. Il a la trouille de rester seul ici. Il en a peut-être marre aussi. Ou bien il s'est laissé déborder par la paperasse, dit Kai Roger.

– Lui qui adore ses porcs…

– Il ne suffit pas d'aimer ses porcs pour faire tourner une ferme. Et ça fait un bout de temps qu'il ne les a pas vus. Et qu'est-ce que vous avez répondu ?

– Qu'il pouvait oublier ça.

– Alors vous ne voulez pas ?

– Je ne sais pas ! Je ne sais pas…

Elle fondit en larmes et ragea intérieurement. Aussitôt il s'accroupit et passa les bras autour d'elle.

– Donnez-vous encore quelques jours !

– Quelques jours ? À quoi bon ? rétorqua-t-elle.

Elle posa la tête sur son épaule, ça lui faisait du bien de se blottir contre quelqu'un, de sentir son étreinte. Elle pleura de plus belle, il se tut, la tint seulement. Entre deux sanglots, elle entendait les porcs grogner d'impatience à l'intérieur de la porcherie, elle sentait malgré tout qu'elle se faisait une joie de les voir. Est-ce qu'elle y arriverait ? À élever des porcs, à tout apprendre sur l'insémination, l'alimentation, la mise bas, les maladies des porcelets et le rognage des dents. Et si les truies devenaient méchantes, prenaient les petits et… Était-elle une paysanne ? Avait-elle ça dans le sang ? Sa mère aussi venait d'une ferme. Son intérêt pour les petits animaux et les chiens, à la ville, résultait-il d'un souhait profond de travailler avec les bêtes, d'en vivre ?

– Ce n'est pas ça, ajouta-t-elle en relevant la tête. Ce n'est pas que je ne veux pas m'occuper de la ferme. Mais vu la façon dont mon père se comporte, s'il faut tout clarifier aussi vite…

– Avez-vous songé que c'est pour ça qu'il est si désagréable ? Parce qu'il a peur ? Parce que la situation n'est pas claire ? Si vous lui avez dit que dans dix ans vous…

– Je ne crois pas que ça durera encore dix ans. Je crois qu'il boira le bouillon, économiquement parlant, bien avant cela. Il est peut-être déjà en train de le boire.

Elle se leva, trouva un rouleau de papier hygiénique, se moucha et se sécha les yeux.

– Excusez-moi ! dit-elle.

– Vous n'êtes pas la seule à vous interroger. Il y en a beaucoup, dans les fermes alentour, qui se demandent tout comme vous s'il est possible de miser sur quoi que ce soit. Mais en général ils sont plus jeunes.

– Mon père l'a dit aussi, en fait. Il a parlé de gamins de cinq ans.

– Ça peut arriver. Mon frère aîné a repris la ferme familiale. Mais il hésite, il ne sait pas s'il doit agrandir ou tout arrêter. S'il baisse les bras, ce sera mon tour. Et moi j'agrandirai.

– Pourquoi ne vous associez-vous pas, alors ?

– Sa femme refuse. Elle veut mettre la clé sous la porte… Bon, mais je crois que ces dames à côté n'y tiennent plus. Enfilez votre combinaison ! Tout à l'heure vous viendrez avec moi manger une pizza à Heimdal. C'est vendredi soir, vous ne pouvez pas rester seule dans votre chambre à boire du cognac. C'est moi qui offre. Un demi bien frais, et je vous reconduis chez vous.

Quand ils eurent terminé, peu avant neuf heures, elle passa rapidement par le salon, après sa douche, pour dire au revoir. Son père était dans la même position, il n'avait pas touché à sa tasse sur le plateau, mais le grand-père avait mangé tout le chocolat au lait et ôté son dentier du bas. Elle essaya de ne pas se demander pourquoi.

– Je vais faire un tour avec Kai Roger, dit-elle. Je rentrerai sûrement tard, mais je monterai sans faire de bruit, je ne réveillerai personne. Bonne nuit !

Le grand-père hocha la tête :

– Bonne nuit !

Avec son mascara, son fard à paupières et un jeans qu'elle n'avait pas mis depuis une éternité, elle avait l'impression d'être une femme normale. Kai Roger avait également l'air tout à fait différent. Jeans, lui aussi, et blouson de cuir noir, les cheveux coiffés en arrière, elle l'observait pendant qu'il passait commande au comptoir, il était vraiment sympa.

– Avec de l'ail ? cria-t-il.

– Oui ! Plein d'ail !

Il s'acheta une bière sans alcool et lui prit un demi. Le cuisinier faisait tourner la pâte en l'air, sans doute celle de leur pizza au pepperoni et à l'ananas.

– Je suis contente d'être venue, dit-elle. Merci beaucoup.

– Ce n'est pas trop tôt !

– Mais… je n'ai pas envie de parler d'héritage, de fermes, d'argent et ainsi de suite. D'accord ?

– C'est entendu ! Moi non plus d'ailleurs. Racontez-moi plutôt ce qui est arrivé à ce fameux Herriot dont vous avez lu l'histoire ! Ce n'était pas un tout jeune vétérinaire qui s'est retrouvé dans un monde de paysans grincheux ?

– Vous voyez ! Ça revient déjà sur le tapis !

Il rit, elle but, la bière était glacée, une bougie allumée dans un bougeoir en cuivre les séparait.

– Parlez-moi d'Oslo, alors ! suggéra-t-il. Et dites-moi comment je dois éduquer un jeune labrador ! Je viens tout juste de demander à des amis de me réserver un mâle, les chiots sont nés il y a trois jours.

– Oui, ça, je peux vous expliquer, dit-elle en souriant.

Dire qu'il avait réussi à dîner ce soir. Dire qu'il avait réussi ! À manger, alors que tout était fini et qu'elle ne le savait pas. Des crevettes. Des crevettes dans la sauce. C'était peut-être aussi bien qu'elle ne veuille pas prendre la suite, avec la prodigalité qu'elle avait dans le sang. Elle tenait sans doute ça de Cissi. À l'époque, il n'avait pas compris que sa mère ait refusé d'entendre parler de Cissi uniquement parce qu'elle avait coupé une épaisse tranche de pâté de foie pour mettre sur son pain. Il y avait davantage de pâté que de pain, mais il n'y avait pas pensé, puisque sa mère l'avait fait elle-même. Il avait cru qu'elle serait contente que Cissi l'apprécie, mais au lieu de ça elle avait dit qu'avec cette façon de vivre et de pareils excès, elle coulerait la ferme. Pour leur part, ils enfonçaient la pointe de leur couteau dans le pâté et étalaient une fine couche sur la margarine. On sentait le goût quand même. Mais Torunn n'était pas comme ça, elle était la digne fille de sa mère, avec des viennoiseries tous les jours et des crevettes dans la sauce, il fallait bien qu'il se rende à l'évidence.

Couché sur le côté, il écoutait la télé tandis que le père machouillait bruyamment du chocolat et sirotait son café avec un plaisir sonore, avant d'enlever son dentier pour lécher tout le chocolat qui restait en dessous.

Son père. Qui ne l'était pas du tout. Mais il n'avait pas le courage de prendre en compte que sa mère lui avait caché tout ça, qu'elle avait épousé l'héritier, mais qu'en même temps elle avait eu trois enfants avec son beau-père. Des mensonges. Mais elle était sa mère malgré tout, la même mère, n'est-ce pas ? Tous les souvenirs qu'il avait d'elle… Il n'était pas question de changer plus de cinquante ans d'histoire du jour au lendemain. Or maintenant c'était fini, la colère l'avait quitté. Il écouta ce qu'ils disaient à la télé sans comprendre le sens des mots. Il somnola un peu. Se réveilla lorsque Torunn leur annonça qu'elle allait sortir avec le remplaçant. C'était bien la première fois. Elle était probablement soulagée d'avoir enfin déclaré qu'elle ne reprendrait pas la ferme. Soulagée et avide de compagnie masculine, voulait aller en ville, danser, boire et ne plus se soucier de l'exploitation.

Il avait mal au côté gauche à force de rester couché de cette façon, ça lui brûlait jusque dans l'aine. Mais s'il se retournait, il serait obligé de passer un savon à son père qui avait mouchardé pour le fait de pisser dans l'évier, et il n'en avait pas le courage, il voulait seulement qu'il quitte le salon, c'était plus simple de faire semblant de dormir. Il retrouva enfin le calme quand le père éteignit la télé. Le silence était tel qu'il entendit le tic-tac de la pendule dans la cuisine. Le père soupira, se hissa hors de son fauteuil en tâtonnant, frotta le parquet avec ses chaussons. Il ne dit pas un mot en sortant, referma simplement la porte de la cuisine derrière lui et monta lentement les marches. Après quoi il entendit la chasse d'eau, des portes s'ouvrir et se refermer.

Il se redressa. La tête lui tournait, il avait la nausée. Il se mit debout en s'aidant de son déambulateur, qu'il s'évertua à manier avec précaution en sortant du salon. Il retira la clé de la serrure, referma côté cuisine et fourra la clé dans la poche de sa veste en laine, ils croiraient ainsi qu'il était dans le salon. Il prit un paquet entier de tranches de mouton séché dans le frigo. Il alla chercher dans le bureau la bouteille d'aquavit pleine, l'autre était déjà à moitié vide. Il avait mis les comprimés antidouleur dans la poche de son pantalon, la boîte était à peine entamée. Il sortit péniblement sous l'appentis, entreprit de traverser la vaste cour, fit une pause à côté de l'arbre et balaya les miettes sur la mangeoire, fit place nette.

La buanderie n'était plus la même. Elle sentait le savon. Les murs, lessivés, étaient plus clairs. Le béton sous le déversoir avait également éclairci, le déversoir lui-même était soudain en acier presque brillant. Les choses étaient placées différemment. Là aussi elle avait fait des changements et nettoyé. Elle avait tout transformé sans vouloir assumer la responsabilité, accepter l'avenir qui allait avec.

C'était calme dans la porcherie, les bêtes s'étaient couchées pour la nuit. Il s'assit pesamment sur le tabouret.

Pour rien. Cela n'avait servi à rien. Chaque journée avait été inutile. Il était arrivé là, jusqu'au tabouret, les poches pleines. Siri avait de nouveaux petits dans son ventre, Røstad et Kai Roger s'étaient chargés de tout, Mari et Mira allaient bientôt mettre bas, tout se passait bien sans lui. Crevettes et pizza, téléviseur avec télécommande, sauna. Il se remit debout. Il n'avait besoin ni de tablier de boucher, ni d'imper. Et s'ils avaient changé Siri de place ? Il ne pouvait pas allumer les néons du plafond. La lueur rouge des lampes chauffantes serait son seul guide. Il chercha le décapsuleur dans le tiroir et le trouva aussitôt à sa place habituelle, derrière une vieille chignole. Et les bières étaient dans le placard du dessous, là où il avait demandé au père de les ranger. Il ne pouvait pas à la fois pousser le déambulateur et porter l'aquavit et les bières. Il en fourra trois dans ses poches et réussit à tenir la bouteille d'aquavit à la main.

Siri se trouvait heureusement là où elle devait être. Elle dormait, mais se réveilla aussitôt quand il arriva.

– Reste couchée, ma belle !

Mais elle se leva malgré tout, projeta une ombre colossale dans la lumière rougeoyante, s'en vint vers lui d'un pas lourd et décidé, renifla, grogna, elle allait réveiller les autres. Il s'appuya du coude sur le déambulateur, sortit le paquet de mouton séché, l'ouvrit avec les dents et lui en donna la moitié. Elle en fut si étonnée qu'elle s'assit carrément et mastiqua longtemps. Pendant ce temps-là, il se hissa à la force des poignets par-dessus les barreaux pour la rejoindre, abandonnant le déambulateur dans l'allée centrale. Il se cramponna aux barreaux tandis qu'il se laissait glisser à terre. Il ne fut pas mouillé en touchant le sol, la loge était propre et sèche, bien garnie de paille, presque trop de paille, ils se donnaient un surcroît de travail, Torunn et le remplaçant, en abusant de la paille. Il s'assit correctement sur les fesses. Quand il était assis de cette façon, Siri était beaucoup haute que lui.

– Couche-toi, maintenant ! J'ai encore des friandises. Oui, tu es belle, oui…

Elle lui flaira les cheveux, le visage, les épaules, tandis qu'il lui grattait la tête derrière les oreilles.

– Oui, oui, je suis là, tu sais… Je suis là.

Il la câlina tout en lui faisant la causette jusqu'à ce qu'elle s'allonge, sa lourde tête contre lui. Tout était calme dans les loges autour, les autres ne se doutaient pas que c'était lui, c'était normal après tout ce temps. Il lui caressa le groin, le sentit lisse et humide, elle leva la bouche vers ses doigts.

– Une à la fois maintenant ! Pas la moitié du paquet, sinon il sera vite fini.

Il décapsula la première bière et sortit la boîte de comprimés, il en renversa une poignée et les avala avec les premières gorgées, après quoi il but une lampée d'aquavit. Siri voulait tout sentir. Il se dit qu'il devait peut-être attendre un peu avant d'en prendre davantage, afin de ne pas vomir, mais réalisa qu'il risquait de s'endormir. S'endormir et se réveiller à nouveau. Il resta sans bouger jusqu'à ce qu'il ait l'assurance qu'il n'allait pas vomir, puis il recommença, comprimés avec la bière, aquavit ensuite. Quand il eut vidé la boîte, il la jeta dans l'allée. Il n'avait bu qu'une seule bouteille. Il ouvrit la deuxième, sentit qu'il tremblait, mais ça y était, il n'avait plus rien à faire, il n'aurait pas besoin de la troisième, il la sortit de sa poche et la plaça à grand-peine au milieu de l'allée pour que les bêtes ne se fassent pas mal avec.

– Ma Siri.

Sa tête reposait par terre, ses yeux luisaient, elle le regardait. Les barreaux dans son dos étaient inconfortables, il se coucha sur le coude droit, son corps et son visage tout contre la tête de la truie. Elle sentait fort et bon. Il ferma les yeux, tout tourna, il les rouvrit aussitôt.

– Maman.

Il referma les yeux. Son foulard. Il vit son foulard qui lui enveloppait bien les cheveux, noué derrière la nuque, c'était le brun avec les rayures rouges, elle se penchait sur quelque chose, il ne parvint pas à voir son visage, qu'elle détournait.

– Maman !

Elle était là, juste en face de lui, souriante, elle évoqua son enfance, le temps où les voisins s'entraidaient pour faire les foins, buvaient ensuite dans des chopes la bière faite à la maison, elle évoqua la guerre, les pauvres prisonniers de guerre d'Øysand, les peupliers de Berlin qui n'avaient jamais cessé de pousser, dont les racines partaient dans toutes les directions et qui produisaient de longs chatons au printemps, ils étaient assis à la table de la cuisine, il voyait le formica qui imitait le marbre, il eut à la bouche le goût des biscuits aux flocons d'avoine et du café, c'était tellement bon. Elle lui caressa la joue, il était petit, l'héritier, elle le caressa et lui fourra une fraise dans la bouche, elle rit tout haut de quelque chose, la voix du grand-père Tallak résonnait aussi, grave et vibrante, ils étaient avec lui, tous les deux, riaient devant lui, il faisait chaud, c'était l'été, n'y avait-il jamais d'hiver ? Non, jamais, l'hiver n'était apparu qu'ensuite, avec les branches noires, les champs gelés, et les moufles couvertes de neige durcie qui s'accrochait à la laine, il mordait dans la neige et la recrachait par terre.

Il s'allongea complètement sur le sol. Ce n'était pas du tout l'hiver, ici il faisait chaud, une chaleur animale, ici ils étaient ensemble, ici ils étaient ensemble et tout était lueur rouge sur fond noir. De longues ombres noires dans le rouge, et Siri qui soufflait. C'était si bon de se retrouver ici. C'était si bon.

Erlend était assis sans bouger sur un des deux fauteuils Empire de l'entrée, les mains jointes sur les genoux. Il écoutait. Après une attente interminable il entendit l'ascenseur, se leva d'un bond et en ouvrit la porte extérieure, et il était là quand la tête de Krumme apparut dans l'étroite fente vitrée qui montait tout doucement avant de s'arrêter. Il ouvrit la seconde porte avec vigueur.

– Pourquoi est-ce que tu n'as pas ton portable sur toi, Krumme ? Il est plus de neuf heures, un vendredi soir, je croyais que tu t'étais encore fait renverser !

– J'étais en réunion avec la police, j'ai oublié de le rallumer. On a déposé une plainte contre nous, des photos mal floutées, la prise d'otages à la banque de Rødovre, tu te rappelles sûrement que…

– On s'en fout ! Maintenant tu es là. Elles sont ENCEINTES.

– Quoi ?

– Toutes les deux !

– Seigneur Dieu !

– Non, ce n'est pas lui le père. Et je leur ai parlé du silo ! Elles étaient aux anges ! Car elles adorent la Norvège ! Tu le savais, Krumme ? Qu'elles raffolent de la Norvège ?

– Il faut que je m'asseye, dit Krumme.

Il s'affala sur un des fauteuils, Erlend prit l'autre. Ils gardèrent le silence le plus complet pendant de longues secondes.

– Comment te sens-tu ? demanda Krumme.

– Je suis terrifié ! murmura Erlend.

– Moi aussi. Toutes les deux, alors… ?

– Oui. Toutes les deux.

– Ce n'est pas un événement médical sensationnel, ça ?

– C'est ce que j'ai dit aussi. Mais Jytte a prétendu que c'était l'amour, répondit Erlend.

– Dis ça à des couples qui essayent depuis des années, tiens !

– Elles veulent qu'on vienne.

– Bien sûr qu'on va y aller. Est-ce qu'elles sont aussi effrayées que nous ? s'enquit Krumme.

Il avait encore son manteau Matrix sur le dos.

– Non. Elles sont folles de joie. Et elles ont exigé que je sable le champagne pour toutes les deux ! Elles en ont acheté du bon. Mais tu sais quoi, Krumme ? en ce moment, en fait, je n'ai pas envie de champagne…

– Tu es malade ?

– J'ai davantage envie d'un chocolat chaud avec de la crème.

– Tu es malade ! Allez, on y va.

Ils se tenaient par la main dans le taxi. Erlend s'efforçait de penser intensément au champagne qui l'attendait. Les lumières de la rue Amagerbrogade défilaient. Un enfant. Deux enfants. Le sien et celui de Krumme.

– On n'est jamais allés voir la Muraille de Chine, dit-il.

– Il reste encore neuf mois, on a le temps, Erlend. Et d'ailleurs j'ai entendu dire que l'accès à la Grande

Muraille est aussi autorisé aux enfants. As-tu peur que le monde s'écroule ?

– Irrémédiablement.

– Donc elles ont aimé l'idée d'un silo à troix niveaux, dit Krumme.

– Ça les a plutôt prises au dépourvu, mais elles adorent la Norvège, en fait. Tu le savais ?

– Pas de crise d'hystérie, Erlend ! Je suis tout aussi excité que toi.

– Je brûle d'envie d'apprendre tout ça à Torunn. Aussi bien le... Oui, le projet pour la ferme, mais surtout qu'on va... que je vais être...

– Papa, compléta Krumme.

– Exactement.

– Pas par télépone, dit Krumme.

– On ne peut pas aller là-bas ? Demain ?

– Demain ? J'ai l'impression que tu déraillles complètement !

– C'est seulement à quelques heures d'ici, rétorqua Erlend. On reviendra lundi. Ce sera une manière de nous prouver combien c'est facile de faire un aller et retour jusqu'à notre silo à la campagne. On peut prendre un taxi à Værnes, c'est dans les sept ou huit cents couronnes, mais Torunn nous raccompagnera probablement lundi. On achète à manger et à boire, et on les distrait un peu, qu'en penses-tu ?

– Tu ne viens pas d'imaginer ça à l'instant, si ?

– Non, reprit Erlend. J'ai projeté ça en t'attendant pendant une heure et en essayant de te joindre sur ton portable. À la rédaction ils ont dit que tu étais au commissariat, et quand j'ai téléphoné à la police, ils n'étaient pas au courant que quelqu'un se soit fait renverser par une voiture. Alors j'ai pensé qu'on pourrait aller là-bas, si tu étais toujours vivant. Je me suis vu tout seul comme père. Tu imagines ?

Krumme serra sa main, ils étaient arrivés.

– C'est entendu ! dit-il. On fait un saut en Norvège demain. Et on les met de bonne humeur !

Erlend sortit des billets de son portefeuille.

– Je me demande comment Margido va réagir. Est-ce que son haut degré de morale va supporter ?

– Le silo ou l'enfant ?

– Je ne crois pas qu'il soit question de silos dans la Bible, Krumme.

– Je pense qu'il va être content. Après ce que tu m'as rapporté de votre conversation. Surtout si le pasteur nous trouve très sympathiques…

– Gardez la monnaie ! dit Erlend au chauffeur, en ouvrant la portière. Maintenant on va voir les mères. Et tu peux être sûr que je vais boire du champagne. Le chocolat chaud, c'est pour les gamins.

Par la porte vitrée, il voyait sa salle de bains. Le lavabo aussi était neuf, et il avait fait poser du carrelage. À côté de la salle de bains de Copenhague, c'était un simple réduit. Mais un réduit rénové, et c'était le sien. Le générateur de vapeur fonctionnait à la perfection. La vapeur, c'était toujours de la vapeur, constatait-il. En fermant les yeux, il n'avait pas de mal à s'imaginer un poêle rempli de charbon incandescent. Les obsèques qu'il avait accepté d'organiser aujourd'hui lui pesaient comme une chape de plomb. Là il pouvait transpirer et se préparer au deuil qu'il devrait traiter en professionnel, heureusement il était très rare de se voir confier une mission aussi lourde. Un homme et ses trois petits-enfants en voiture. Collision frontale cet après-midi. Les trois enfants étaient morts, lui-même avait survécu, presque sans une égratignure. Enfin… survécu. Mais quelle existence avait-il en vue ? Il n'aurait très vraisemblablement pas le courage de venir à l'église.

Trois cercueils d'enfants. Il y aurait une mer de fleurs. Des sanglots en continu du début à la fin, du premier au dernier rang. Et le pasteur qui s'efforcerait de consoler : « Laissez venir à moi les petits enfants, ne les en empêchez pas… Je leur donne la vie éternelle ; et ils ne périront jamais, et personne ne les ravira de ma main. » Il serait obligé d'emprunter un second fourgon à l'un de ses confrères. Il irait chez les parents demain matin, ce soir c'était au-dessus de leurs forces, le médecin avait d'ailleurs plongé la mère dans un sommeil profond. Il serait auprès d'eux demain matin samedi pour prévoir l'avis de décès, les cercueils, les chants. Un père et une mère qui avaient tout perdu. Le grand-père emmenait en fait les enfants au Burger King pour leur offrir des hamburgers, après quoi ils devaient passer la nuit chez lui, pendant que le père et la mère iraient au restaurant fêter leurs dix ans de mariage.

Il regarda sa montre. Il était là depuis une heure. Il débrancha le générateur, replia les bancs et fit couler la douche. Il se sentait déjà mieux, c'était son travail, il ne devait pas laisser les sentiments le gagner trop profondément, on perdait alors sa perspicacité et sa vision d'ensemble. Il préféra penser à ce que Mme Gabrielsen avait suggéré, en prenant le café dans la matinée, alors que pour une fois il évoquait un peu la situation à Neshov, et la difficulté de leur venir en aide financièrement sans pour autant vexer Torunn.

Il enfila sa robe de chambre et ses chaussons, et s'en fut dans la cuisine se préparer une tartine avec du jambon et beaucoup de fromage. Il la beurra sur le dessous et la passa à la poêle, avec couvercle. Un court instant il revit son image dans le miroir à Copenhague, mais il chassa aussitôt l'idée de supprimer le beurre. Il ferait mieux de veiller à bouger un peu plus, il ne pouvait se résoudre à renoncer aux rares bonnes choses qu'il s'accordait, et du bon beurre étalé sur une tranche de pain poêlée, c'était absolument délicieux.

« Combien payez-vous la location de l'entrepôt de Heimdal, pour les cercueils et autre matériel ? avait demandé Mme Gabrielsen. – Cinq mille couronnes par mois. Y compris l'électricité, avait-il répondu. – Vous ne pourriez pas plutôt stocker les cercueils à Neshov ? Dans la grange ? » avait-elle suggéré.

Si simple. Cette possibilité ne l'avait même pas effleuré. S'il remettait un peu en état, ça ne coûterait pas trop cher. La grange était un solide bâtiment ancien. Il n'allait évidemment pas leur verser cinq mille couronnes, mais il pourrait prendre à sa charge les assurances, les impôts locaux et ce genre de choses, rien que ça, ça ferait une nette différence, tellement les taxes étaient faibles là-bas.

Il alluma la télé et tomba sur un vieux film américain. Il irait à Neshov demain, après avoir vu les parents et remis l'avis de décès au journal. Les enfants se trouvaient à Saint-Olav, il n'était pas nécessaire qu'il les prépare avant lundi. Il irait à Neshov faire sa proposition, recueillerait leur avis, présenterait ça comme si c'était avantageux pour lui, il ne leur faisait pas l'aumône. Car de fait, ce serait avantageux. Pour tout le monde. Et la ferme était à la même distance que l'entrepôt de Heimdal de ses bureaux au centre-ville. Mais Tor allait évidemment protester, peut-être refuser catégoriquement. Il devait s'y attendre, cela risquait d'être une source de conflit. Il valait mieux le laisser y réfléchir quelque temps, puis relancer l'idée lorsqu'il serait de nouveau sur pied et redevenu lui-même.

La tartine était prête, le fromage avait fondu et se mélangeait au beurre dans la poêle. Il l'apporta avec un verre de lait jusqu'à son fauteuil Stressless, posa l'assiette sur ses genoux et le verre sur la table à côté de lui. Il monta le son à l'aide de la télécommande. C'était Cary Grant et une actrice dont il avait oublié le nom, il vérifierait dans le programme télé après avoir mangé. Tout son corps était détendu, il avait chaud et soif. Il but le lait d'un seul trait.

Elle entra sans faire de bruit, il était une heure du matin, elle devait se lever à six heures et demie, elle n'aurait pas dû accepter la dernière bière. Ce serait plus facile pour Kai Roger de se lever. Comme il conduisait, il s'en était tenu à la bière sans alcool jusqu'à la fermeture. Il avait proposé de s'occuper seul de la porcherie le lendemain matin, mais elle avait refusé. « Bien sûr que je me lèverai, avait-elle dit, il ne manquerait plus que ça, je pourrai récupérer plus tard dans la journée. »

Dans la salle de bains elle se brossa les dents, toute la maison était silencieuse, ils dormaient, elle but de l'eau au robinet et se démaquilla les yeux, gagna sa chambre à pas feutrés et se mit rapidement en pyjama.

Une fois au lit, elle resta longtemps à regarder les rideaux devant la fenêtre ouverte. La couette se réchauffa enfin. Kai Roger ne l'avait pas draguée, ce qu'elle avait apprécié. Il n'avait pas non plus demandé si elle avait un compagnon, ils avaient parlé de chiens, il attendait son chiot avec impatience, ça faisait des années qu'il en voulait un, il l'appellerait Sophus.

Et ça lui avait fait du bien d'être assise à cette table comme une femme normale, reconnue à sa juste valeur car elle savait un tas de choses qu'il ignorait plus ou moins. La pizza était délicieuse, suivie d'une tarte aux pommes chaude avec de la crème comme dessert. Elle lui avait parlé du contact par le regard, de la façon d'apprendre au chiot à apprendre, des exercices de la gamelle et du jeu, et elle était ravie de l'entendre reconnaître qu'il y avait une logique et une évidence dans ce genre d'entraînement. Il était aussi stupéfait de son apparente simplicité que les propriétaires de chiots de ses cours à Oslo.

Et quand il la reconduisit et remonta l'allée, elle eut le sentiment très fort que Kai Roger la ramenait chez elle. C'était étrange. Voilà en fait d'où elle venait. Et voilà où elle était revenue. Elle était tout étonnée qu'une seule soirée hors de la ferme lui ait permis de commencer à réfléchir à des possibilités d'avenir, et pas seulement de tourner en rond.

Lorsque le réveil sonna à six heures et demie, elle parvint à peine à ouvrir les yeux. Si elle avait dû s'occuper seule de la porcherie maintenant, elle serait morte rien qu'à l'idée. Mais Kai Roger serait là dans une demi-heure, ils feraient le travail ensemble.

La chambre était glaciale, la température avait dû descendre en dessous de zéro pendant la nuit. Elle sortit de son lit à la hâte, prit ses vêtements et alla dans la salle de bains. Elle se mit un peu de mascara après s'être habillée, ce qu'elle ne faisait jamais habituellement avant la porcherie, elle sourit un peu à son image dans le miroir, tout en passant la petite brosse le long de ses cils, au-dessus et au-dessous de ses yeux.

La porte du salon était fermée comme d'habitude à cette heure-là, son père ne se levait jamais avant qu'elle ne soit partie à la porcherie, et le grand-père avant qu'elle n'en soit revenue. Elle était contente de pouvoir être seule dans la cuisine, elle alluma la radio en sourdine, mit la bouilloire à chauffer et fit du feu dans la cuisinière. Ce serait peut-être une meilleure journée. Elle essaierait de causer avec lui aujourd'hui, sans se disputer, essaierait de penser un peu tout haut en faisant le tour de la situation, d'avoir son avis, de savoir combien d'années encore il comptait faire. Et les finances, comment cela se présentait-il vraiment ? Il fallait absolument qu'il lui donne des chiffres. Il fallait aussi qu'elle lui explique qu'elle avait besoin de lui, si elle reprenait la ferme un jour. Et il ne devait pas être grincheux et buté, mais la soutenir. Être celui qu'elle avait appris à connaître, réussir à tourner la page.

À sept heures moins dix elle but son café, debout devant le plan de travail, en écoutant l'émission sur la nature qui passait à la radio, les animaux en hibernation, leur corps qui fonctionnait au ralenti, la singulière horloge biologique qui les prévenait du retour du printemps.

Elle posa la tasse vide sur la paillasse et éteignit la radio. Kai Roger allait bientôt arriver.

En traversant la cour, elle remarqua que la mangeoire aux oiseaux était vide. C'était bizarre, elle l'avait remplie la veille, à la nuit tombée. Un écureuil était peut-être passé par là. Ce serait amusant d'avoir des écureuils dans la cour, ils étaient mignons.

Puis elle entendit les porcs. Ils criaient. Ils ne faisaient jamais ça normalement, pas avant d'entendre s'ouvrir la porte de la porcherie. Elle se précipita. Arrivée devant la porte, elle se rendit compte que leurs cris étaient différents, comme s'ils exprimaient une peur panique toute nouvelle, ils criaient comme des possédés, un chœur entier de voix porcines.

Elle poussa violemment la porte d'entrée, traversa d'un bond la buanderie sans enfiler sa combinaison, ouvrit la porte qui donnait sur les bêtes et alluma les néons.

Impression réalisée par

La Flèche (Sarthe), 65466
Dépôt légal : septembre 2011

X05319/01

Imprimé en France